Wolfgang Kayser: Die Vortragsreise

WOLFGANG KAYSER

Die Vortragsreise

STUDIEN ZUR LITERATUR

FRANCKE VERLAG BERN

Gemsberg-Druck der Geschwister Ziegler & Co., Winterthur

Printed in Switzerland

Inhalt

Vorwort

Um den Aufgabenkreis des Hochschullehrers hat sich ein neuer Ring gelegt. Die Vortragstätigkeit, früher auf seltene fachliche oder festliche Anlässe beschränkt, hat sich ins Weite gedehnt. Literarische Gesellschaften und private Kreise, offizielle Veranstalter und Institutionen des Auslandes wenden sich an ihn, und besonders eindringlich erheben die vielen kleinen Städte ihre Stimme, die den dafür Aufgeschlossenen unter ihren Bewohnern – und sie sind meist sehr zahlreich – den lebendigen Kontakt mit der Wissenschaft vermitteln wollen. Leise Bewunderung mischt sich in den Neid auf die Kollegen, die standhaft genug sind, alle Einladungen abzulehnen. Und doch —, wer vor einen gefüllten Saal tritt, wer die erwartungsvolle Aufmerksamkeit herandrängen fühlt und spürt, daß er mit seiner beruflichen Arbeit auch hier gebraucht wird, der zögert mit der Ablehnung. Das angenehme Gefühl, echte Verpflichtungen zu erfüllen, verklärt die subjektiveren Versuchungen, die in der Einladung als Anlaß zu einer Reise überhaupt, als Erinnerung an gute Gespräche und freundliche Begegnungen und als Kontaktsteigerung mit lebendiger Gegenwart liegen.

Man läßt auf solchen Reisen das schwere Gepäck zurück. Und da man als Gast kommt, bemüht man sich, die dafür geltenden Gesetze der Höflichkeit zu erfüllen. Aber jede Kollegstunde daheim stimmt schon zwiespältig und macht über die Laune der Sprache nachdenklich, die Kolleg nennt, was gerade nicht vor Kollegen, sondern vor den jungen Adepten der Wissenschaft gehalten wird. Der Vortrag, draußen vom Gast gesprochen, stimmt noch zwiespältiger. Über den Gesetzen der Höflichkeit stehen andere, strengere; reisend bleibt man im eigenen Bereich, und in dem leichteren Koffer liegt doch ein sauber getipptes Manuskript. Jeder Redner muß auf seine Art mit dem Zwiespalt fertig werden; der Vortrag ist jedenfalls zu einer eigenen Form des wissenschaftlichen Lebens geworden.

Seine Problematik drängt sich von neuem auf, wo er seine Lebensform wandelt und zum gedruckten Wort werden soll. Notwendigerweise muß er bei dieser verkürzenden Projektion verlieren. Kann er in solcher Form noch seine ihm eigenen Funktionen erfüllen? Vielleicht darf er darauf vertrauen, daß es gelingt, den Leser von neuem zum Hörer umzuformen. Und die Zweifel werden schließlich beschwichtigt durch die sich häufenden Wünsche von Freunden wie von Unbekannten, an den Erörterungen teilzunehmen oder, wo doch schon ein Abdruck erfolgt sei, die oft schwer erreichbaren Wiedergaben bequemer zur Hand zu haben.

Wer beim Reisen an eine Grenze kommt, hat immer ein schlechtes Gewissen, sobald er den Zollbeamten sieht. Der Verfasser hat sehr begründeten Anlaß dazu; unter die Vorträge sind Manuskripte geschmuggelt, die, zu besonderen festlichen Anlässen entstanden, gleich für den Druck bestimmt waren. Ebenso ist das Nachwort zu einer Übersetzung eingereiht worden, die einen der Romane der Weltliteratur dem deutschen Leser zugänglich machen wollte. Als Skizze zu einem literarischen Portrait erweitert das Nachwort den Kreis der Darstellungsformen; thematisch ordnet es sich einer Sammlung ein, deren Beiträge unter wechselndem Blickwinkel auf deutsche und ausländische Dichtungen schauen.

Der Verfasser dankt seinem Verleger für die Ermunterung zur Herausgabe und die sorgsame Betreuung des Druckes.

Göttingen, im Mai 1958   W. K.

Wandlungen im Gebrauch der verbalen Präfixe
in der deutschen Sprache des 18. Jahrhunderts

In der sprachlichen Darstellung von Bewegungsvorgängen bestehen zwischen dem Deutschen als einer germanischen und den
lebenden romanischen Sprachen wesentliche Unterschiede. Ein
formendes Prinzip läßt sich dabei schnell erkennen. Das Deutsche
erfaßt einen Bewegungsvorgang vorzugsweise als bestimmte Modifikation einer Tätigkeit überhaupt; die bestimmte Modifikation
wird durch ein Präfix ausgedrückt, das zu dem Verb als der Tä-
tigkeitsbezeichnung tritt. So läßt sich durch ein Präfix die Richtung im Raum wiedergeben, ob sich eine Bewegung nach oben,
nach unten vollzieht, ob heraus oder herein – sogar noch die Annäherung an den Sprechenden bzw. die Entfernung von ihm läßt
sich ausdrücken –, weiterhin der Beginn eines Geschehens oder
sein Abschluß, eine Mehrung oder Minderung, die sich aus der
Tätigkeit ergeben u.a.m. Gewiß fehlt es in den romanischen
Sprachen nicht an solchen Präfixen, aber ihre Bedeutung läßt sich
nicht mit der im Deutschen vergleichen. Schon zahlenmäßig ist
da der Anteil der mit Präfixen zusammengesetzten Verben hoch:
man schätzt ihn auf mindestens ein Drittel. Weiterhin ist die
Kraft in den Präfixen so lebendig, daß jeder nicht ganz stumpfe
Sprecher mit Leichtigkeit schöpferisch werden und neue Zusammensetzungen bilden, d.h. neue Aspekte an einem Vorgang ausdrücken kann. Im Romanischen ist es immer wieder so, daß der
Bewegungsvorgang nicht als Modifikation einer allgemeineren
Vorgänglichkeit erfaßt wird, sondern als verhältnismäßig eng
umgrenzte Einheit.

Das Deutsche erfaßt eine Bewegung als *Steigen*. Das meint als
Grundtätigkeit ein ziemlich langsames Gehen, bei dem die Knie
merklich gekrümmt werden und sich das Körpergewicht eindeutig auf den niedersetzenden Fuß verschiebt. (Anlaß dazu sind
Hindernisse oder Niveauunterschiede in der Gehbahn.) Diese
Grundtätigkeit erkennen wir nun in den verschiedensten Abwandlungen wieder, deren Eigenart wir durch die Präfixe *ab-*, *an-*,
aus-, *auf*, *ein-*, *er-*, *ver-*, *um-*, *nach-*, *über-*, usf. ausdrücken. Fast

in jedem Fall geschieht die sprachliche Darstellung in einer romanischen Sprache durch ein besonderes Wort für gerade diesen Vorgang oder aber durch eine präpositionale Ergänzung. Nicht selten wird sogar die für uns einheitliche Besonderung des Bewegungsvorganges noch weiter aufgespalten: ob man einen Berg, ein Pferd, ein Schiff oder einen Thron besteigt, das wird in den romanischen Sprachen vielfach als ein eigener Vorgang empfunden.

Noch zahlreichere Aspekte lassen sich an der Grundbewegung des *Tretens* sondern; zu den genannten Präfixen stellen sich da noch *bei-*, *her-*, *hin-*, *unter-*, *zurück-* u. a. Wieder muß man bei der Übersetzung eigene Worte für den jeweiligen Vorgang oder aber Ergänzungen benutzen, und nicht selten versagen auch diese Mittel. «*Er trat ins Zimmer*», «*Er trat ins Zimmer ein*». «*Er trat in das Zimmer herein (hinein, rein)*», – diese für deutsches Sprachempfinden deutlich unterschiedenen Tatbestände lassen sich kaum in einer romanischen Sprache sondern, oder die Sonderung wird gleich zu stark. In den deutschen Präfixen liegt ein ungeheuer reiches und leistungskräftiges Mittel der Nuancierung bereit, – und nicht nur für die Darstellung von Bewegungsvorgängen, wie wir jetzt erweiternd hinzufügen können.

Der weitgehende Verzicht, mittels verbaler Präfixe Art und Aspekt eines Vorganges darzustellen, ist den lebenden romanischen Sprachen gemeinsam. Das kann überraschen, wenn man an das Lateinische denkt, in dem die Präfixe überaus lebendig waren. In den romanischen Sprachen erscheint das gleiche lateinische Verb nicht selten in verschiedener Gestalt: ein Symptom dafür, wie gering die Eigenbedeutung der Präfixe empfunden wurde. Franz. *voir*, span./portug. *ver* gehen auf latein. *videre* zurück; aber das lateinische Kompositum *invidere* erscheint heute im Franz. als *envier*, im Span. als *envidiar*, im Portug. als *invejar*. Im Latein. steht neben *regredi: aggredi*; in den romanischen Sprachen sind die Ableitungen aus dem ersten Verb in die -e (bzw. -a) Konjugation, die aus dem zweiten in die -ir- Konjugation getreten. Oder wenn im Port. *querer* unregelmäßig konjugiert, *requerer* aber regelmäßig, so ist auch das ein Symptom, wie stark die Komposition als eigenes Verbum gefühlt wurde. Daß es sich bei den vielen Beispielen, die sich für diesen Tatbestand aus den romanischen Sprachen beibringen ließen, oft um humanistische Komposita handelt, die nun nicht mehr den Anschluß an das Simplex fanden, ist kein Einwand. Diese Tatsache bestätigt vielmehr den grundsätzlichen Strukturwandel, der sich vom Lateinischen zu den Tochtersprachen hin vollzog. Und sie beleuchtet grell den Strukturgegensatz zum Deutschen. Denn in der deutschen Sprache hat die engere Berührung mit der lateinischen im Zeitalter der Mystik und des Humanismus die Entfaltung der verbalen Präfixe gerade in reichstem Maße gefördert. Die bekannten Neubildungen der Mystik wie: *ein*fließen, *ein*drücken, *ein*leuchten, *ein*ziehen usf. sind deutlich vom lateinischen *in-* befruchtet worden.

Die lateinischen Anregungen sollen damit nicht überschätzt werden (obwohl sie gewöhnlich noch unterschätzt werden); der ganze Vorgang ist so elementar, umfassend und vor allem: dem Geist der deutschen Sprache so gemäß, daß seine Erforschung nach den verschiedensten Seiten zu schauen hat. Noch sehen wir über die Tatsachen nicht klar; die letzte zusammenfassende Darstellung von H. Kunisch[1] (die besonders auf die sprossenden *ver-*, *ent-*, *durch-*, *über-*, *ein-*, *voll-*Zusammensetzungen hinweist) läßt indes erkennen, daß die Forschung auf diese Phänomene sehr aufmerksam geworden ist. Es sind, so läßt sich noch sagen, vor allem präpositionale Präfixe, die damals ihre Lebenskraft entfalten. Und endlich handelt es sich nicht nur um eine Zunahme bestimmter verbaler Präfixe, sondern um eine tiefgreifende Umschichtung. So verliert z.B. das im Mhd. noch so fruchtbare *ge-* an Ausdehnung und Gewicht. Heute spüren wir wohl kaum noch etwas von seiner damaligen Wirkungskraft. Man spricht ihm oft doppelte Bedeutung zu: eine inchoative und eine perfektive. Man sollte vielleicht richtiger von der einen aktualisierenden Bedeutung sprechen, d.h. von dem Vermögen, die Verbbedeutung für einen einmaligen Vorgang zu aktualisieren. In späterer Zeit wird der Aspekt genauer erfaßt, und vielfach haben *er-* oder *ver-* seine Stelle eingenommen: mhd. *gesehen* geben wir meist mit *erblicken* wieder, und

---

[1] Spätes Mittelalter, in: Deutsche Wortgeschichte, hgb. F. Maurer u. F. Stroh, Bd. I, Berlin 1943. – Seit Jahrzehnten verdanken wir schwedischen Forschern die eindringlichsten Arbeiten zu den Problemen der verbalen Komposition im Deutschen.

wenn die Mystiker noch das Kompositum *geworten* bilden konnten, so drängt sich uns an entsprechender Stelle *ver- worten* auf.
(Wir empfinden heute in *ge-* eine Zusammenfassung, offensichtlich unter Einfluß des nominalen Präfixes. Das alte *gedenken* ist
für uns Ausdruck eines innigen und meist gemeinschaftlichen
Denkens geworden.)

Eine andere Zeit, in der sich die verbalen Präfixe auffällig um-
lagern, ist die zweite Hälfte des 18. Jahrhunderts. Das ist eine
runde Feststellung, zu rund, als daß sich eine Geschichte der
Sprache damit begnügen könnte. In diesen Rahmen aber muß
die ganze Frage schließlich gestellt werden. Deshalb helfen auf
der einen Seite die Untersuchungen nicht sehr weit, die für Ein-
zelheiten (ein Wort, eine Neubildung, ein Präfix) angestellt worden sind. Sie geben den Blick nicht auf die größeren Vorgänge
frei oder schauen wohl gar in andere Richtung. Die Beobachtungen z. B., die für Klopstock in dieser Hinsicht gemacht worden
sind, ordneten sich gewöhnlich der Frage nach seinem Stil unter.
Selbst wenn sie das weitere Feld der Hymnen- und Odensprache
umspannen, so bleiben sie damit auf einem eng begrenzten Feld
der Verssprache. Eine Geschichte der deutschen Sprache hat damit noch wenig gewonnen. Ebenso ist der Beitrag, den die Beobachtung eines Wortes liefern kann, noch unbedeutend. Selbst wenn
es technisch möglich wäre, das in Wörterbüchern und Einzel-
arbeiten vorliegende wortgeschichtliche Material für die verbalen
Präfixe zusammenzustellen, so wäre damit erst Vorarbeit geleistet.
Belebungen älterer Formen und Neubildungen sind nur ein Teil-
stück in dem ganzen Komplex; absterbende oder zurücktretende
Bildungen wären nicht weniger wichtig. Und schließlich muß es
darauf ankommen, die Wandlungen und Umlagerungen in dem
ganzen sprachlichen Feld der verbalen Präfixe zu erfassen.

Um den Blick auf solche Verschiebungen zu lenken, vergleichen wir zunächst drei Texte. Sie sind einigermassen homogen;
in jedem Fall handelt es sich um die Sprachschicht der literarischen
Kritik. Zeitlich liegen sie nicht weit auseinander: Joh. Elias Schlegels *Vergleichung Shakespeares und Andreas Gryphs* stammt aus
dem Jahre 1741; Lessings *Hamburgische Dramaturgie* aus den Jahren 1767 und 1768, Herders *Shakespeare-Aufsatz* erschien 1773.

Aus der Hamburgischen Dramaturgie wurden vor allem die Abschnitte durchmustert, die von Shakespeare handeln, so daß also die drei Texte auch thematisch zusammenstimmen. Der Umfang der aus Lessing und Herder gewählten Abschnitte gleicht genau dem Aufsatz J. E. Schlegels (aus dem die eingeschobenen Verszitate beiseite gelassen wurden). Die folgenden Zählungen führen alle Verben mit Präfixen auf – unter Ausschluß nominaler Kompositionen wie *stille stehn, treu bleiben, bereit halten.* Wir geben zunächst den Bestand bei Schlegel und Lessing, nach der Häufigkeit der Präfixe geordnet:

Präfix	Schlegel	Lessing
be	35	38
ver	30	37
er	29	29
an	19	15
vor	12	4
ge	10	5
ab	8	8
über	7	9
auf	6	4
ein	6	6
nach	6	1
zu	5	5
ent	4	7
unter	4	2
zusammen	3	–
aus	3	4
. . .	. . .	. . .
	212	207

Die Gleichmäßigkeit ist geradezu überraschend. Wie die Gesamtzahl fast dieselbe ist, so ist die Zahl der verwendeten Präfixe nahezu gleich (Schlegel: 33, Lessing: 30) und schließlich die Häufigkeit, in der das einzelne Präfix erscheint. Das Bild verschiebt sich wesentlich, wenn wir den Bestand bei Herder danebenstellen:

Präfix	Herder	Schlegel	Lessing
er	19	29	29
ver	18	30	37
ge	10	10	5
be	10	35	38

ein	7	6	6
an	7	19	15
vor	5	12	24
aus	5	3	4
fort	5	–	–
hin	4	1	2
ent	4	4	7
über	4	7	9
weg	4	1	1

Das erste Ergebnis ist vielleicht unerwartet: die Zahl der Verben mit Präfixen ist um nahezu ein Drittel zurückgegangen. Dabei ist es nicht so, daß Herder die Präfixe streicht, um die einfachen Verben zu gebrauchen. Der Sturm und Drang bietet dafür viele Beispiele, der Shakespeare-Aufsatz nur sehr wenige. So findet sich einmal *zeugen* für geläufigeres *bezeugen* («so soll Vater Aristoteles zeugen»); oder einfaches *herrschen* für *vorherrschen*, oder ein *zöge* für *hervorzöge*. Aber das ist selten; der Rückgang betrifft die Verben überhaupt –, eine seltsame Feststellung angesichts dieses so «dynamischen Stils». Aber die Dynamik entsteht gerade durch die Unterdrückung des Verbums. Die Sachverhalte werden dadurch ungegliederter, unübersichtlicher, der Sprecher scheint unter ihrem unmittelbaren Eindruck zu stehen, er hat nicht Abstand genommen und geordnet. Die dynamische Energie des Verbums ist in die anderen Satzteile eingegangen. Nicht selten ruft ein Substantiv einen ganzen Sachverhalt hervor: «In Othello, dem Mohren, welche Welt! welch ein Ganzes! lebendige Geschichte der Entstehung, Fortgangs, Ausbruchs, traurigen Endes der Leidenschaft dieses edlen Unglückseligen! und in welcher Fülle und Zusammenlauf der Räder zu *einem Werke!*» Oder eine andere Stelle: «Die Mordszene Bankos im Walde: das Nachtgastmahl und Bankos Geist – nun wieder die Hexenheide... Nun Zauberhöhle, Beschwörung, Prophezeiung, Wut und Verzweiflung! Der Tod der Kinder Macdufs unter den Flügeln der einsamen Mutter! und jene zween Vertriebene unter dem Baum, und nun die grauerliche Nachtwandlerin im Schlosse und die wunderbare Erfüllung der Prophezeiung – der heranziehende Wald – Macbeths Tod durch das Schwert eines Ungebornen...»

So deutet also der zahlenmäßige Rückgang der Präfixe im Shakespeare-Aufsatz keineswegs auf eine Abneigung gegenPräfixe an sich; es ist ja schon auffällig, daß Herder – trotz der um ein Drittel verminderten Gesamtzahl – entschieden mehr Präfixe verwendet als Schlegel und Lessing: den 33 bzw. 30 dort stehen hier 38 gegenüber. Bildungen mit *fort-, herab-, heran-, herunter-, dahin-, davon-, hieher-, hinaus-, hieraus, mit-* finden sich nur bei Herder. Liegt darin schon ein erster Hinweis, daß im Shakespeare-Aufsatz gerade ein besonderes Gefühl für die Leistungskraft der Präfixe lebendig ist, so wird diese Vermutung durch die Beobachtung der Sprache im einzelnen zur Gewißheit.

Am stärksten sind die *be-*Bildungen zurückgegangen: von 35 bzw. 38 auf 10. *Be-* ist nun ein Präfix, dessen eigener Bedeutungsgehalt sehr schwach ist. Manche Wörterbücher wollen ihm jegliche Bedeutungskraft absprechen; das geht indessen wohl zu weit. Wenn man sagt: *beschreiben Sie einen Ferientag,* statt: *schreiben Sie über einen Ferientag,* oder: *bedenken Sie den Fall noch einmal,* statt: *denken Sie noch einmal über den Fall (nach),* so liegt in *be-* offensichtlich etwas von einer Zusammenfassung der Verbenenergie, die nun unmittelbar auf ein Objekt gelenkt wird: *be-* hat das Vermögen, ein Verbum zu transitivieren. Wieviel straffer ist die Wendung: *er bearbeitete den Rechtsfall* als: *er arbeitete an dem Rechtsfall.* Dagegen wird die ganze Blässe, ja geradezu eine entsinnlichende Wirkung des *be-* überall da spürbar, wo es seines transitivierenden Vermögens nicht bedarf, weil das Verb schon transitiv ist. Das wird besonders bei den Reflexiven deutlich. Die Reihe: *er bemühte sich sehr, er mühte sich sehr, er mühte sich sehr ab* – ist beispielhaft. Ebenso geht von *be-* da keine Bedeutungskraft aus, wo es an einem Simplex oder äquivalenten nominalen Ausdruck fehlt.

Mustern wir den Bestand bei Schlegel und Lessing, so zeigt sich schnell, wie bedeutungslos das Präfix *be-* fast durchweg bei ihnen ist. Schlegel verwendet folgende Bildungen:

befallen	sich bekümmern	betrachten
sich befinden (2)	sich bemühen	betreffen (2)
befördern	benehmen	beurteilen
befriedigen	beobachten (2)	bewegen
begleiten	berühren	beweisen

begnügen	sich beschäftigen	bewundern (4)
behalten (3)	sich beschweren	bezeigen
beharren	beschreiben	
bekennen	bestehen (3)	

Bei Lessing verrät schon der Wortschatz, daß *be-* etwas lebendiger ist:

beantworten	begehen (4)	bereichern
bedauern	behaupten	berufen
bedecken	bekennen	besorgen (3)
bedenken (2)	sich bekümmern	besitzen (2)
bedienen	beleidigen (2)	besteigen
befestigen	sich bemächtigen (2)	besuchen
sich befinden	bemerken (3)	bewahren
befördern	benennen (2)	
begegnen	beobachten (2)	

Bei Herder fehlen die blassen *be-*Bildungen nicht ganz; aber daneben stehen mehrere Komposita (und jedenfalls mehr als bei den anderen), in denen *be-* sich recht *wirksam* zeigt:

bearbeiten	beherrschen	beruhen
bedeuten	beleben (2)	beschreiben
begegnen	bemerken	betrügen

Beträchtlich war sodann der Rückgang des Präfixes *ver-*. An ihm spüren wir noch durchaus Eigenbedeutung. Wir müssen sogar sagen: Eigenbedeutungen; denn in *ver-* sind mehrere germanische Präfixe lautlich zusammengefallen. (Bei den *ver-*Bildungen ist die Zahl der mehrdeutigen Wörter auffällig groß: *verzeichnen, verrechnen, verlegen, verbringen* u.a.m.) Am kräftigsten ist wohl die Bedeutung des «Verschwindens und Zugrundegehens», sodann die engere des «Verbrauchens von Mitteln und Zeit» (Kluge-Goetze); in reflexiven Bildungen bedeutet *ver-* die «falsche Richtung». Aber zahlreich sind auch hierbei die Bildungen, in denen von *ver-* nur ganz geringe Wirkung ausgeht. Besonders wenn kein Simplex mehr daneben steht, ist es leicht mit dem Verb völlig verschmolzen: *vergnügen, verlangen, vermählen*, aber auch da, wo der semantische Zusammenhang nicht mehr empfunden wird: *sich verhalten, verstehen, verwenden* u.a.m. Die eben aufgeführten Beispiele finden sich sämtlich bei Schlegel und Lessing (und noch viele mehr); der Anteil der bedeutungslosen *ver-* an der Gesamtzahl ist erheblich. Andererseits gibt es aber auch ausdrucksvolle *ver-*Bildungen, und wenn sich bei *be-* einige veraltete Belege fanden, in denen wir heute diese Bildung vermeiden würden (Gerechtigkeit *bezeigen*, den Irrtum *benehmen –*, der Rückgang von *be-* setzt schon früh ein: mhd. *belangen*, nhd. *verlangen* u. ä.), so sind demgegenüber alle von Schlegel und Lessing verwendeten *ver-*Bildungen noch heute durchaus üblich. Es muß angesichts solcher Lebenskraft von *ver-* etwas befremden, daß Herder so wenig Gebrauch von dem Präfix macht. Man darf wohl besondere Gründe vermuten und dann darauf hinweisen, daß der mindernde, aufzehrende, negative Gehalt von *ver-* im Inhalt des Shakespeare-Aufsatzes keinen Nährboden und in seinem hymnischen Ton kein gedeihliches Klima fand. (In unserem Text fielen nicht mehr die vorangehenden Bemerkungen Herders über das französische Drama; es ist bezeichnend, daß auf diesen wenigen Seiten gleich fünf und meist recht negierende *ver-*Komposita begegnen.) Immerhin steht dieses Präfix bei Herder mit 18 Belegen gleich an zweiter Stelle; wo es auftritt, ist es gewöhnlich ausdrucksvoll: *veralten, verstümmeln, verwandeln, verwelken, verwirren, verwischen, vertreiben* u. a. m. Es ist bei Herder unvergleichlich leistungskräftiger als bei den Vorgängern. Wir stoßen sogar auf besondere Mittel, um den Gehalt des Präfixes zu steigern. In der Wendung: «. . . so zu dem ganzen gehören, daß ich nichts verändern, versetzen. . . könnte» macht die Verdoppelung das Verfehlte eines solchen Versuchs um so eindringlicher.

Als drittes der häufigeren Präfixe ist *er-* merklich zurückgegangen, freilich nur noch in dem Maße des sonst durchschnittlichen Rückgangs überhaupt. Seine Bedeutung ist etwas einhelliger: es lassen sich wohl im Neuhochdeutschen vor allem drei Bedeutungsnuancen sondern, bei denen es an dieser Stelle gleichgültig bleiben kann, wie ihre Entwicklung aus der Grundbedeutung *ur* (uz) = «von etwas fort», «aus dem Innern heraus» erfolgt ist[1]:

---

[1] Die ursprüngliche Bedeutung ist nur in wenigen Fällen bewahrt. Ermatinger sucht in der Einleitung zu seinem Buch *Deutsche Dichter 1700–1900* (Bd. I, Frauenfeld 1948, S. 9) den Begriff des «Erlebnisdichters» von der Ety-

1. *er-* bedeutet ein Erringen, wobei das Simplex das Mittel des Erringens angibt: *erjagen, erbitten, ersingen.*

2. *er-* bedeutet «geraten in (den Zustand, den das Simplex angibt)», «anfangen zu»; *er-* ist ein Präfix, das äußerst kräftig zeitliche Perspektive gestaltet. Wenn es wegen des «Beginns», des «Geratens» als inchoativ bezeichnet wird, so umfaßt die Bezeichnung sowohl den allmählichen Beginn (inchoativ im engeren Sinne) wie den plötzlichen (ingressiv). Beispiele sind: *erklingen, erblühen, erröten.*

3. *er-* bedeutet, die durch das Simplex bezeichnete Tätigkeit vollständig, bis ans Ende ausführen. Es gestaltet also auch hier zeitliche Perspektive, freilich jetzt in perfektivem Sinne. Man hat in diesem Falle neuerdings den Ausdruck «exhaustiv» vorgeschlagen[1]. Beispiele sind: *ertragen, ersticken, erschlagen.*

Die Auffälligkeit, daß dieselbe Partikel zwei entgegengesetzte zeitliche Bedeutungen ausdrückt, mindert sich, da die exhaustive

---

mologie her zu bestimmen: «Erleben bedeutet: aus der Tiefe, aus dem Innern, aus dem Grunde leben, wie etwa erheben von unten nach oben heben, erschüttern aus dem Innern schütteln, erzählen von Anfang bis Ende berichten. Erleben bedeutet also: lebend etwas aus der Tiefe heben, was vorher nicht da war...» Diese Deutung von *erleben* stimmt nicht. Das Präfix *er-* wächst hier nicht mehr aus der Wurzel (*uz* = aus dem Innern), sondern aus einem der späteren Stämme. Die ältesten Belege von *erleben* (15. Jh.) zeigen, daß *er-* das Erringen bedeutet (s. unten Nr. 1): durch am Leben-Sein bekommen, erben. Neben dieser Bedeutung findet sich schon Frühneuhochdeutsch *erleben* in inchoativem Sinne: in das eigene Leben treten, kennen lernen.

[1] Erik Rooth, Das Verb «eratmen» bei Goethe, *Mélanges de philologie, offerts à M. Johan Melander*, Uppsala 1943. Der Aufsatz bietet weit mehr, als der Titel angibt. Nach einer Besprechung der drei Fälle von *eratmen* beim jungen Goethe gibt Rooth eine «Prinzipdiskussion», d. h. eine Auseinandersetzung mit der bisherigen Forschung zum Verbalpräfix *er-:* neben den älteren Arbeiten von Paul und Wilmanns mit denen von Erik Wellander, *Die Bedeutungsentwicklung der Partikel «ab» in der mhd. Verbalkomposition*, Diss. Uppsala 1911; Ture Johannisson, *Verbal och postverbal partikelkomposition i de germanska spraken*, Diss. Lund 1939; Wilhelm Lehmann, *Das Präfix «uz-» besonders im Altenglischen*, Kiel 1906; Hans Gruber, *Das adverbale «uz»-Präfix im Gotischen und Althochdeutschen*, Jena 1930. Rooth möchte die verwirrende Fülle von Bedeutungen, die in den Wörterbüchern für das nhd. *er-* angegeben wird, durch Rückführung auf nur zwei Grundtypen durchsichtig

Bedeutung offensichtlich an Lebenskraft verloren hat. Neubildungen auf *er-* drücken in der jüngsten Phase der deutschen
Sprachgeschichte ein «Erringen» aus *(erstehen, ersitzen, erspielen)*
oder den Beginn bzw. das Geraten in, Überführen in *(eratmen,
erdonnern, ersinken;* freilich wirken auch diese Neubildungen
schon etwas gezwungen bzw. poetisch). Die ausgesprochen perfektive Partikel ist im Nhd. *ver-*. Mit dem «Erringen» und «Beginnen» als lebenskräftigsten Bedeutungen ist der Gefühlsgehalt
von *er-* durchaus ins Positive gewendet; wenn von Ture Johannisson eine ursprünglich pejorativ-destruktive Bedeutung von *er-* angesetzt worden ist (Rooth hat dem prinzipiell widersprochen), so
ist daran für das Neuhochdeutsche nicht mehr zu denken. Selbst
den Verben mit destruktiver Bedeutung gibt das Präfix *er-* heute
etwas Positives, fast Bejahendes mit: *erlahmen, erkranken, erster-
ben. Er-* bedeutet Aufgang, *ver-* Niedergang, *er-* ist Mehrung,
Fülle, Leben, *ver-* Minderung, Leere, Tod. In *erlöschen* und *ver-*

machen. Er nennt die eine instrumental-resultativ (sie entspricht der oben
unter 1 angeführten); die andere intensiv-exhaustiv (der unter 3 angeführten
entsprechend). Rooth führt in dem ganzen Aufsatz einen Kampf gegen die
inchoative Ausdeutung des *er-*Präfixes, die er zwar nicht völlig leugnet, aber
doch äußerst stark zugunsten der «exhaustiven» Bedeutung reduzieren möchte. Aber er überzeugt damit keineswegs. Weder an den Stellen, wo er die inchoative Bedeutung der mit *us-* zusammengesetzten *nan-*Verben im Gotischen
leugnet oder der mit *ir-* zusammengesetzten *ên-*Verben im Ahd. (iraltên,
irdorrên usw.), die alle exhaustiv sein sollen, noch selbst bei der Besprechung
der drei *eratmen* des jungen Goethe. Goethe kommt, wie wir meinen, zu
dieser Bildung, weil ihm *er-* hier den Beginn ausdrückt, das eratmende Flehen
aus *Faust* (I, 486) und der eratmende Schritt aus dem *Schwager Kronos* bezeichnen ein Atmen, das jetzt anfängt, das jetzt sinnfällig, merklich, auffällig
wird, weil es so tief ist. Und gleich hier im Anfang läßt Rooth erkennen, wie
er zu seinem vergeblichen Bemühen gekommen ist, die inchoative Bedeutung
zugunsten der exhaustiven bzw. perfektiven wegzudeuten: er leitet die perfektive Bedeutung von *eratmen* aus der dritten Stelle ab: «geht wohl eratmet
wieder weg» (Invektivgedicht auf Nikolai aus dem Nachlaß), ohne zu merken,
daß der perfektive Gehalt nicht aus dem Präfix, sondern aus der Form als
Partizip Perfekt kommt! Man begegnet diesem Versehen mehrfach (*erwachsen!*). Die falsche Zielsetzung mindert auch ein wenig den Wert des dritten
Teiles in Rooths Aufsatz: der Besprechung von 115 bei Goethe vorkommenden *er-*Verben. Über das Verfehlte von Rooths Interpretation von *erschießen*
als Exhaustiv-Bildung vgl. auch Nils Kjellman, *Die Verbalzusammensetzungen
mit «durch»*, Diss. Lund 1945. S. 97 f.

löschen stehen sich noch deutlich zwei verschiedene zeitliche Perspektiven gegenüber: *die Kerzen verloschen* meint völlige Dunkelheit; *die Kerzen erloschen* – das meint den Beginn des Dunkelwerdens, das fängt das letzte Aufflackern, das Nachglimmen noch mit ein. Aber deutlich wird der gefühlsmäßige, der nur noch gefühlsmäßige Gegensatz zwischen *er-* und *ver-* da, wo sie die gleiche Aktionsart ausdrücken. Als Gegensatz von positiv und negativ stehen sich heute gegenüber:

erhellen	verdunkeln
erhöhen	vertiefen
erweitern	verengen, usw. usw.
erheben	versenken

So erklärt sich wohl auch, daß gelegentlich ein altes *er-*, dessen inchoative Bedeutung ganz am Platze war, durch ein *ver-* verdrängt worden ist: sein positiver Gefühlsgehalt schien zu dem negativen Gehalt des Simplex nicht zu passen. Das ist der Fall z. B. bei *veralten* (althochdeutsch: *iraltên*), *verdorren* (*irdorrên*) u. a. Es fällt auf, daß sich bei Verben wie *vergrößern*, *verbreitern*, *verlängern* das *ver*-Präfix durchgesetzt hat. Die Folge ist, daß sich nun die belebende Kraft, die in dem Vorgang liegt, nicht in der Sprache entfalten kann. Die Verben wenden ihn ins Wertfreie oder gar Abschätzige. Wir sprechen von einem *Vergrößern* als einem mechanischen Vorgang (Photographie), und *verlängern* und *verbreitern* ist leicht das behelfsmäßige Anstückeln in Länge und Breite. Schade auch, daß wir um die Frische des Verbums *erjüngen* gekommen sind; in den meisten dieser Fälle war wohl der Blick auf die vollzogene Tatsache vorherrschend, der also das Präfix *ver-* herbeizog. Und schließlich darf man von der Sprache kein strenges Aussortieren erwarten. Bei dem Präfix *er-* um so weniger, als seine Bedeutungskraft heute denn doch ziemlich beschränkt ist. Die Musterung des Wortschatzes in unseren Texten zeigt, wie unbedeutend bzw. eingeschmolzen in eine Gesamtbedeutung das Präfix *er-* sein kann; wieder findet sich das vor allem in den beiden älteren Texten: *erzählen, erfolgen, erlauben* u. a. bei Lessing, *erzählen, erfolgen, erlauben, erwähnen* u. a. bei Schlegel. Keins von diesen Verben findet sich bezeichnenderweise bei Herder, bei ihm besitzt *er-* fast immer merkliche Kraft. Es sind im übrigen alles geläufige Bildungen: die Vorsilbe *er-* hat sich schon in früheren Epochen der deutschen Sprache voll entfaltet. So versteht sich jedenfalls die verhältnismäßige Stabilität dieses Präfixes bei Herder.

Auffällig ist demgegenüber die Rolle des *ge-* bei ihm. Wir sahen, daß es im Neuhochdeutschen seine früher so weitreichende Fähigkeit, eine Verbbedeutung zu aktualisieren, verloren hat. Auch aus festen Fügungen ist es in beträchtlicher Anzahl verdrängt worden: statt des älteren *gewâhenen* heißt es später *erwähnen*, statt *gifordorôn: fördern* usf. Wie kann es da bei Herder zu einer relativen Steigerung gegenüber Schlegel und einer absoluten gegenüber Lessing kommen? In den durchmusterten Abschnitten des Shakespeare-Aufsatzes begegnen: *gebären, gehören* (4), *geschehen* (4), *gesellen.* Das letzte Wort weist uns den Weg: Herder gelingt es, in dem verbalen Präfix die kollektive Bedeutung zu wecken. Zwei Belege von *gehören:* «Wie es doch in Othello würklich *mit* zu dem Stück gehört...»; «... wie das alles zu *einer* Welt lebendig und innig gehöre». *Gehören* erscheint immer in der Fügung *gehören zu* und immer in Zusammenhängen, die die Gemeinsamkeit des *ge-* deutlich heraustreiben. *Geschehen* endlich ist ein Lieblingswort Herders, bei dem er wohl ebenfalls (und diesmal unmittelbar vom Substantiv her) die kollektive Bedeutung des Präfixes lebhaft spürte. Bei den *ge-*Bildungen Schlegels und Lessings ist von solcher Leistung nichts da; eine Wendung Schlegels mutet sogar veraltet an: *ich will vieler andern Stellen nicht gedenken. Gedenken* ist hier die weitergeschleppte, aber kaum noch wirksame ältere Form der Aktualisierung.

Wir können über die anderen Fälle, in denen ein Präfix bei Herder an Boden verloren hat, schnell hinweggehen. Nicht selten handelt es sich bei dem höheren Bestand in den älteren Texten um ausdruckslose Präfixe, mitunter um okkasionelle Häufungen und gelegentlich um beides zusammen. Das viermal begegnende *abbilden* bei Schlegel ist ein Hauptwort des kritischen Vokabulars jener Zeit, – es weicht mit der Kunstanschauung, die sich in ihm ausspricht. Das dreimalige *abrichten* bei Lessing ist stellenbedingt: er kann seinem Ärger über «die Herde dummer Statisten» damit

Luft machen. Von den *an*-Bildungen benutzt Schlegel sechsmal *anführen;* wenn es bei Herder völlig fehlt (bei Lessing einmal), so verrät sich darin von neuem die Tendenz Herders, ausdruckslose Formeln des kritischen Jargons zu meiden. Immer wieder zeigt sich, daß die Zahlen der Statistik nur erste Hinweise sind und der Korrektur durch Betrachtung und Abwägung der einzelnen Fälle bedürfen.

Wir wenden uns zu den Präfixen, die bei Herder eine merkliche Zunahme erfahren haben oder ganz neu auftreten. Daß Herder an Reichtum der Präfixe die beiden anderen übertrifft, lehrte schon der erste Überblick.

Von den fünf Bildungen mit *fort-* sind vier ausdrucksvoll: *fortfühlen, fortlaufen, fortreißen, fortwickeln* –, daneben ein *fortfahren.* Eine Stelle wie: «zu einem Ganzen sich fortwickelnd», in der also das übliche und daher zu blasse *ent-* gemieden und durch *fort-* ersetzt wird, zeigt klar, worauf es diesem Sprechen ankommt: eine kräftige Bewegung im Raume zu gestalten. In den anschließenden Sätzen erscheint noch *fortreißen* und dann als Krönung: «Himmel! wie wird das Ganze der Begebenheit mit tiefster Seele fortgefühlt und geendet!»

Bedeutungsmäßig eng verwandt ist *weg-*; hier findet sich ein Beleg bei Lessing *(wegsetzen).* Die vier Herderschen Fälle sind: *wegnehmen, wegschenken, wegschneiden, wegsprudeln.* Gegenüber *fort-* und *weg-* ist *ein-* in der Richtungsangabe noch bestimmter. Hier war bereits von der Mystik viel geprägt worden, bei Herder erweitert sich der Bezirk. Mehrfach fällt – wie schon eben bei *fortfühlen* – eine Verräumlichung auf: «Alle Nebenumstände, Triebfedern, Charaktere und Situationen dahin eingedichtet». An einer anderen Stelle intensiviert Herder wieder durch Verdoppelung den konkretisierenden Bedeutungsgehalt des Präfixes: «in den gegebenen Zeitraum der Visite dahin eingeklemmt und eingepaßt».

Eine besonders interessante Gruppe stellen die *durch*-Bildungen dar. *Durch-* gehört neben *über-, unter-, um-* und *wieder-* zu den Präfixen, die bald akzentuiert und dann trennbar sind, bald unbetont und dann untrennbar. Wenn Behaghel in seiner Geschichte der deutschen Sprache (§ 212, 3) von *umbi* und *widar* sagt, daß «Präfixbetonung bei intransitiven Verben, Betonung des Verbs bei transitiven Verben gilt», so hält diese Regel vor dem Neuhochdeutschen nicht mehr stand (*wiederholen, wiedergeben, úmstellen, úmgraben* usf.). Bei keinem der doppelwertigen Präfixe *(durch-, über-, unter-, um-, wieder-)* läßt sich auf diese Art zu morphologischen Gruppen (Präfixbetonung – Verbbetonung) kommen; es hat sich sogar gezeigt, daß bei allen Präfixen die Differenzierung nach den Kategorien Transitiv – Intransitiv, so ansprechend sie zunächst zu sein scheint, keine wirklichen Bedeutungsgruppen abzugrenzen imstande ist[1].

Um den Ausländern bei der Frage zu helfen, ob sie im jeweiligen Falle das Präfix oder das Verb zu betonen haben[2], pflegen unsere Sprachlehren die Regel aufzustellen: ist das Verb das Wichtige, so wird das Verb betont, ist das Präfix das Wichtige, so wird das Präfix betont. Aber es erscheint fraglich, ob damit jemals eine praktische Hilfe geleistet worden ist. Und für das Theoretische ist neuere Forschung zu der Feststellung gekommen: der «Versuch, den Unterschied zwischen trennbarer und untrennbarer Komposition darauf zurückzuführen, daß in der Zusammensetzung das logisch wichtigere Wort den Hauptton erhält, muß als verfehlt angesehen werden»[3].

Wenn aber weder die Kategorien transitiv – intransitiv noch die Kategorien adverbial – präpositional oder die der Wichtigkeit – Unwichtigkeit fähig sind, die morphologischen Verhältnisse durchsichtig zu machen, welcher Weg bleibt dann noch? Hat Kjellmann mit seiner resignierenden Haltung recht, der seine 22 Gruppen von *durch*-Kompositionen nur vom Bedeutungsmäßigen her bildet und innerhalb der gleichen Gruppe präfix- und verbbetonte Kompositionen aufführt? Hat er schon damit recht, daß man bei einer reichen Anzahl von Kompositionen «ohne irgendwel-

[1] Vgl. Kjellman, a. a. O.; ib. S. 16 über Wellander.

[2] Behaghel weist für *durch-, unter-, über-* auf seine Variabilitätsregel, wonach Lokaladverbien variabler sind als die Verben und deshalb den Akzent verlangen. Es gibt indessen eine Fülle von adverbialen Kompositionen, bei denen das Präfix unbetont bleibt: *unterlassen, unterdrücken, überbringen* u. s. f.

[3] Kjellman, a. a. O., S. 8 A. 1.

chen deutlich erkennbaren Unterschied»[1] so oder so betonen kann? Er gibt als Beispiel solcher völligen Gleichwertigkeit: *er durchblätterte das Buch* und *er blätterte das Buch durch*. Ist *er stöberte das Zimmer durch* gleichwertig mit *er durchstöberte das Zimmer?* Oder *er durchschnitt das Brot* mit *er schnitt das Brot durch?* Die Bedeutungsunterschiede sind doch wohl recht merklich. Das nachgestellte *durch* drückt aus, daß die Handlung bis zum Ende ausgeführt wurde, es lenkt den Blick auf das Ergebnis, es liegt geradezu etwas von perfektiver Aktionsart darin. In dem anderen Fall hebt sich der Vollzug der Handlung heraus, die, und das scheint uns sehr wichtig, mit dem betroffenen Objekt ganz eng zusammen geschaut wird: das Akkusativ-Objekt ist in diesem Fall fester an das Verb gefügt als bei der Präfixbetonung. Um den Unterschied scharf anzugeben: *er durchblätterte das Buch* – dann hört er vielleicht nach der Hälfte oder zwei Dritteln auf; *er blätterte das Buch durch* – dann kommt er bis zu dem hinteren Deckel. *Er durchschnitt das Brot* – dann mag es sein, daß er mittendrin auf ein Hindernis stieß und nicht weiterkam. *Er schnitt das Brot durch* – dann sind die beiden Hälften auseinandergefallen[2]. Im allgemeinen gilt die Regel, daß in den adverbialen Zusammensetzungen das Präfix betont wird, in den präpositionalen das Verb. Aber wieder stellen sich die zahlreichen Bildungen wie *unterbléiben, unterstéllen, übergében* usf. in den Weg und scheinen

---

[1] S. 16 u. ö.

[2] Der Hinweis ist auch für die späteren Beobachtungen nicht überflüssig, daß die Umgangssprache eine deutliche Abneigung gegen die unbetonten *durch*-Kompositionen hat. Sie bevorzugt statt dessen das Simplex mit der Präposition. Statt *ich durchschreite den Wald* heißt es: *ich schreite durch den Wald*. Bedeutungsmäßig stimmen beide Konstruktionen zu einander: Aktion und Schauplatz stehen im Vordergrund. Das Lied: *Ich ging durch einen grasgrünen Wald* benutzt den beschworenen Schauplatz, indem es fortsetzt: *da* (nl. in dem Wald mittendrin) *hört' ich die Vögelein singen.* Käme es auf das Vollenden des Durchschreitens an, so würde noch ein adverbiales *durch* hinzugefügt werden. Der Satz: *Ich ging durch einen Wald hindurch* ließe sich fortsetzen: *und stand plötzlich vor...* Diese Doppelkonstruktion (Präposition und Adverb ist in der Umgangssprache sehr beliebt: *er kam aus dem Haus raus; er schlich ins Zimmer rein; gehen Sie über die Straße rüber; es flog aufs Dach rauf;* vgl. oben: *in dem Wald drin.* Die präpositionale Konstruktion wahrt neben dem Verb eine verhältnismäßige Selbständigkeit, sie ist parataktisch

die Gültigkeit der Regel bedenklich zu beschränken. Aber diese
Ausnahmen lassen sich erklären und auf ein gemeinsames Prinzip
zurückführen. Schauen wir uns noch einmal die betonten adverbialen Partikeln an:

> er stellte sich unter
> das Wasser floß durch
> der Fluß trat über.

Es ist ein wirkliches *stellen, fließen, treten,* das Verb ist in seiner
gewohnten, genauen Bedeutung verwendet. Ein unbetontes Verb
muß, damit die ganze sprachliche Fügung glatt funktioniert, in
seiner Bedeutung festliegen. Dafür kann das nachdrücklich be-
schwerte Präfix seine Bedeutung in mancherlei Richtung entfalten, ohne daß das Verständnis deshalb auf Schwierigkeiten stieße.
Es ist bezeichnend, daß alle die Bedeutungsgruppen von *durch*-
Kompositionen, die nach Kjellman durch «ein stärker hervortreten-
des weiteres Bedeutungsmoment» des Präfixes abgrenzbar werden,
durchweg trennbar sind. Liegt hingegen mit dem Akzent das Gewicht auf dem Verbum, beherrscht es selber die sprachliche Darstellung des Sachverhaltes, so lebt es seinerseits nun in einem ur-
sprünglicheren Zustand, d.h. in der verhältnismäßigen Offenheit
seiner Grundbedeutung. *Unterstéllen, durchflíeßen, übertréten* und
die vielen Kompositionen ihrer Art sind Metonymien oder Metaphern. Die Verbbetonung ist also poetischer[1]; es überrascht nicht,

gegenüber der hypotaktischen Konstruktion: *ich durchschritt den Wald.* Weiterhin gibt die ins Ohr fallende Wiederholung dem nachgestellten Adverb
eine der Umgangssprache willkommene affektische Betonung. Der Berliner
Volkswitz hat Schwäche und Stärke dieser Konstruktion glänzend erfaßt:
«*Mank uns mank is eener mank, der nicht mank uns mank jehört*»! Die Unzu-
gehörigkeit wird mit herrlicher Deutlichkeit ausgedrückt. Bei einzelnen Ad-
verbien hat sich als emphatische Betonung der Vollständigkeit die Wiederholung des Adverbs in sich eingebürgert: *um und um; über und über; durch
und durch.*

[1] Scheinbar widersetzen sich präfixbetonte Kompositionen wie *úeberschnap-
pen, dúrchgehen, dúrchbrennen, dúrchfallen* u.a.m. Aber bei diesen derben
Übertragungen im Geschmack der Umgangssprache, deren Herkunft noch
leicht durchsichtig ist (*er schnappt über wie ein Türschloß; der Kassierer ist
durchgegangen wie die Tiere durch die Lappen gehen* usf.), handelt es sich gerade nicht um offene Grundbedeutungen, sondern um sprachliche Wendungen, die bedeutungs- und anwendungsmäßig genau festliegen.

daß die entsprechenden *durch*-Kompositionen kennzeichnend für die Klopstocksche Dichtungssprache sind (*durch-dringen, irren, herrschen, lachen, laufen, leben, schauen, strömen, wachen, wallen, wandeln, wandern, weinen* u.a.).

Der Bestand unserer Texte an *durch*-Bildungen ist folgender:

Schlegel	Lessing	Herder
durchstóeren (im Sinne von durch-stöbern)	dúrchsägen	durchstróemen
		durchháuchen
		dúrchgehen
		dúrchtraben

Herder verwendet also verbbetonte *durch*-Kompositionen in seiner Prosa: *durchströmen* und *durchhauchen* sind voller poetischen (metaphorischen) Gehaltes. *Dúrchtraben* aber ist – obwohl als ausdrucksstärkere Ersetzung von *dúrchgehen* in seiner Bildung verständlich – ein glatter Stilbruch. Indem die Umbetonung eine Realisierung der eigentlichen Bedeutung von *traben* erzwingt («man trabe alle Örter und Zeiten durch»), wird die Stelle kraß und niedrig, zu niedrig jedenfalls für den Zusammenhang.

Die Präfixe *über-* und *unter-* wirken bei Herder wohl lebhafter als bei Schlegel, für den sich die sieben Belege mit über- auf die drei Verben *überzeugen* (2), *übergehen* (2), *übersetzen* (3) verteilen. Aber in diesem Fall steht Lessing keineswegs nach, finden sich doch bei ihm so ausdrucksvolle Bildungen wie *übersteigen* (2), *überhüpfen, untermengen*.

Wir kommen zu einer letzten Gruppe und der vielleicht auffälligsten: zu den Präfixen *her-, herab-, heran-, heraus-* u.a., zu denen auch – in einigem Abstand freilich – *hin-* und *hinaus-* gehören. Der Befund ist:

	Schlegel	Lessing	Herder
heran-	–	herstellen	hernehmen
			herholen
herab-	–	–	herabpochen
			herabstürzen
heran-	–	–	heranziehen
heraus-	–	herausnehmen (2)	heraussein
		heraushalsen	
herunter-	–	–	herunterschlucken

herum-	herumlaufen	–	–
	herumwandern		
hervor-	hervorleuchten	hervortreten	hervorbringen (3)
			hervorrufen
hierher-	–	–	hierherfinden
			‹hieher oder hieraus
			bringen ›
hin-	hinrichten	hinlaufen	hinschweben
		hinrichten	hinstürzen
			hingehen
			hinreißen
			(dahinreißen)
hinaus-	–	–	hinausfliegen
hinein-	–	hineinsetzen	–
hinzu-	hinzusetzen (2)	–	–

1 3 Komposita mit *her-* bei Herder gegen je vier bei Schlegel
und Lessing, sechs Komposita mit *hin-* gegen je drei. Es sind jeweils durchaus adverbiale Präfixe, betont und ausdrucksvoll. Und
es ist, als ob sich erst bei Herder die reichen Möglichkeiten offenbaren, die in diesen Präfixen liegen. Aus *hinschweben* etwa leuchtet
noch der Glanz der jungen Bildung. Gelegentlich gelangt ein
Adverb noch nicht ganz in die Stellung als Präfix: «Wirds bald
sein mit bloßem Scheitel unter Donner und Blitz, zur untersten
Klasse von Menschen herabgestürzt, mit einem Narren und in
der Höhle eines tollen Bettlers Wahnsinn gleichsam pochend vom
Himmel herab». Was die Verbindung hindert, ist wohl jene be-
deutungsmäßige Erstarrung des Verbs bei akzenttragendem Präfix: hier aber sollte *pochen* gerade seine Energie und Wandlungs-
fähigkeit bewahren. Im übrigen ist die ganze Stelle aufschlußreich
für dieses Sprechen. Das zweimalige *herab*, neben dem *unter* und
unterste stehen, zeigt von neuem, wie durchgängig und fest die
räumliche Gliederung der gemeinten Sachverhalte ist. Gerade die
her- und *hin-*Präfixe drücken die räumliche und richtungsmäßige
Bestimmtheit einer Bewegung sicher aus. In ihnen können sich
die Tendenzen besonders rein ausprägen, auf die uns andere Präfixe bereits wiesen.

Zusammenfassend läßt sich sagen: im Shakespeare-Aufsatz bekundet sich ein neuartiges Sprechen. Ihm sind die verbalen Präfixe
zu einem wichtigen sprachlichen Ausdrucksmittel geworden. Das

führt einerseits zu einer Einschränkung im Gebrauch von Präfixen bzw. Präfixbildungen, die nicht mehr recht leistungskräftig sind, andererseits zu einer Erweiterung der verwendbaren Präfixe. Ausgenutzt wird vor allem die Kraft der adverbialen Vorsilben. Unter ihnen stehen die voran, die eine Bewegung als gerichtet und räumlich bestimmt ausdrücken *(fort-, weg-, ein-, durch-, her-, hin-)*. Das Sprechen tendiert also dazu, die Sachverhalte als konkret und in bestimmtem Sinne bewegt darzustellen.

Die Analyse stieß freilich auch auf eine Tendenz, die eine volle Entfaltung der adverbialen Präfixe beschränkte. Die mit der Akzentuierung dieser Präfixe gegebene Schwächung der Verben widerstritt dem so merklichen Streben, deren volleren Bedeutungsgehalt (ihre Wandelbarkeit) zu erhalten. Damit erweist sich zugleich, daß die vorgenommene Beschränkung auf die verbalen Präfixe etwas künstlich ist. Um gerade die Raumauffassung des neuen Sprechens genau zu erfassen, müßten (neben den nominalen Präfixen) auch die Präpositionen einbezogen werden. Als Präfix z. B. geht *zu*, wie die Statistik ausweist, von fünf Fällen bei Schlegel auf zwei Fälle bei Herder zurück. Als Präposition aber stehen 14 Belegen bei Schlegel (oft handelt es sich um leere Formeln, in denen *zu* keine Richtung angibt: *zu* Rom, *zum* Lobe nachsagen; die Formel *zum Beispiel* blieb aus der Zählung ausgeschlossen) bei Herder 36 Belege gegenüber, die fast durchweg Richtung angeben.

Daß die Beobachtungen, wie sich der Gebrauch verbaler Präfixe verschoben hat, nicht nur für den Shakespeare-Aufsatz und somit ein vereinzeltes sprachliches Dokument gelten, sondern daß die Ergebnisse dabei symptomatisch für neue Tendenzen überhaupt sind, soll durch einen zweiten Vergleich erhärtet werden. Gewählt wurden zwei Texte, die in jeder Hinsicht noch näher beieinander stehen: ungefähr 100 Seiten aus dem *Werther* (bis S. 106 der Jubiläums-Ausgabe, d.h. bis zu der Bemerkung «Der Herausgeber an den Leser») und ein genau gleich großer Abschnitt aus der *Geschichte des Fräuleins von Sternheim* der Sophie La Roche. Die Erscheinungsjahre der beiden «empfindsamen» Romane sind 1771 bzw. 1774. Freilich gibt es dabei eine kleine Störung: die Jubiläums-Ausgabe bietet den Text hauptsächlich nach der Handschrift der zweiten Fassung, die 1786 abgeschlossen wurde. Die sprachlichen Änderungen haben sich auf die Präfixe erstreckt; zu einem Teil mildert Goethe Härten und fügt Präfixe ein, wo die erste Fassung schroff das einfache Verb gesetzt hatte (S. 41 hieß es: «daß der himmlische Atem ihres Mundes meine Lippen reichen kann», jetzt wird daraus das geläufigere «erreichen»), andererseits fehlt es nicht an Stellen, in denen Goethe ein Präfix streicht. Aus der Wendung: «Wie umfaßt ich das alles mit warmem Herzen» wird: «Wie faßt ich das alles in mein warmes Herz» (S. 57). Auf das Ganze gesehen sind die Änderungen weder sehr zahlreich noch einhellig, so daß sie das Bild nicht verzerren. Und schließlich ist es, da wir weder auf den Stil des ersten Werther noch den des jungen Goethe aus sind, nebensächlich, ob die Beobachtungen an einem Werk des Jahres 1774 oder des Jahres 1786 gemacht werden.

Wir geben zunächst wieder den rein zahlenmäßigen Befund, nach der Häufigkeit der Präfixe in der *Sternheim* geordnet:

	Sternheim	Werther
be-	185	135
ver-	129	247
er-	126	134
an-	80	97
ge-	47	45
aus	39	93
ein-	33	38
auf-	28	58
ent-	28	21
(emp-)	14	8
vor-	26	28
über-	26	27
zu-	23	35
ab-	20	50
zurück-	14	26
unter-	14	21
fort-	12	24
...		
...		

hin-	15	90
(hinab-,		
hinauf-,		
hinaus-,		
usw.)		
zer-	8	22
weg-	8	22
her-		
(herab-,		
herauf-,	7	92
usw.)		
da-	5	24
...		
...		
wieder-	2	23
durch-	1	15
...		
...		
	959	1516

Während in dem Text der Sophie La Roche 51 Präfixe begegnen, finden sich in dem Goetheschen 77. Aber der Zunahme in der Zahl der Präfixe entspricht nun auch eine Zunahme in der absoluten Zahl der Belege: sie ist von 959 auf 1516, also um 54% gestiegen. In diesen Zahlen bekundet sich bereits deutlich, daß das sprachliche Mittel der verbalen Präfixe erweitert und vertieft worden ist. Die nähere Erörterung kann sich auf die wichtigsten Erscheinungen beschränken.

Von den häufiger verwendeten Präfixen haben bei einer allgemeinen Zunahme um die Hälfte zwei absolut abgenommen: ge- und be-. Es sind gerade die beiden, von denen gesagt wurde, daß sie im Neuhochdeutschen zu den bedeutungsschwächsten gehören. Der Rückgang ist am stärksten bei be-, das (wie auch bei Schlegel und Lessing) an der Spitze stand. Nur geringfügig und längst nicht im Zuge der allgemeinen Vermehrung haben er- und an- zugenommen. Und dann gibt es eine große Gruppe von Präfixen, die bei Goethe zahlenmäßig ungefähr ebenso oft begegnen wie bei Sophie La Roche: ein-, ent-, vor-, über-, zu-, um-. Aber an die Seite dieser Präfixe, deren Belegzahlen zwischen 40 und 20 liegen, rücken im *Werther* nun manche andere, die in der *Stern-*

heim nur selten vorkamen: die Verben des jüngeren Werkes sind viel reicher registriert. Dahin gehören *zurück-* (14:26), *fort-* (12:24), *da-* (5:24), *wieder-* (2:23), *zer-* (8:22), *weg-* (8:22). Ganz neu erscheint *entgegen-* (7 Belege im Werther)[1], und auffällig ist auch die Zunahme von *durch-* (1:15).

Klopstock hatte dieses Präfix in reichem Maße benutzt. Aber er betonte in den entsprechenden Kompositionen fast immer das Verbum (wir zählen in 88% der Fälle, nur in 12% findet sich Präfixbetonung). Die Offenheit der Verbbedeutung sowie die enge Anfügung des Akkusativ-Objektes *(dein Herz durchwallt; den Wald durchwandelst...)* geben seinen Bildungen den hohen poetischen Ton. Wir fanden ihn in Herders Prosa wieder. Im Werther liegt der Akzent nur in drei, durchaus anspruchslosen Fällen auf dem Verbum *(durchdríngen, durchbréchen, durchschnéiden)*, in rund 20% also, in allen anderen auf dem Präfix:

durchtanzen	durchstehlen	durchlesen (2)
durchziehen	durcharbeiten	durchsehen
durchhelfen (2)	durchsetzen	
durchtreiben	durchdringen	

Der bezeichnete Vorgang ist also eigentlich, sinnlich, klar und zugleich abgeschlossen. In Herders theoretischer Abhandlung fanden sich die ausgesprochenen «poetischen» Wendungen *durchstrόemen* und *durchháuchen*, in Goethes Dichtung haben die *durch-* Kompositionen nichts Auffälliges, sondern entsprechen unserer alltäglichen Redeweise. Kjellman stellt fest[2]: «Im Neuhochdeutschen haben die Zusammensetzungen mit *durch* in dieser Bedeutung eine ungeheure Produktivität entwickelt»[3].

[1] Sperber hat das Aufblühen von *entgegen-* in jener Zeit als sprachliche Auswirkung des Pietismus wahrscheinlich gemacht (Dt. Vj. 1930).

[2] S. 143. Bei Goethe gibt es innerhalb dieses Rahmens freilich einige kühne Bildungen. Kjellman führt aus dem Brief vom 18. 10. 1789 *durchverehren* und *durchbesuchen* an; im 3. Akt der *Stella* findet sich *durchverzweifeln*.

[3] Kjellman behauptet in seinem letzten Kapitel, «daß die prozentuale Verteilung auf die beiden Kompositionsarten bei den Verbalzusammensetzungen mit *durch-* in einem bestimmten Verhältnis teils zu der Abfassungszeit, teils zu der Stilart eines Werkes steht» (210). Mit Hilfe einer Tabelle soll nachgewiesen werden, daß in der Literatur der letzten 150 Jahre eine wachsende

Wie bei Herder tragen *unter-* und *über-*, die an sich auch doppelte Akzentuierung zulassen, zu dieser Frage wenig bei. Während in der Sternheim die Komposita mit *unter-* immer verbbetont sind, finden sich im Werther sechs Fälle von Präfixbetonung. Sie kommen indes fast ganz auf Rechnung eines Verbs: neben einem *untertauchen* begegnet fünfmal *untergehen*. Die Komposita mit *über-* sind bis auf einen Fall *(übergehen)* auch im Werther immer verbbetont. Wenn sie da auch vielfach eindringlicher wirken (*überspannen*, *übersteigen*, *überströmen* u. a. m.), so sind diese Vorgänge doch im ganzen nebensächlich. Es gibt vielsagendere.

Am eindrucksvollsten ist vielleicht die Zunahme der *her-* und *hin-*Präfixe, wenn wir wieder *her-, herab- herauf- heraus-* usw. und *hin-, hinab-, hinauf-, hinaus-* usw. jeweils zu einer Gruppe zusammenfassen. Von 7 bzw. 15 steigen sie auf 92 bzw. 90 Belege und erscheinen damit unter den häufigsten Präfixen. Ihr Wachstum war schon bei Herder aufgefallen, dort freilich noch gehemmt worden. Das ist jetzt offensichtlich fortgefallen, ihre ganze Entfaltung ist weitreichender und gegliederter.

Im Shakespeare-Aufsatz war die Analyse auf eine Tendenz gestoßen, die in ihrem Streben, den Verben ihre Bedeutungsfülle zu wahren, sich überhaupt etwas gegen den Gebrauch der akzentuierten Präfixe richtete. Beim Werther hingegen hatte sich schon anläßlich des Präfixes *durch-* gezeigt, daß die hier gestaltete Welt sinnlich-konkreter und konturenfester ist. Die ganze Sprachgebung beider Werke weist auf grundsätzliche Unterschiede in den Haltungen: einer «rhapsodischen» Haltung dort und einer – trotz

Tendenz zur Trennbarkeit wahrnehmbar sei. Die Tabelle beginnt mit Schillers Gedichten (untrennbar zu trennbar wie 92 % : 8 %), seinen Versdramen (90 % und 10 %) und geht – wenn auch nicht geradlinig – bis zu Falladas Romanen, in denen die Zahlen 17 % und 83 % lauten. Hätte Kjellman den Werther miteinbezogen, der in dieser Hinsicht unmittelbar neben den Romanen des modernen Autors steht (20 % und 80 %), so hätte sich sofort gezeigt, daß in der Literatur der letzten 150 Jahre die Entstehungszeit von keinem Einfluß auf die Verteilung der beiden Kompositionsarten ist: es handelt sich um ein ausschließlich stilistisches Problem. Dafür sind Kjellmans Zählungen sehr interessant; an der Spitze steht bei ihm (wir beschränken uns auf Prosa) Kleist (80 %, 20 %), es folgen C. F. Meyer (73 %, 27 %), Dahns *Kampf um Rom* (72 %, 28 %), Binding (*Die Geige:* 68 %, 32 %), Schiller (*Abfall der Niederlande:* 68 %, 32 %).

aller lyrischen Stellen – erzählenden Haltung hier. So sind denn die im Werther mit *hin-* und *her-* verbundenen Verben bedeutungsmäßig recht fest; sie muten uns vielfach so «üblich» an, daß wir den Glanz kaum richtig nachempfinden können, den sie für die Zeitgenossen gehabt haben. Als Beispiel seien die sechs *herauf-*Komposita angeführt: *heraufsteigen (2)*, *heraufkommen*, *herauftreten*, *heraufbringen*, *heraufpumpen*. In den *her-* und *hin-* Präfixen liegt nun aber noch eine Eigenheit, die sie vor allen anderen Präfixen auszeichnet. Man kann einen Sachverhalt sprachlich darstellen mit dem Satz: *Er stieg nach unten.* Man kann ihn aber auch darstellen: *Er stieg herunter* bzw. *Er stieg hinunter.* Der Sachverhalt ist derselbe geblieben. Aber die beiden letzten Fassungen enthalten eine der ersten Fassung fehlende Perspektive: die vom Sprecher her, der als Zuschauer gleichsam gegenwärtig ist. *Her* drückt dabei aus, daß sich die Bewegung dem Sprechenden nähert, *hin*, daß sie sich von seinem Standort entfernt. Gewiß kann es sein, daß dieser in den Präfixen liegende Bezug auf den Sprecher nicht aktualisiert oder daß die Perspektive in den Träger der Bewegung verlegt wird; immerhin macht die stete Möglichkeit zur Aktualisierung des Bezuges *her-* und *hin-* zu typisch epischen Präfixen.

Die Umgangssprache hat die Sonderung von Annäherung und Entfernung aufgegeben. *Herunter* und *hinunter* sind in *runter* zusammengefallen. Und beim Gebrauch der volleren Formen warnen die Lehren vom guten Deutsch immer wieder vor Verwechslungen. All das beweist, daß die Sonderung nicht mehr richtig funktioniert, daß die tägliche Sprache, wie man leicht begreift, sie nicht gebraucht, weil sie sie nicht braucht. In den Stillehren pflegt man unsere großen Schriftsteller als Muster hinzustellen, die *her-* und *hin-* richtig zu sondern wüßten. Im großen und ganzen trifft das für den Goethe des Werther zu. Aber es fehlt auch nicht an Stellen, bei denen Goethe lässig ist, so heißt es z. B. auf S. 78: «Da kommt der ehrliche Adelin hinein, legt seinen Hut nieder, indem er mich ansieht . . .» Der Sprechende ist schon im Zimmer und hätte das Kommen Adelins nur als Annäherung, als herein empfinden können. Solcher Verwechslungen gibt es mehrere.

Merklich zugenommen haben weiterhin *aus-* (39:93) und *auf-* (28:58). Bei den *auf-*Komposita aus der *Sternheim* überwiegen die konventionellen, in denen das Präfix kaum oder gar nicht mehr mit seiner Eigenbedeutung wirkt: *aufgeben, aufopfern, aufhören, aufwarten, auffassen, aufnehmen* u.a.m. An denen fehlt es im Werther nicht. Aber daneben stehen nun Komposita, die bezeugen, wie eindringlich hier *auf-* als «empor» erlebt und fruchtbar gemacht worden ist: *auffahren, aufjagen, aufhelfen, aufspringen, aufschwingen, aufsteigen, aufarbeiten* (= emporarbeiten), *aufgären, aufwagen, aufspannen, aufdämmern* (zwei, und jedesmal «durch Dämmerung empor» bedeutend). In einigen Fällen wurde die Bedeutung «einer Fläche aufdrücken» belebt: *auflegen, aufdrücken*.

Der Gebrauch von *aus-* entspricht diesem Befund. Wieder sind viele Bildungen in der Sternheim blaß und uneigentlich: *aussehen, ausüben, aussetzen, ausbitten, auszieren, ausschmücken* u.a.m. Im Werther bekundet sich wieder eine größere Lebenskraft des Präfixes. Vielfach klingen die gleichen Wörter jetzt ganz anders. Wenn Werther ausruft: «Ach könntest du das wieder ausdrücken», so wirkt das *aus-* hier bedeutungsvoller als es je in dem gleichen Worte bei Sophie La Roche wirkt: Goethe erreicht es durch den Anlauf über fünf unbetonte Silben, wodurch der Akzent auf dem Präfix überaus nachdrücklich wird. (An sich findet sich dieses Lieblingswort Goethes, das im behandelten Werther-Text dreizehnmal begegnet, schon sechsmal in dem Text aus der *Sternheim*.) Volle Kraft entfaltet das Präfix auch in *ausrufen* (11), *aussprechen* (5), *ausschreien, ausbrechen* u.a. Daneben wird aber auch die zweite Bedeutung des Präfixes wichtig: vollständig bis zum Ende. Es gibt da die drei schönen *ausdauern* (daneben noch *ausdulden, ausleiden*), die beiden *ausweinen*, sodann *auslernen, auserzählen* u.a.m. Es ist immer das gleiche: ohne alle Gewaltsamkeit und ohne jemals maniriert zu wirken, läßt Goethe das Sprachmittel der Präfixe seine volle Kraft entfalten.

Als letztes Präfix sei *ver-* behandelt. Es hat sich außerordentlich vermehrt und steht einsam an der Spitze der Tabelle. Auf dem Grunde des deutschen Sprachschatzes begreift sich, daß die Fälle nicht selten sind, in denen *ver-* keine merkliche Eigenbedeutung mehr besitzt, sondern mit dem Verb für uns völlig zu einem Begriff verschmolzen ist: *verstehen, versprechen, versichern, vermuten, versetzen, verzeihen, versuchen* u.a. sind auch im Werther häufig. Aber schon dabei fällt auf, daß es Goethe gelingt, dem Präfix gelegentlich Wirkungen abzugewinnen. Und *versetzen* dürften wir gar nicht in jener Reihe aufführen, in die es bei der *Sternheim* gehört: Goethe verwendet es immer zur Kennzeichnung einer «Gegenrede», in gespannter oder unbehaglicher Stimmung. So fällt es das erste Mal als Warnung der Base, sich nicht in Lotte zu verlieben. Dann begegnet es dreimal im Gespräch mit dem unsympathischen Herrn Schmidt (einmal freilich wird hier sogar eine Zustimmung Werthers zu einer Bemerkung Lottes als *versetzen* bezeichnet; diese Zustimmung ist der einzige unstimmige Fall in unserem Text). Dann taucht es wieder in dem großen, so gegensätzlichen Gespräch mit Albert auf (viermal). Höchst ausdrucksvoll wirkt es dann am Ende des ersten Buches, wenn Lotte auf Werthers vielsagendes «Wir sehn uns wieder»: «Morgen, denke ich» *versetzt* und damit ihr Unverständnis ausdrückt. Schließlich erscheint es zweimal im Gespräch mit dem wahnsinnigen Schreiber. In *versetzen* liegt also im Werther etwas Gegensätzliches, das Präfix wirkt mit seiner negierenden Kraft.

Eine besondere, noch kleine Gruppe bilden die Fälle, in denen *ver-* das Gegenteil der einfachen Verben ausdrückt und mit einem Odium erfüllt: *verleiten, verachten, verraten, verleiden, versagen*. Häufiger wirkt in *ver-* die perfektive Bedeutung, das vollständige Ausführen einer Tätigkeit, etwa in: *verarbeiten, verbessern, vermehren, versiegeln, verherrlichen, verwandeln, verändern*. (In den beiden letzten Fällen mag als eigene Bedeutungsnuance die «Umformung» aktualisiert sein, wozu dann auch *vergöttern* u.a. gehören.) Oft aber liegt in solchen Bildungen wieder etwas Negatives; die entsprechenden Kräfte des Präfixes haben sich mit denen der Verbbedeutung verbunden: *verlassen* (oft), *verlieren* (oft), *verletzen, vergröbern, vergällen, verpalisadieren, verwirren, verabscheuen, verschweigen, verlechen, verdrängen, verzärteln* (hier wirkt auch das Suffix), *verzweifeln*. Eine kleinere Gruppe wieder bilden die *ver*-Komposita, die ein «Verbrauchen von Mitteln oder Zeit» ausdrücken: *verplaudern, vertrauern, verphantasieren* u.a. Aber dabei handelt es sich ja nur um eine Verengung jener Grundbedeutung des «Verschwindens und Zugrundegehens». Und hier häufen sich nun die Belege im Werther: *verderben* (oft), *vergehen* (oft), *verschwinden* (oft), *verschlingen, verlöschen, verschwimmen, verzehren, verfaulen, versinken, versiegen* und viele andere mehr. Durch den Werther klingt somit unaufhörlich ein Ton des Schwindens, des Untergangs. Der zunächst so erstaunlich hohe Anteil der *ver*-Bildungen im Werther versteht sich als ein und vielleicht sogar das wichtigste Sprachmittel, mit dem die einheitliche Grundtönung ausgedrückt wird.

Aber mit der eingehenderen lexikographischen Durchmusterung des Formenbestandes ist die Frage noch nicht beantwortet, welche Bedeutung den Präfixen in dem neuartigen Sprechen zukommt. Mehrfach schon sahen wir bei Herder und bei Goethe, daß durch besondere stilistische Mittel ein an sich belangloses Präfix aufzuleuchten begann. Eine Betrachtung, die Ernst damit macht, die lebendige Sprache in das Blickfeld zu rücken, muß auf solche Mittel aufmerksam sein, durch die die Leistungskraft der Präfixe gesteigert wird. Sprachgeschichte und Stilforschung müssen da zusammenarbeiten. Im Werther scheinen fünf solcher stilistischer Mittel am Werk zu sein:

1. Durch Nebeneinanderstellung wird die Wirkung eines bestimmten Präfixes eindringlicher. Das begegnet häufig (häufiger als bei Herder). Wir geben einige Beispiele:

> S. 26: Genug, ich verwirrte mich, vergaß mich.
> S. 56: Wehe dem, der es wieder austilgen und auskratzen will!
> S. 61: O mein Bruder! – können wir gereifte Früchte vernachlässigen, verachten, ungenossen verfaulen lassen?
> S. 66: ich war erweckt und erschüttert.

2. Mehrfach schlägt ein bestimmtes Präfix in einem größeren Abschnitt durch:

> S. 34: ...wurde des Herrn Angesicht... so sichtlich verdunkelt, daß es Zeit war, daß Lotte mich beim Ärmel zupfte und mir zu verstehn gab, daß ich mit Friederiken zu artig getan. Nun verdrießt mich nichts mehr, als wenn Menschen einander plagen, am meisten, wenn junge Leute in der Blüte des Lebens, da sie am offensten für alle Freuden sein könnten, einander die paar guten Tage mit Fratzen verderben und nur erst zu spät das Unersetzliche ihrer Verschwendung einsehen...

In den gehäuften *ver*- bekundet sich Werthers ganzer Unmut. (Wieder zeigt sich, daß die Abgrenzung auf die verbalen Präfixe einigermaßen künstlich ist. Häufigere Beispiele für den genannten Stilzug liefern zusammengesetzte Adjektive. So schlägt auf S. 58 das negierende *un-* kräftig durch.)

3. Die Präfixe steigern sich in ihrer Ausdruckskraft, indem sie eine Klimax bilden; gewöhnlich steigern sich dann auch die Verbbedeutungen:

S. 7: Ich will nicht mehr geleitet, ermuntert, angefeuert sein.

S. 14: O meine Freunde! warum der Strom des Genies so selten ausbricht, so selten in hohen Fluten hereinbraust, und eure staunende Seele erschüttert?

S. 13: Ein junges Herz hängt an einem Mädchen, bringt alle Stunden seines Tages bei ihr zu, verschwendet alle seine Kräfte, all sein Vermögen, um ihr jeden Augenblick auszudrücken, daß er sich ganz ihr hingibt.

4. Die Wirkung der einzelnen Präfixe wird durch kontrastierende Anordnung erhöht:

S. 6: Ach könntest du das wieder ausdrücken, könntest du dem Papier das einhauchen...

S. 101: Töne..., die aus dem Instrument hervorquollen, und nur der heimliche Widerschall aus dem reinen Munde zurückklänge.

S. 106: Und wenn er in Freude sich aufschwingt, oder im Leiden versinkt...

5. Das ungleich häufigste Mittel ist, dem Präfix durch besondere Akzentuierung Nachdruck zu verleihen. Das ist gewöhnlich schon in der Kontraststellung und Klimax der Fall. Auffällig oft aber liegt darüber hinaus der letzte Akzent eines Abschnittes oder gar Briefes auf einem Präfix. So stehen schon die beiden zitierten Wiederholungen (S. 56, 61) an bedeutsamer Stelle. Einige weitere Beispiele:

Briefende S. 7: der das nicht mitempfinden kann.
Briefende S. 8: Sie dankte und stieg hinauf.
Briefende S. 14: der drohenden Gefahr abzuwehren wissen.
Briefende S. 18: und warum soll ich mir das schöne Bild verderben!
Briefende S. 39: wenn er uns so hintaumeln läßt.
Briefende S. 59: und ich weine trostlos einer finsteren Zukunft entgegen.
Briefende S. 95: und dem befreiten Halbgott meine Seele nachsenden.
Briefende S. 95: diese ganze Lücke würde ausgefüllt sein.
Briefende S. 98: die Wonne, die er über mich ausgoß, mit ganzem... Herzen aufnahm.

Wir geben zum Schluß noch eine Stelle aus dem Werther, eine der ausdrucksvollsten. In ihr leuchtet noch einmal die ganze Bedeutungsfülle verbaler Präfixe auf, und Kontrast- und Endstellung verbinden sich dann, um das letzte Präfix unsagbar zu beschweren. Es handelt sich um das Ende des ersten Buches nach dem Gespräch mit Lotte über das Wiedersehen:

> Sie gingen die Allee hinaus, ich stand, sah ihnen nach im Mondenscheine, und warf mich an die Erde und weinte mich aus, und sprang auf, und lief auf die Terrasse hervor, und sah noch dort unten im Schatten der hohen Lindenbäume ihr weißes Kleid nach der Gartentür schimmern, ich streckte meine Arme aus, und es verschwand.

Es ist eine der größten Stellen der deutschen Prosa. Und wir dürfen hinzufügen, daß die Wirkung vor allem von den Präfixen ausgeht. Am Schluß fällt auf *ver-* sogar ein Nebenakzent! Es gibt in der deutschen Literatur kein anderes *verschwinden*, das so endgültig und — gegen den vorangehenden Wiedersehenstrost des Inhalts — so trostlos ist wie dieses Ende des ersten Buches von Goethes Werther.

Erst in solcher Nähe zur lebendigen Sprache enthüllen sich Umfang und Tiefe der Verschiebungen und Neuerungen, die sich in der zweiten Hälfte des 18. Jahrhunderts auf dem Felde der verbalen Präfixe vollzogen. Funktionslose Partikeln wurden zurückgedrängt, die Leistungskraft der anderen belebt und im besonderen die Möglichkeit gleichsam neu entdeckt, mittels bestimmter adverbialer Präfixe eine Bewegung als räumlich-konkret und gerichtet darzustellen (*durch-*, *fort-*, *aus-*, *entgegen-*, *hin-*, *her-* u. a.). Die Bereicherung der Aspekte und Aktionsarten stellt sich im Vergleich mit den romanischen Sprachen als eine Vertiefung des Eigencharakters der deutschen Sprache dar.

Literarische Wertung und Interpretation

Wir beginnen mit zwei Bemerkungen zur gegenwärtigen Literatur; in beiden Fällen stellt sich die Frage nach der literarischen Wertung. Ernst Wiechert gehört zu den gelesensten und gefeiertsten Autoren der Gegenwart. Und doch ist die Behauptung kein großes Wagnis, daß er in 30 Jahren nur so weit bekannt sein wird, daß man ihn mit seinem Namensvetter verwechselt. Nicht der so klare Fall einer Hochschätzung beim großen Publikum ist das Auffällige, sondern daß in all dieser Zeit kaum eine Stimme laut geworden ist, die seine Werke nach ihrer künstlerischen Qualität wertete. Der andere Fall ist Thomas Manns *Erwählter*. In einer der maßgebenden Zeitschriften, dem literarischen Deutschland, hat man Stellung genommen, und zwar wurden in derselben Nummer eine positive und eine negative Wertung veröffentlicht. Die positive schaut geistesgeschichtlich: sie stellt den Gehalt in die Leben-Geist-Spannung des ganzen œuvre und den Helden in die Reihe der Mannschen Helden. Die negative argumentiert mit Takt und Geschmack. Die Ellen des ersten Besprechers sind für eine Zeitungskritik etwas unhandlich und werten nur insofern, als mit dem Erwählten ein neuer Aspekt der alten Thematik gegeben sei; die Ellen des zweiten sind offensichtlich sehr kurz. Wieder ist man überrascht, warum nicht gesagt und gezeigt wird, daß *Der Erwählte* ein schwaches, weil in sich brüchiges Buch ist. Die Geschmacksfrage wird erst so dringlich, weil das Buch seine eigene Intentionalität verletzt.

Über die Dichtung der Vergangenheit sprechen und werten die Literaturhistoriker. Vor der Gegenwartsdichtung verstummen sie gewöhnlich. Wollen sie nicht oder können sie nicht? Im zweiten Fall würden Zweifel an ihrem Verhalten gegenüber früheren Dichtungen wach. Tatsache ist jedenfalls, daß an den Brennpunkten der heutigen literarischen Kritik die Reflexe von der Literaturwissenschaft her spärlich sind. Die Zurückhaltung gehört nicht einmal zu ihrer Tradition. Es darf daran erinnert werden, daß in den Zeiten des sogenannten Positivismus die Deutsche Literaturzeitung eine Sektion *Moderne Literatur* besaß, in der E. Schmidt, H. Maync und die anderen führenden Literar-

historiker die Neuerscheinungen besprachen. Als Kuriosum sei
angemerkt, daß E. Schmidt 1903 die Erzählungen des jungen, be-
gabten Autors Th. Mann nachdrücklich der Aufmerksamkeit
empfahl. 1907 verschwand die Sparte in der DLZ, ungefähr zu
der Zeit, als die geistesgeschichtliche Phase begann. Darüber
schrieb K. Viëtor 1945 eine Art Nekrolog in den Publications
of the Modern Language Association unter dem Titel: *Deutsche
Literaturgeschichte als Geistesgeschichte. Ein Rückblick.* Viëtör stellt
fest: «Für die Literaturwissenschaft hatte diese äußerste Histori-
sierung die bedenkliche Folge, daß das Gefühl für künstlerische
Qualität verfiel und mit ihm das kritische Urteil.» Wir sind wieder
beim Thema, wie wir es fassen möchten: nicht als Frage nach den
Wertungen, die gegenüber der Literatur überhaupt möglich sind,
sondern als Frage nach der Wertung der (schönen) Literatur als
(schöner) Literatur.

Sie stellte sich nicht erst in Viëtors Aufsatz. Sie wurde dringlich, seitdem Walzel die Formensprache der Dichtung abzuhorchen
begann. Für die Studenten um 1929 ist wohl ein anderer Name
noch zu nennen. Man hatte gelernt, Strukturen zu sehen, Stil-
vergleiche und -analysen anzustellen, Probleme, Ideen und Gehalt zu erfassen und zu verfolgen. Alles in wissenschaftlicher
Strenge und Objektivität, von der das künstlerische Werten als
offenbar zu subjektives Verfahren stillschweigend ausgeschlossen
war. In jenem Jahre nun erschien G. Müllers Neuausgabe von
Abschatz' *Anemon und Adonis;* in der Einleitung sprach der Herausgeber schlicht und einfach aus, daß manche Gedichte vollendete
Kunstwerke seien, und zeigte es und begründete sein Urteil mit
Aufbau-, Rhythmus- und Formuntersuchungen. Bald darauf
wurde in J. Beer ein anderer Dichter als Dichter entdeckt. Es
hatte sich etwas geändert, und schon mit Abschatz und Beer ist
die etwas böswillige Frage beantwortet, die manchmal an uns gerichtet wird: ob schon je ein deutscher Dichter von einem deutschen Literarhistoriker entdeckt worden sei.

Von den 30er Jahren an wurden dann Kapitel und Bücher über
die *Wertungslehre* häufig, während das Kapitel *Werturteil* aus
Walzels *Gehalt und Gestalt* (1923) noch nicht gezündet hatte.
Es seien nur einige genannt: 1936 erschien J. Pfeiffers *Umgang*

mit Dichtung, in dem das zweite der drei Kapitel der Wertung gewidmet war; 1938 veröffentlichte Beriger sein Buch über *Die literarische Wertung*; Petersens *Wissenschaft von der Dichtung* vom nächsten Jahr brachte ein großes Kapitel *Deutung und Wertung*, das, wie der Verfasser in einer Anmerkung nachtrug, mit Beriger harmonisierte. Oppels *Morphologische Literaturwissenschaft* von 1947 enthielt ein Kapitel *Zur Wertlehre der Dichtung*, und von seiner Hand lasen wir kürzlich eine *Wertlehre der Dichtung* in dem Beitrag zu dem Werk, mit dem Stammler die deutsche Philologie aufreißt.

Es lohnt, die aufgestellten *Wertmaßstäbe* – denn die Frage nach der Wertung enthält immer die nach dem Maßstab – zu kurzer Prüfung in die Hand zu nehmen. Fast einhellig ist die Ablehnung des Maßstabes der *Zeit*, etwa in dem Sinne: was 50 Jahre überdauert, hat seinen Wert bewiesen. Aber die Zeit – das sind hier die Leserkreise, an welche sollen wir uns halten? Und ist mit Wert hier der künstlerische Wert gemeint? *Schloß Hubertus* von Ganghofer – 1895 erschienen – hat die Frist unzerbombt überdauert, die Volksbücher Jahrhunderte, es halten sich merkwürdige Gedichte oder erleben gar einen historischen Aufstieg – ist nun ihr künstlerischer Wert erwiesen? Und gilt auch die Umkehrung: daß Nichtüberdauern der 50 Jahre ein Werturteil darstellt? Gegenbeispiele nachträglicher Entdeckung bieten sich in Fülle an. Und wie verhalten wir uns vor der Gegenwart? Sollen wir auf Wertung verzichten und warten, bis sich der Strom der außerkünstlerischen Wertungen verlaufen hat? Unser eigenes Empfinden widersetzt sich: wir brauchen nicht das Urteil der Zeit abzuwarten, um über Wiechert urteilen zu können.

Ebensowenig kann die *Wirkungsgeschichte*, auch wenn wir sie auf die Literatur selber einengen, Maßstab für die künstlerische Wertung sein. Opitz' Gedichte sind gewiß die wirksamsten Gedichte des deutschen 17. Jahrhunderts – aber wer wagte zu behaupten, daß sie seine besten seien? Von dem dichtungsgeschichtlich wirksamsten Gedicht des 19. Jahrhunderts, von E. A. Poes *The Raven*, hat uns Eliot eben gezeigt, daß es nicht einmal das beste von Poe selber ist und offensichtlich voller Mängel steckt.

Die literarische Wirkung gibt gewiß einen Wertmaßstab ab, wo immer wir Literaturgeschichte treiben. Unter dem historischen Gesichtspunkt gebrauchen wir noch andere Maßstäbe: da werden uns Werke wichtig, in denen neue Darstellungsmittel ausgebildet werden, mögen die Werke selber nun große oder kleine Wirkung gehabt haben. Die Erzählweise August Bohses und anderer galanter Schriftsteller verlangt unsere Aufmerksamkeit, sobald wir auf die Entwicklung der deutschen Erzählprosa zwischen Anton Ulrich und Wieland achten, und einige Gedichte der Droste gewinnen einen besonderen Wert, wenn wir sie im Zusammenhang mit dem europäischen Symbolismus lesen. Wir begnügen uns damit, diesen weiteren Problemkreis der literarhistorischen Wertung wenigstens sichtbar zu machen, der durch M. Wehrli ausgezeichnet erhellt worden ist (Trivium 1949), während er in den genannten Wertungslehren unzureichend behandelt wird.

Wir lenken zu unserer Frage nach der künstlerischen Wertung zurück. Die bisher geprüften Maßstäbe erwiesen sich als unbrauchbar. Die früher genannten Autoren schlagen andere Normen vor. Fast überraschend wirkt Walzels Meinung, die Kunstwerke als «Ausdruck der künstlerischen oder gedanklichen Absichten ihres Zeitalters» zu deuten und entsprechend zu werten. Von der Schwierigkeit abgesehen, uns Klarheit über die Absichten der Zeiten zu verschaffen: zur künstlerischen Wertung kommen wir so nicht.

Beriger trennt scharf die ästhetische von der außerästhetischen Wertung. Bei der ästhetischen nennt er 5 Gesichtspunkte: *Erfindung, Sprache, Symbolik, Atmosphäre, Form* bzw. *Gattung.* Aber Beriger verbaut sich vieles, indem er, der Ermatinger-Schüler, das Wesen (und damit Ziel) der Dichtung im Symbol- und Ideengehalt sieht. So will er bei der «Erfindung» nur die Motive untersuchen und auch sie nur auf ihren Symbolgehalt. Die Motive der Wahlverwandtschaften werden als zu klein und unbedeutend getadelt; aus Stöckleins Deutung der Wahlverwandtschaften erkennt man, wie stilrein die getadelte Art der Motivik zu der Erzählhaltung paßt. Die Isolierung der Maßstäbe bei Beriger erweist sich an diesem einen Beispiel schon als bedenklich.

Über die außerästhetischen Gesichtspunkte brauchen wir nicht zu sprechen; er nennt Weltanschauung, das heißt vom Dichter persönlich erlebte und persönlich gebildete, Ethos bzw. Persönlichkeit, das Religiöse und das Nationale. Wir kennen sie, wir gebrauchen sie, sie wirken ständig in uns. Jeder lebt mit bestimmten Dichtern, an die ihn nicht nur der künstlerische Rang ihrer Werke fesselt. Und jeder hat wohl erfahren – wir rühren damit an ein Problem der Hermeneutik –, wie sich ihm die Werke eines solchen Dichters leichter und wohl auch tiefer aufschlossen, als es bei anderen der Fall war. Wir beobachten freilich auch das Umgekehrte, daß die persönliche Bindung blind und taub machen kann. Wer es unternimmt, etwa bei Hölderlin an bestimmten Stellen rhythmische Schwächen aufzuzeigen, die nicht aus Unvermögen, sondern einfach aus ungemäßer Poetik stammen, wie ja auch Goethe eigene Hexameter mutwillig verdorben hat, der muß auf seltsam erregte Erwiderungen gefaßt sein. Gingen wir dem nach, so müßten wir die Seinsweise des Dichters bestimmen, mit dem wir da leben; diese Gestalt deckt sich offensichtlich nicht mit der historischen, biographisch bestimmbaren Gestalt.

Wir gehen noch einen Augenblick auf Oppels eben erschienene Wertlehre der Dichtung ein. Sie ist skeptischer als die seiner Vorgänger und seine frühere. Wir haben uns «des Anspruchs zu begeben, mit absoluten Wertmaßstäben für die literarische Beurteilung ausgerüstet zu sein». Beim Prüfen der Vorgänger und Richtungen wird jedes Lob schnell von Tadel und Bedenken überdeckt. Als eigene Position wird angegeben: «Der Rang der Dichtung ist wesentlich davon bestimmt, ob sie das Sein des Menschen trifft oder verfehlt – ob sie wahrhaft Welt erschließt.» Und gleich danach: es komme darauf an, «der Dichtung ihren vollen Daseinsernst, ihre menschliche Notwendigkeit wiederzugeben». Wir können nicht fragen, was solche Wendungen, die heute ja in der Luft schweben, eigentlich besagen. Zur Wertung brauchen wir nun nicht, wie bei Walzel, Wissen von den Zeiten, sondern Wissen vom Sein des Menschen. Wohin weist uns Oppel dafür? Viele sind den Weg zu Heidegger gegangen. Es gibt eine Reihe von Arbeiten, die die Droste, Stifter, Rilke mit den Begriffen der Heideggerschen Ontologie befragen und werten (sie fangen an, monoton zu werden): ob der Gegensatz zum Man, die Einsamkeit, die Angst, Sorge und Zeitlichkeit im Werk zur Sprache kommen bzw. vom Dichter erfahren sind. Der Zusatz scheint notwendig zu sein: Lunding führt den existentialistischen Beweis bei Stifter mit Briefen und Lebenszeugnissen. Damit kommen wir auf eine neue Art alter Biographik, das Eigensein der Dichtung aber bleibt unberücksichtigt. Das trifft auch bei der heute so häufigen Art des Wertens zu, wenn alles auf den Gehalt an Nihilismus befragt wird. Wir kennen sie von unseren Studenten. Das gibt klare Maßstäbe und Erleichterungen. Denn nun fallen weite Komplexe der Literaturgeschichte, wie Minnesang, Petrarkismus usf. aus, so wie bei Ermatinger der ideenlose Symbolismus als Kunsthandwerk aus der Dichtungsgeschichte ausgeschlossen wird. Gewiß kann man so lesen und werten. Freud hat aus Dostojewskis Werken sehr sinnvolle Diagnosen über die Krankheit des Verfassers herauslesen können. Uns beeindruckt der Ernst alles Lesens, das in der Dichtung den vollen Daseinsernst sucht und in ihr das Sein des Menschen treffen will: das Sein der Dichtung aber wird dabei verfehlt. Zu dem Problem der künstlerischen Qualität und ihrer Wertung kann von daher kein Beitrag kommen.

Wir zögern schließlich auch, jene Norm in die Hand zu nehmen, die uns so oft angeboten wird: die der *Echtheit*. Pfeiffer nennt sie als erste neben den beiden anderen des «*Ursprünglich – Nichtursprünglich*» und «*Gestaltet — Geredet*». Nun meint Echtheit ein Doppeltes. Echt sind ein Stoff, Porzellan, ein Parfüm, wenn sie nicht nachgemacht, sondern in ihrer Herkunft beglaubigt sind. Wenn wir dagegen fragen, ob eine Schale echt silbern sei, so fragen wir, ob sie als Ganzes den Anspruch erfüllt, den ihr Anschein erweckt. Benutzen wir Echtheit im ersten Sinne, also als Übereinstimmung von Gestimmtheit, Weltanschauung usf. mit der des Dichters, so bewegen wir uns auf Bahnen, die vom Kunstwerk fortführen und zudem meist ungangbar sind. Soll ich Homers Ilias, Gottfrieds Tristan, Shakespeares Dramen nicht werten dürfen, und was büßen die Werke in ihrem Sein ein, daß ich sie nicht auf Echtheit prüfen kann? Sind die Hexen im Macbeth echt? Frage ich, ob Shakespeare wirklich an Hexen geglaubt habe, so frage ich nach Shakespeare und seiner Zeit. Das ist schön und interessant. Aber das Werk wird davon nicht berührt. Denn mein Glaube an die Hexen im Macbeth hängt nicht davon ab, ob sie für Shakespeare echt, sondern ob sie überzeugend gestaltet sind und richtig im Werk stehen, ob sie im Werk und für das Werk echt sind. Nur in diesem Sinne kann Echtheit als Wertung dienen. Es gibt bei Pfeiffer Wendungen, die den Blick auf die Herkunft lenken. Es sind das Folgen jener mißverständlichen Theorie von der Dichtung: sie «bekundet die Weise, wie der dichtende Mensch das Leben besteht und die Welt anschaut». Pfeiffers Beispiele freilich zeigen, daß er in der Praxis ganz bei der Seinsechtheit bleibt. Er mißt nicht mit Hilfe der Biographie, sondern mit dem Verhältnis zwischen Thema und Ton, Motiv und Gebärde. Echtheit ist volle Lebendigkeit, durchgängige und plastische Gestaltung, und so gehen die Wertungen, wie die Sprache ausweist, in die mit Hilfe der anderen Kategorien gewonnenen über. Ja, deutlich genug sind diese verschwimmenden Kategorien keine Maßstäbe, die herangetragen werden, sondern Versuche, nachträglich festzuhalten, was auf anderem Wege ermittelt wurde. Wie bei Oppels früherem Kapitel und bei Stöcklein befinden wir uns bereits auf dem Felde einer anderen Arbeitsweise. *Die Versuche, feste Maßstäbe aufzustellen, die nun einzeln an das Werk angelegt werden könnten, müssen uns nach der bisherigen Diskussion der Wertungslehren bedenklich erscheinen.*

Und noch ein Ergebnis halten wir fest: *jede Wertungslehre ruht auf einer Theorie der Dichtkunst, ja auf einer Ästhetik, ob sie nun ausgesprochen wird oder nicht.*

Die andere Arbeitsweise, von der nun zu sprechen ist, strebt zunächst gar nicht nach Wertung. Sie sieht das Werk als Ganzheit – das ist ein Teil ihrer Auffassung von der Dichtung – und will das Gefüge dieser Ganzheit begreifen und durchsichtig machen. Sie heißt dieses ihr Verfahren *Interpretation* schlechthin. Interpretation wird überall betrieben, wo es Texte gibt, mehr: wo es sinnhaltige Formen gibt. Interpretation ist die auf Verstehen beruhende Erfassung und Vermittlung des eine Sinn- bzw. Funktionseinheit bildenden Formkomplexes. Interpretation bezieht die Formelemente in einen Funktionszusammenhang. Wer in einem mittelalterlichen Text ein Wort nicht versteht, schlägt im Wörterbuch nach. Das ist kein Interpretieren. Wenn dagegen Staiger und Heidegger in eine Kontroverse geraten, ob das «scheint» in Mörikes Zeile: «Was aber schön ist, selig scheint es in ihm selbst» – videtur oder lucet bedeutet, so interpretieren sie: aus dem Zusammenhang und wieder in den Zusammenhang, der in diesem Fall zunächst das Bedeutungsgefüge des Satzes, der Periode, schließlich des Gedichtes ist. Interpretation erfolgt immer woraufhin. Im Fall der Werkinterpretation handelt es sich also darum, alle an der Gestaltung zur einheitlichen Gestalt beteiligten Formelemente in ihrer Wirksamkeit und in ihrem Zusammenwirken zu begreifen: von der äußeren Form, Klang, Rhythmus, Wort, Wortschatz, sprachlichen Figuren, Syntax, Geschehnissen, Motiven, Symbolen, Gestalten zu Ideen und Gehalt, Aufbau, Perspektive, Erzählweise, Atmosphäre (einem Begriff, den wir bei Beriger trafen und der besonders von dem Engländer Wilson Knight gut bestimmt worden ist) und was sich sonst an Gestaltungsmitteln erfassen läßt. Daß die einzelnen Formen wie Nomen, Parataxe, Oxymoron usf. nicht von Haus aus ihre Leistung mitbringen, so daß sie als Wegmarken ins Zentrum zu benutzen wären, ist Gemeingut solcher Arbeitsweise. Die Interpretation steigt überhaupt nicht vom Kleinen, Einfachen zum Größeren, Komplexen auf, sondern bewegt sich in dem steten Schwingen vom Teil zum Ganzen und Ganzen zum Teil.

Bei dem nachvollziehenden Aufweis des Zusammenstimmens geschieht es nun, daß wir Unstimmigkeiten, Brüche feststellen, daß ein Formelement oder Komplex nicht passen will zu den anderen und zum Ganzen. Bei solchen Beobachtungen wird dann die Erkenntnis vom Sein zugleich zur Wertung, wie umgekehrt der Nachweis des vollen Zusammenstimmens auch Wertung enthält. Wir werden im einzelnen nicht übertreiben: kleine Fehler an einer Schönheit haben noch nie gestört. Und es bleibt zu untersuchen, ob Brüchigkeiten nicht als Elemente in einem größeren Funktionszusammenhang besonderen Sinn haben. Erst wenn funktionslose Unstimmigkeiten und Brüche tief gehen, werden sie für die Wertung des Werkes relevant.

Wir müssen das Wort *Einstimmigkeit* noch gegen Mißverständnisse abschirmen. Es ist damit nicht Glätte, Spannungslosigkeit gemeint. Manche Interpretationen haben in der begreiflichen Freude des Zusammensehen-Könnens uns das Werk zu glatt, zu harmonisch wiederhergestellt. Gerade bei den Großformen Epos, Roman, Drama sind Blick und Handwerkszeug wohl noch nicht genug geschärft, um Spannungen recht zu erfassen, die dann doch zur einheitlichen Gestalt zusammengefugt worden sind. Riezler hat in seinem *Traktat vom Schönen* (einem Buch, das noch nicht bekannt genug ist) das *Gefugtsein aus Spannungen* fast in das Zentrum seiner Besinnung auf das Schöne gerückt; W. B. Yeats hatte schon 1900 in seinem Essay *Symbolism in Poetry* das Kunstwerk um so «vollkommener» genannt, «je verschiedener und zahlreicher die Elemente sind, die in seiner Vollkommenheit zusammenströmten».

Vielleicht wird, wenn wir zu einer Verfeinerung kommen, damit das Werten umfassender und sicherer: so daß sich zeigen läßt, daß unter den einstimmigen Werken die ranghöher sind, deren Einheit aus mächtigeren Spannungen zusammengefugt ist. Als Beispiel für eine spannungsarme Einheit – trotz oder vielmehr wegen des durchgängigen Spannens – ließe sich der Schauerroman der Walpole, Lewis usf. nennen. Gute Bücher ohne Frage, in denen alles ausgezeichnet zusammenwirkt. Und doch eben flach. Und trifft nicht das gleiche auf Kafka zu? Ein Violinkonzert, meisterhaft gespielt, aber nur auf der tiefen G-Saite. Die Überschätzung, die er zur Zeit erfährt, erklärt sich aus Zeiterfahrungen, die dieser einen Saite Resonanz verschaffen, und erklärt sich aus manchen anderen Gründen. Und wenn der Schauerroman, um beide weiterhin nebeneinanderzustellen, dann erst in der kleineren Form der Hoffmannschen Nachtgeschichte in die Weltliteratur eingegangen ist, so läßt sich wohl fragen, ob nicht auch bei Kafka die Erzählung die gemäße Form für seine Einheitlichkeit und Einseitigkeit ist.

Mit solchen Beobachtungen der Spannungsweite und -fülle ist denn auch der berühmten Frage eine Antwort gegeben, ob der gut gemalte Kohlkopf nicht ebensoviel wert sei wie die gutgemalte Madonna. Eine Antwort ist gegeben, die die Frage eigentlich nicht verdient, weil sie falsch gestellt ist. Denn der Künstler malt nicht einen Kohlkopf bzw. eine Madonna – es sei denn zu Studienzwecken –, sondern er malt ein Bild, und in dem Bild erst erscheint die Ganzheit.

Was von der wertenden Interpretation gesagt wurde, soll an einem praktischen Beispiel gezeigt und auf die Probe gestellt werden. Gewählt wird ein Text aus dem Anfang des 19. Jahrhunderts, dessen Titel und Autor noch ungenannt bleiben, damit nicht das Wissen dem Werten in die Quere kommt. Es handelt sich um die erste Begegnung des Romanhelden mit der Heldin oben auf einer Schweizer Alm.

Ich bog daher um die Hütte, um die Herrin meiner Alpe zu begrüßen.

Wer in der Schweiz war, wird die theatralische Tracht der Alpenmädchen kennen. (Nach einer kurzen Erklärung geht es weiter:)

Das Brüstli wie das Miederchen war von schwarzem Sammet, geschnürt mit goldenen Kettchen und reich und geschmackvoll gestickt, mit Gold und buntfarbiger Seide. Die weiten Ärmel, vom allerfeinsten Battist, reichten vor bis zur kleinen Hand; und gleichfalls vom nämlichen Battist war das Hemdchen, das den blendend weißen Hals und den Busen züchtiglich verhüllte. Das schwarzseidene hundertfaltige Röckchen reichte kaum bis über das Knie, so daß die Zipfel der buntgestickten Strumpfbänder die feingeformte Wade sichtbar umspielten; die Blumen der Matten aber küßten das Blütenweiß ihres feinen, baumwollenen Strümpfchens, das den zartesten kleinsten Fuß verriet. Vom Hinterkopf hingen dem Mädchen zwei geflochtene, brandschwarze handbreite Zöpfe bis in die Kniekehle hinab, und am Arm schaukelte ein Körbchen, gar zierlich gearbeitet und künstlich durchflochten mit Rosen und samtenen Fäden. Im ganzen Wesen der himmlischen Erscheinung die frische Kräftigkeit der unverdorbenen Alpenbewohnerin, und doch der Anstand, die Haltung der gebildeten Städterin!

Das Mädchen wollte hier übernachten!

«Du lieber Gott, warum tust du mir das!» rief ich fragend heimlich in die Wolken, und warf einen Blick auf die unter mir liegende arme Welt, daß es mir vorkam, als schmelze das Eis der Jungfrau und ihrer Nachbarn von seinem verzehrenden Feuer in brühende Lava über.

Der Text stammt aus Claurens Mimili. Was man zunächst mit erfrischender Deutlichkeit erlebt, ist die Tatsache, daß man wertet und noch werten kann. Es ließe sich nun in einer Interpretation eine Fülle von Mängeln zeigen: clichéhafte Wendungen, unstimmige Bilder, innere Unmöglichkeiten: daß etwa der Betrachter sogar die Rückseite des Mädchens sehen kann, usf. Wir heben nur eines hervor, weil es uns noch etwas Neues zeigt.

Es handelte sich um die erste Begegnung der beiden Romanfiguren. Diese Situation stellt besondere Anforderungen. Sie muß etwas von dem Gefüge des Ganzen sichtbar werden lassen. Wir entsinnen uns der ersten Begegnung von Theagenis und Chariklea in Heliodors *Äthiopischen Reisen*, die mit ihrer vorzüglichen Gestaltung der Liebe auf den ersten Blick so wirksam für die Romangeschichte (und das Leben) geworden sind. Oder an die Sorgfalt, mit der Grillparzer in den *Argonauten* und *Des Meeres und der Liebe Wellen* die erste Begegnung der Hauptfiguren ausgearbeitet hat, jene Begegnungen, in denen «alles schon steckt», in den *Argonauten* fast etwas zu viel. Und hier? Der Autor gibt uns zunächst statt der Darstellung eine Erklärung an den Leser und dann eine Beschreibung. Die Beschreibung bricht aus. Denn sie erfolgt nicht vom Standpunkt in der Situation; die Zeit steht still, und so wird die Tracht einer Salontirolerin bis in die letzten Kleinigkeiten beschrieben, die der Beobachter gar nicht wahrnehmen kann. Diese Beschreibung unterbricht das Gefüge des Werks. Sie funktioniert nicht in ihm, sondern in dem Gefüge des zeitlosen Interesses weiblicher Leserinnen an Kleiderfragen. Aber auch für männliche Leser ist gesorgt; die schon in der Beschreibung spürbare Lüsternheit feiert noch eigene Triumphe. Hier treffen wir in der Tat eine durchgehende Linie, die aber zu der Hauptlinie keineswegs paßt. Lüsternheit und Interesse am Aufputz sind die Prinzipien, mit denen hier die erste Begegnung dargestellt wird. Durch die Interpretation ist Wertung genug gegeben und unser erstes Empfinden gerechtfertigt.

Überprüfen wir unser Verfahren, so zeigt sich das Neue: wir werteten nicht nur, indem wir Brüche feststellten. Sondern wir werteten auch mit Forderungen, die hier eine Situation stellte. Indem wir sie erkennen und mit ihnen fragen, enthüllt sich der

nachschaffende Charakter des Interpretierens. Zugleich fällt der
Blick auf ein neues Feld, an das wir uns noch zu wenig heranwagen: das der *Forderungen, die sich aus dem Werk heraus stellen.*
Goethe achtete beim Werten sehr stark auf die Stellen, an denen
sich die «höhere Weisheit» des Künstlers darin verriet, was er bei
der Darstellung vorgegebener Situationen und Verläufe «erfand»;
Beriger lehnt eine solche Beobachtung und Wertung als dilettan-
tisch und unkünstlerisch ab: nach ihm dürfen nur die symbolhal-
tigen Motive interessieren. Croce ist, seiner Theorie folgend, von
ähnlicher Enge. Er zitiert Verse von Dante und sagt, daß sie nur
Übergangsstellen seien, Gelenkstellen, die einen Übergang ermöglichen sollen, also technisch bedingt, also undichterisch. Gelenkstellen sind indes notwendige Teile der Struktur, an denen
sich sehr wohl die höhere Weisheit des Dichters zeigen kann.
Musiker versichern, daß Bachs geniale Erfindungsgabe sich gerade
an den Gelenkstellen der Fuge offenbare: bei den Zwischenspielen
im Übergang von der Exposition zu den nächsten Durchführun-
gen. In der Dichtung gibt es selten Gefügenormen wie bei der Fuge;
wir werden, besonders beim Roman, die Struktur vor allem aus
dem Werk selbst ermitteln. Aber wir müssen uns zugleich emp-
fänglich machen für die Anforderungen, die von dem Werk ausgehen. Die Kunstrichter des 18. Jahrhunderts fragten, was ein
Werk sein *soll* und maßen es an den Maßstäben ihrer normativen
Poetik; wir fragen, was das Werk sein *will* und messen es an ihm
selber. Gerade durch die Bestimmung der Struktur und des gat-
tungshaften Charakters, so will uns scheinen, werden die imma-
nenten Anforderungen eines Werkes vernehmlich.

Grundsätzlich, so fassen wir das Bisherige zusammen, *enthält das
Verfahren der Interpretation Wertung* – ohne daß sie deshalb ihren
wissenschaftlichen Charakter verlöre. Wir haben damit die im 19.
Jahrhundert so häufige Praxis überholt, bei der nach der «wissenschaftlichen», sich auf Entstehungsgeschichte, Quellen usf. rich-
tenden Behandlung eines Werkes ein Kapitel folgte, das – nun
schon im Freihafen des Gefühls nach Passieren der Gepäckkon-
trolle – die Wertung gab. Wir können deshalb dem ausgezeichneten Shakespeare-Forscher Wilson Knight nicht folgen, wenn er
in der Einleitung zu *The Wheel of Fire* grundsätzlich Interpreta-

tion und Wertung trennen will. Seine Haltung wird vielleicht aus seinem Arbeitsgebiet, eben Shakespeares Dramatik, verständlich, bei der so manche Kritik von der verfeinerten Interpretation als Mangel des Beurteilers aufgedeckt worden ist. Aber eine Trennung ist darum noch nicht möglich; eher gilt wohl das Gegenteil: daß wissenschaftliche Wertung der künstlerischen Qualität nur in der Interpretation möglich ist.

Die Wertung liegt in der Interpretation beschlossen. Damit müssen wir einer Frage Antwort stehen: wo bleibt die *Rücksicht auf die historischen Bindungen*, in denen das Kunstwerk wie jedes menschliche Erzeugnis steht? Die beiden extremen Positionen wären: das Kunstwerk ist völlig Ausdruck seiner Zeit, so daß es mit ihr veraltet. (Herder deutet sie am Schluß des Shakespeare-Aufsatzes an.) Die andere: das Kunstwerk ist in seiner Geschlossenheit gegen die Zeit abgekapselt, es ist dem geschichtlichen Verlauf enthoben. Das Nachleben Shakespeares, bei dem Herder die Frage des Veraltens erwog, beweist zur Genüge, daß Kunstwerke nicht einfach veralten wie ein Verkehrsmittel. Daß andererseits Dichtungen nicht der Zeit enthoben und damit immer ohne weiteres zugänglich sind (wie es Werke der bildenden Kunst und der Musik zunächst zu sein scheinen), das zeigt an den Dichtungen ihre Sprachlichkeit, mit der sie allein schon in den unaufhaltsamen Fluß der Sprachwandlung gestellt sind.

Die Interpretation hat sehr genau auf die zeitgebundene Sprache des Dichtwerks zu achten. Für alle Werke früherer Zeit gilt, was Croce einmal an der ersten Zeile des Rasenden Roland zeigt: daß ein moderner Leser gründlich daneben liest, der den Worten «cavalier» und «arme» die heutigen Bedeutungen unterschiebt. Aber es handelt sich um mehr als die Wortbedeutungen, die syntaktischen Formen u.ä.

Legt man eine Reihe von Barockgedichten einem literarisch gebildeten Kreise vor, dann erkennt man, wie lang die Korridore bis zum Werk sich hinziehen. Man erkennt es an den positiven Wertungen (wenn Gedichte gelobt werden, weil die sprachlichen Wendungen «so reizend» sind), erkennt es häufiger noch an der Indifferenz oder der Unsicherheit der Hörer, die sich fremd vor dem Werk fühlen.

Es ist ein langer Prozeß historischer Bildung nötig, bis sich ein Barockgedicht wirklich erschließt und man mit Sicherheit ein gutes von einem schlechten petrarkistischen Sonett unterscheiden kann. Es ist heilsam für die Studenten, daß sie durch das Barock hindurch müssen, daß sie den Zwang erleben, sich von vielen Vorstellungen frei zu machen, die ihnen zum Wesen des Dichterischen zu gehören scheinen, daß sie dafür anderes lernen müssen, was ihnen zunächst völlig fremd ist: den Lebensraum späthumanistischer und höfischer Dichtung, Erscheinungen wie Repräsentanz und Rhetorik, das Wesen und die Kraft literarischer Seinsordnungen mit ihren übergreifenden Motiven, Techniken, Bildern, und neuerdings auch, was Topoi sind. Aber nun: all dieses unentbehrliche historische Wissen ist nicht die Interpretation, sondern gehört zur Vorbereitung. Die Interpretation des Werkes beginnt erst danach. *Sie richtet sich auf das Kunstwerk und braucht eine besondere Einstellung auf das Dichterische, die von der historischen wesensmäßig verschieden ist.*

Es ist gut und nötig, die Topoi zu kennen und zu erkennen. Aber der Streit, der sich in Spanien um die Toposforschung erhoben hat, trifft nicht immer den Kern des Problems. Wenn Curtius im Anfang des Cid fast eine Kette von Topoi aufdeckte, so geht die aus nationalem und künstlerischem Erleben stammende Empörung fehl, wenn sie das Dasein der Topoi leugnen will. Die eigentliche Frage ist doch hier wie bei Walther und überall, wie sie gestaltet sind und in dem Werk stehen. Die Rilkefreunde tun unrecht, sich über Wodtkes Nachweise zu entrüsten, daß Rilkes Vorstellungen vom Engel und der künftigen Geliebten von Klopstock angeregt seien. Was Originalität im Denken heißen soll und kann, braucht uns hier nicht zu beschäftigen. Die Frage nach dem Kunstwerk wird jedenfalls durch den Aufweis von Beziehungen und Anregungen nicht beantwortet, sondern erst gestellt; die Antworten werden eher leichter gemacht, und das ganze Problem des literarischen Einflusses verliert seine Beängstigung.

Das Bemühen um die geschichtlichen Voraussetzungen ist Vorarbeit, die wir dauernd leisten und lernen. Die Interpretation des Kunstwerks aber, so sagten wir, braucht eine besondere Einstellung auf die Dichtung als Dichtung. Damit ist das Mißver-

ständnis abgewehrt, als sollten wir etwa versuchen, uns voll und
ganz in einen Zeitgenossen der Barockzeit oder welcher Epoche
auch immer zu verwandeln, um verstehen und werten zu können.
Eine solche Forderung wäre praktisch undurchführbar und theoretisch falsch. Wir sollen uns nicht zu Zeitgenossen des Entste-
hungsjahres machen, sondern zu Zeitgenossen der Dichtung, und
das können wir auch heute. Nicht auf die Zeit, sondern auf das
Kunstwerk hat sich die Interpretation einzustellen. Das Historische wird in ihm, durch das Wesen der künstlerischen Gestaltung um- und in das Ganze eingeformt, das nun Kraft hat, über die
Zeit zu dauern. «Die Kunst drückt nicht die Zeit, sondern sich
selber aus», hat O. Wilde in etwas zugespitzter Formulierung gesagt. Denn gewiß können die Spannungen, aus denen das Werk
gefugt ist, solche der eigenen Zeit sein. Aber ihre Zeitechtheit ist
kein Maßstab der künstlerischen Wertung. Ifflands *Verbrechen
aus Ehrsucht* enthält zeitnähere Spannungen als Goethes gleich-
zeitige *Iphigenie*, und in den Festspielen um die Mitte des 17. Jahrhunderts steckt mehr von den tieferen Kräften und Erlebnissen
des Dreißigjährigen Krieges als in Grimmelshausens Simplizissimus. Nicht auf die Herkunft der Spannungen kommt es an, sondern auf ihre Größe, Gestaltung und vor allem ihre Fügung.

Wir haben unter den historischen Voraussetzungen der Barockdichtung die literarischen besonders hervorgehoben, d. h. Erscheinungen wie Repräsentation, Rhetorik, Seinsordnungen,
Topoi. Wir fügen zwei hinzu: das Elegantiaideal, das heißt die
Macht einer bestimmten Poetik, und das rhetorische Pathos. Sie
sind in der «Formgeschichte der deutschen Dichtung» von P.
Böckmann aufgehellt worden. Aber sind es denn, und die Frage
richtet sich auch auf die anderen Erscheinungen, wirklich an eine
Epoche gebundene Formen? *Das rhetorische Pathos des Barock*,
so lautet der komplexe Titel eines Kapitels der *Formgeschichte* und
weist auf das Komplexe des Phänomens. Ob ein späteres Kapitel
Das Pathos Schillers heißen wird, so wie ein anderes *Das reforma-
torische Pathos* hieß? Damit ist doch aber gesagt, daß es eine über-
geschichtliche Form Pathos gibt, die zeitlich verschieden ausgeprägt wird. Es scheint mir das eines der wichtigen Ergebnisse der
Formgeschichte zu sein, dem in der Einleitung nicht genug Würdi-

gung zuteil wird: daß in diesem Buche überzeitliche Formen in ihrer besonderen Ausprägung erfaßt worden sind. Man mag zweifeln, ob alles den Namen «Form» verdient, was bei Böckmann so genannt wird. Aber der Durchstoß in den Bereich des Überzeitlichen ist erfolgt. Zwei methodische Richtungen, von verschiedenen Seiten kommend, haben sich in der Mitte des Tunnels getroffen. Daß im übrigen, wer Verständnis für die Barockdichtung erworben hat, nun auch leicht das Verständnis für Dichtungen anderer Zeiten erwirbt, wird jeder Student erleben; der Barockforschung selber ist ihre Aufgabe durch die vorherige Erforschung des Minnesangs erleichtert worden. *Der künstlerische Erlebnisbereich des Kenners ist unendlich weiter als der des nur von seinem Standpunkt aus lesenden und wertenden Laien.*

Auch der Interpret bleibt an seine Zeit gebunden. Die Entdeckung des Barocks geschah offensichtlich aus einer Art empfundener Wahlverwandtschaft heraus. Jeder ist für bestimmte Dichtungen, Dichter und Epochen aufgeschlossener als für andere. Es war doch eine unbewußte Nötigung aus der Zeit, die eine ältere Generation den Simplizissimus so gern als Entwicklungsroman lesen ließ. Unser sehr anderes Raumgefühl drängt uns nicht in die Richtung einer so klaren Struktur. (Wir fühlen uns dagegen von einem Film wie *Unter dem Himmel von Paris* wegen seines Raumgefühls angesprochen und werten ihn deshalb allein höher, als er es vielleicht verdient. Hier liegt wohl auch ein Grund für die Hochschätzung Kafkas.) Und doch bedeutet die Anerkennung einer gewissen Bindung des Interpreten an seine Zeit keinen Absturz in völligen Subjektivismus und in Relativität. Die Interpretation und Wertung werden vom Werk bestimmt, nicht von der Subjektivität des Interpreten. Die echte Interpretation entspringt dem seltsamen Vorgang, da nicht wir uns das Werk, sondern das Werk sich uns aneignet. Daß dabei Hemmungen und Förderungen von der eigenen Zeit ausgehen, bedeutet ein Problem für die Hermeneutik, relativiert aber nicht das Werten.

Wir fassen wieder zusammen. *Geschichtliche Betrachtung und Interpretation sind keine Gegensätze.* Die Interpretation braucht die geschichtliche Betrachtung. Sie verlangt dann freilich eine eigene Einstellung zum Kunstwerk, bei der die historische Einstellung nicht mehr helfen, eher schaden kann, wenn sie zu lange beibehalten wird. Auch eßbare Pilze können Vergiftungen hervorrufen.

Ein Ergebnis scheint weiterhin zu sein: *der entsprechend vorbereitete und empfängliche Interpret liest, deutet und wertet richtiger als der nur empfängliche Laie.* (Fontane sagte zwar, in einem Brief vom 10. IV. 1880: «Das Urteil eines feinfühligen Laien ist immer wertvoll, das Urteil eines geschulten Ästhetikers meist absolut wertlos. Sie schießen immer vorbei; sie wissen nicht, haben oft gar keine Ahnung davon, worauf es eigentlich ankommt... Überall da, wo es auf das ‚gestalten' ankommt, reden die Philosophen Unsinn. Es fehlt ihnen ganz das Organ für das, was die Hauptsache ist.» Aber wir brauchen uns wohl nicht mehr in den Ästheten Fontanes oder Grillparzers, bei dem sich ähnliche Wendungen finden, getroffen zu fühlen.) Auch der weitere Satz scheint nun ein Ergebnis zu sein: daß durch die wissenschaftliche Tradition eine Vervollkommnung des Interpretierens eintreten wird und damit einmal ein Zustand, da die großen Werke richtig interpretiert worden sind. So wie in der Textkritik und -gestaltung eine stete Annäherung an das Ziel erfolgt ist; auch die Probleme der Shakespeare-Edition gelten heute als grundsätzlich gelöst.

Wenn die beiden letzten Thesen durch ein «scheint» eingeklammert wurden, so nicht, weil jede Zeit andere Dispositionen mitbringt und man heute auf Nihilismus interpretiert, was man gestern auf philosophische Weltanschauung und vorgestern auf Religiosität hin las. Solche Interpretationen wird es weiter geben und mit vollem Recht. Aber sie sind nicht auf das Sein des Kunstwerks gerichtet. Hier bleibt die eine Frage unwandelbar durch die Zeiten bestehen, dort wandeln sich die Fragen mit der Zeit.

Die Klammer wurde auch nicht gesetzt, weil das Kunstwerk unausschöpflich ist und also ein Nachfolger noch immer etwas zu sagen finden wird.

«*Inkommensurabel*» nannte Goethe das Kunstwerk und lenkt damit das Problem auf eine andere Ebene als die der Qualität. Wir könnten auch schlichter formulieren, mit dem Worte, vor dem wir in der Wissenschaft so sehr scheuen: das Kunstwerk ist schön. Und damit stellt sich die Frage: wie verhält sich unsere wissenschaftliche Interpretation des Kunstwerkes zu seinem eigentlichen Sein, dem Schön-Sein?

Es war mehrfach davon zu sprechen, daß im Zentrum der Bemühungen Begriffe wie Gestalt, Gefüge, Form, Stil, Einheit stehen. Wir wollen hier nicht fragen, ob diese Wörter alle dasselbe meinen; und schon in sich weicht G. Müllers Gestaltbegriff von dem anderer Forscher ab. Trotzdem werden wir sagen können: sie konvergieren alle. Aber es gehört doch nur ein wenig Freiheit de Geistes zu dem Eingeständnis: Gestalt erscheint uns heute als das Wesentliche am Sein des Kunstwerks. Wer könnte den Beweis führen, daß dieser Begriff zu Recht im Zentrum der wissenschaftlichen Bemühungen steht? Es ist ein heuristischer Begriff. Und noch ein wenig Freiheit des Geistes zu einem anderen Eingeständnis. Es gibt Unterschiede in der Fassung des Begriffs, vielleicht von Forscher zu Forscher. Aber nicht auf diese Unterschiede kommt es im Augenblick an, sondern auf die Diskrepanz zwischen all solchen sprachgefaßten Begriffen und dem Schön-Sein des Kunstwerks. Im Schönen des Kunstwerks erscheint das Ganze des Seins, sagt Riezler in seinem Traktat — aber auch das ist schon Übersetzung in Sprache, und alles, was wir in der Interpretation von dem Erscheinen sagen, ist Übersetzung in Sprache, in Denken, in Wissenschaft. Wissenschaft ist, und die wissenschaftliche Interpretation kann nur mit äußerster Strenge ihr Anliegen betreiben. Daß sie es kann, ist ihre Beglückung, daß sie nur dieses kann, ihre Begrenzung. Die Interpretation entstammt dem Ergriffensein von der Erscheinung; aber mit dem ersten Wort, dem ersten Gedanken, den sie faßt, entfaltet sie sich in ihr eigenes Gebiet. Sie hat das Schöne nicht, sie hat nur den Abglanz. Indem aber alle Interpretation und Wertung ausgeht und dauernd erstrahlt bleibt von der Erscheinung, die dem Interpreten erschienen ist, bleibt im Grunde aller Interpretation ein Nicht-Lehrbares, Nicht-Erklärbares, Nicht-zu-Rechtfertigendes. Staiger nennt schon die Interpretation, die vermittelnde Auslegung, eine Kunst (*Die Kunst der Interpretation*, Neophilol. 1951). Das Nicht-Lehrbare liegt zutiefst in dem Ergriffenwerden, das die Interpretation auslöst und bestimmt. Dazu sind nicht alle berufen, und so gewinnen wir hier noch einen Aspekt auf das

Problem der Wertung, den wir bisher übersahen. *Die echten Wertungen stammen doch nur von den Berufenen;* die echten Wertungen und, wie in diesem Fall die Geschichte belehrt, die wirksamen Wertungen. Das 19. und 20. Jahrhundert sind in einem erstaunlichen Maße dem Kanon gefolgt, den vor allem die Romantiker aufgestellt haben. Einzelne Fehlurteile besagen gar nichts, wie überhaupt das ganze Problem der literarischen Fehlurteile, dem Henry Peyre sein Buch *Writers and their Critics* gewidmet hat, so durchsichtig oder, wie wir auch sagen können, so unergiebig ist, daß wir nicht darauf einzugehen brauchten. Daß die großen, schaffenden Künstler so oft irren, scheint verständlich, und daß es in den Brüdern Schlegel gerade die künstlerisch schwächsten Romantiker waren, die den Kanon aufstellten, fast notwendig. Von der Tatsache der Fehlurteile braucht sich unsere Arbeit nicht stören zu lassen. Zu ihr gehört – gewiß nicht allein, um noch einmal an die um unsere Ausführungen gezogenen Grenzen zu erinnern – die Interpretation und Wertung der Dichtungen aus der Vergangenheit; es gehört aber wohl auch dazu, und damit kehren wir an den Ausgang zurück, daß wir uns nicht scheuen, unsere Art des Deutens und Wertens auch an der Gegenwartsdichtung zu bewähren.

Vom Werten der Dichtung

Wir stellen zwei Thesen voran, deren Erläuterung und Begründung an dieser Stelle nicht möglich ist:

*1. Dichtung ist die einheitliche Gestaltung einer eigenen Welt mittels
der Sprache;*

*2. die Interpretation bemüht sich um eine adäquate Erfassung der je-
weiligen Dichtung.*

Eigene Welt, Gestalt, Stil, das sind also die bestimmenden Begriffe,
unter denen die Interpretation arbeitet, und ihr Ziel ist, das Sein
der dichterischen Welt sowie die Gestalt und den Stil des dichterischen Werkes zu bestimmen. Sie wertet bei ihrer Arbeit. Denn
indem sie etwas Brüchiges, Nichtzusammenstimmendes in der
Wirksamkeit der dichterischen Mittel aufweist, entdeckt sie eine
künstlerische Schwäche. Das gleiche geschieht, wo sie zeigen kann,
daß ein Werk hinter seiner eigenen Intentionalität zurückbleibt.
Es gehört zu solcher Wertung ein Gefühl für das, was ein Werk
sein will. Ob dieses zunächst intuitive Gefühl richtig ist, läßt sich
bis zu einem gewissen Grade an dem Gattungscharakter des Werkes überprüfen, der sich durch eine Strukturanalyse erhellt.

Ein kurzes Beispiel soll das Gesagte erläutern. Ein kleines Gedicht nur, sechs Zeilen sind es. Mit dem kürzesten Titel, der sich
denken läßt: *Ach!*

> Du fragst, was sagen soll dies Ach!,
> Das ich bei deiner Ankunft sprach?
> Es sprach: Ach! seht die holden Wangen,
> Seht die beliebte Fillis an;
> Da kommt auf rosenvoller Bahn
> Mein Tod, mein süßer Tod, gegangen.

Es wurde absichtlich nicht gesagt, von wem das Gedicht geschrieben ist und wann es entstand, es wurde absichtlich nicht vorbereitet und eingestimmt. Und das Erwartete wird eingetreten sein:
das Gedicht hat nicht gewirkt. Warum? Weil wir nach dem Anfang, sobald wir erst die Situation erfaßt hatten, mit unseren Erwartungen in eine falsche Richtung gegangen sind. Ein Liebes-
gedicht, bei der Ankunft der Geliebten gesprochen: unter dem

Druck einer seit über 150 Jahren bestehenden Tradition, die genau so alt ist wie die Goethesche Gestaltung eines solchen Willkommens, haben wir ein Lied erwartet, die Verwandlung der Welt in die seelische Gestimmtheit beim Anblick der Geliebten. Unser Gedicht ist älter (es stammt von dem Barockdichter v. Abschatz), und es will etwas anderes. Es will, wie die beiden ersten Zeilen besagen, eine Antwort auf die Frage geben, was das «ach!» als emotionale Sprachgeste besage. Es dichtet nicht auf der Empfindung des «ach» weiter, sondern übersetzt seine Meinung in Sprache. Es will nicht Gestimmtheit beschwören, sondern Sinn aussagen, etwas richtig benennen.

Wie geschieht es? Nach der gestellten Aufgabe in Zeile 1 und 2 folgen zwei Zeilen, die noch einmal die leibhaftige Situation vergegenwärtigen, in der das «ach» gesprochen wurde, und die damit von der Emotion des Ich zu dem die Emotion hervorrufenden Du hinlenken. Und nun folgt in den beiden letzten Zeilen die Fassung des Sinngehaltes in Worte, nein in ein Bild, ein Sinnbild: «da kommt auf rosenvoller Bahn mein Tod» – und nun wird das noch einmal gesteigert: «mein süßer Tod gegangen». Der Sinn spricht sich nicht in abstrakten Begriffen, sondern in konkreten Bildern aus. Und er ist von unauslotbarer Tiefe. Denn der «Tod auf rosenvoller Bahn», und dann noch der «süße Tod», das faßt jeweils in der gleichen Sprachgebärde ganz weit Entferntes, ganz Gegensätzliches zusammen. Es ist die Sprachgebärde des Paradoxen, des Oxymoron, wie die Stilistik sagt, in der das Ziel sich erfüllt. Wir kennen es aus mystischer Sprache; von daher kommt es wohl sogar, als die allein mögliche Form, in der der Mensch von dem Unsichtbaren, Unfaßbaren, dem Unaussprechlichen sprechen kann. Wir erkennen nun vielleicht, wie tief und wie huldigend zugleich, wie einheitlich das Gedicht sich erfüllt und wie alles – Klang, Rhythmus, Satzbau, Aufbau – zusammenwirkt, um dieses Kunstgebild der echten Art hervorzubringen. Noch etwas muß gesagt werden, was in ihm liegt, und zwar in ihm als einem solchen Spruch. Die Nennung gelingt, es gelingt damit eine Distanzierung von der eigenen Empfindung, aber auch von der Übermacht des Du, das ja in ein Sinnbild verwandelt wurde. Dieses Gedicht will nicht Ausdruck des «Notdrangs» einer Empfindung sein, um mit Herder zu sprechen, sondern das Vermögen des Menschen strahlend bekunden, im Kunstwerk Freiheit zu gewinnen, im Abstand sich über die Realität zu erheben und ihr Eigentliches richtig mit der Sprache zu bannen und zu fassen.

Wollte jemand sagen: ich lasse mir das Gedicht nicht aufreden, es ist gewiß nett in seiner Art und besagt vielleicht auch etwas über den humanistischen Geist des 17. Jahrhunderts, aber es ist mir gerade deshalb zu spielerisch gegenüber dem Stoff bzw. Anlaß; ich will mehr Realität, mehr Seele: dasselbe Motiv, in einem romantischen Lied behandelt, ist mir auf jeden Fall wichtiger und wertvoller – so würden wir eine solche persönliche Meinung ruhig hinnehmen. Aber es scheint uns wichtig, etwas Grundsätzliches in der Äußerung unseres Gesprächspartners festzuhalten: daß er nämlich das Gedicht soeben unter drei verschiedenen Aspekten betrachtet und unter drei Aspekten gewertet hat: einmal als Kunstwerk auf Grund einer Interpretation, die zeigte, was das Gedicht ist, sein will und wie es sich erfüllt. Zweitens als historisches Dokument, indem seine Bezogenheit auf die eigene Zeit wiederhergestellt und es selber nach seinem historischen Gehalt und Stellenwert beurteilt wurde. Unter einem dritten Aspekt wurde es sodann nach seiner möglichen Bedeutung für uns und andere befragt, geprüft und bewertet.

Künstlerische, geschichtliche und, wie ich es nennen möchte, *funktionale Wertung* sind die drei Wertungen, die wir an einem Kunstwerk vornehmen. In der Praxis verbinden sie sich meist. Aber die Unklarheiten, die wir alle empfinden, wenn wir nach den Möglichkeiten, dem Recht und der Geltung des Wertens fragen, lichten sich vielleicht etwas, wenn wir diese drei Arten des Betrachtens und Wertens einmal scharf trennen.

Für alle drei Betrachtungsweisen brauchen wir die strenge, genaue Interpretation. Denn ich muß erst wissen, was ein Werk ist, was in ihm steckt, bevor ich seine Funktion für mich und andere, aber auch bevor ich seine historische Bedeutsamkeit bestimmen kann. Interpretation ist nicht das Alpha und Omega unserer Wissenschaft, sondern das Zentrum, von dem aus die Arbeit in verschiedener Richtung weitergehen kann: in die Gebiete der

Poetik, der Sprachphilosophie, der Geschichte, und für den Lehrer und Kritiker wird die funktionale Betrachtung und Wertung besonders wichtig werden. Für die Interpretation selbst werden alle historischen Kenntnisse zum Hilfsmittel; für den Philosophen, den Literaturhistoriker und Pädagogen wird die Interpretation zum Hilfsmittel.

Zum unentbehrlichen freilich. Die Vorwürfe gegen die Diltheysche Geistesgeschichte beziehen sich ja nicht nur auf ihr gänzliches Historisieren und ihr Vernachlässigen all dessen, was als Gestaltung das Wesen des Kunstwerks ausmacht; auch nicht nur auf die Fragwürdigkeit ihrer synthetischen Begriffe von Weltanschauung und Zeitgeist, auf die sie die geistigen Gehalte des Werkes so schnell bezog, sondern weithin auf die Leichtfertigkeit, mit der sie Gedankliches aus dem Werk herausbrach, um es jenen Begriffen zuzuordnen. Es hat sich in ihrem Gefolge eine Skrupellosigkeit des Zitierens und planen Benutzens von Zitaten ausgebildet, wie sie auch der Lehrer von den Schülern her kennt. Wir finden sie überall, wo eine an den Umgang mit Dichtung nicht geübte Leserschaft am Werk ist, eine Leserschaft, die noch nicht lesen kann und sich an einzelne Wörter und Sätze hält.

Wir müssen einen Augenblick dabei verweilen. Der Sprachwissenschaftler stößt bei der Beschäftigung mit der Sprache und ihren Mitteln auf ein Phänomen, das man das Problem des *Expliziten* und *Impliziten* in der Sprache nennen könnte. (Br. Snell hat uns in seinem *Aufbau der Sprache* eindringlich darauf gewiesen.) Ein Wort wie «Haustür» ist eine Komposition zweier Substantive. Aber es enthält implizit mehr, als explizit durch das Nebeneinander zweier Substantive und das heißt zweier Bezeichnungen für Dinge ausgedrückt ist. Implizit steckt darin, daß es nicht irgendeine Tür an dem Hause ist, sondern die eine, die wesentliche Tür. Wem sie sich öffnet oder wer zu ihr den Schlüssel besitzt, in dem sich die Magie des Zutritts noch gesteigert hat, der darf sich als zugehörig zu der Ordnung dieses Bannkreises fühlen. Wer durch eine andere Tür oder durch das Fenster kommt, bleibt ein Vogelfreier. Oder ein anderes Beispiel: Wenn die Konjunktion «weil» heute kausal funktioniert, so hat es offensichtlich einen Sprachzustand gegeben, in dem der Weil-Satz, explizit zunächst nur eine temporale Beziehung ausdrückend, implizit die kausale Beziehung enthielt. Dieses Phänomen wird nun von der dichterischen Sprache und vor allem in der Lyrik in einem Maße aktualisiert, daß es geradezu zum beherrschenden Stilmerkmal lyrischer Sprache wird. Sie verzichtet auf die syndetischen Mittel, mit denen in der Prosa der Satzzusammenhang geschaffen wird, vor allem auf die logische Verknüpfung etwa durch Konjunktionen. Lyrische Sprache kann sie nicht verwenden, weil es nicht auf einen logischen Zusammenhang ankommt. Aber das Gefüge zerbricht nicht; es ist sogar ungleich enger und fester als in gewöhnlicher Sprache, weil nun andere Mittel die Fügung stiften: der Reim, der Klang, der Rhythmus, die Einheitlichkeit des Wortschatzes, Konstruktionen, das Fügegesetz. Wenn es in der dritten Strophe von Goethes «Auf dem See» heißt:

> Auf der Welle blinken
> Tausend schwebende Sterne,
> Weiche Nebel trinken
> Rings die türmende Ferne;
> Morgenwind umflügelt
> Die beschattete Bucht,
> Und im See bespiegelt
> Sich die reifende Frucht —

so sind explizit vier Sachverhalte, vier Bilder bewegter Natur aneinandergereiht. Indem aber ein Fügegesetz wirksam wird, von der Ferne zur Nähe lenkend, indem die Syndese «und» hier gerade trennend wirkt, dadurch daß sie die Sonderstellung des Schlußbildes hervorhebt, bekommt dieses Schlußbild durch seine Endstellung und durch die Vorbereitung eine geheimnisvolle Beschwerung: es wird zum Symbol, auf das alles zustrebt und das alles umfängt. Selbst jenes Zurückgerissenwerden des Menschenkindes in der zweiten Strophe, das explizit gar nicht weiter ausgeführt worden war. Auch ihm gilt der tröstende Zuspruch, den die mütterliche Natur in dem Symbol der reifenden Frucht entgegenhält. Beim Vergleich motivverwandter Gedichte wird man mit Hilfe des Expliziten und des Impliziten zeigen können, wo geredet und wo gestaltet wird.

Drei Arten der Wertung hatten wir ermittelt: die künstlerische Wertung, die in der Interpretation des Werkes als Kunstwerk steckt, die historische und die funktionale, die beide die Interpretation voraussetzen. Um unsere Ergebnisse zu bestätigen und zugleich um zu erkennen, worauf sich die Wertung bezieht und welche Maßstäbe sie verwendet, wollen wir die drei Verfahrensweisen an einem praktischen Beispiel wenigstens andeutend vorführen. Wir wählen eine etwas umfangreichere Dichtung, deren Wortlaut dennoch vertraut ist: Bürgers *Lenore*.

Mit einer starken Ausdrucksgebärde setzt das Gedicht ein:

> Lenore fuhr um's Morgenrot
> Empor aus schweren Träumen...

und dann ertönt gleich die ruhige, berichtende Stimme des Erzählers:

> Er war mit König Friedrichs Macht
> Gezogen in die Prager Schlacht
> Und hatte nicht geschrieben,
> Ob er gesund geblieben.

Die Ballade ist erzählendes Gedicht; Bürger will auf die vermittelnde Rolle des Erzählers nicht verzichten. Was ist das für ein Erzähler? Wo steht er? Bevor wir antworten, wollen wir noch einige Zeilen von ihm hören:

> Der König und die Kaiserin,
> Des langen Haders müde,
> Erweichten ihren harten Sinn
> Und machten endlich Friede.
> Und jedes Heer, mit Sing und Sang,
> Mit Paukenschlag, und Kling und Klang,
> Geschmückt mit grünen Reisern,
> Zog heim zu seinen Häusern.

Der Erzähler ist uns deutlich geworden. Bürger nimmt die Haltung eines einfachen Menschen ein, für den der Soldat in die Schlacht zieht, für den der Siebenjährige Krieg zu Ende geht, weil die beiden Herrscher des Haders müde werden und nun den Frieden machen. Sein geistiger Horizont reicht nicht sehr weit.

Und noch etwas verraten diese Zeilen: Der Sprechende erlebt die Welt sehr stark mit den Sinnen, vor allem mit dem Gehör. Recht derbe Klangmalereien verwendet er, und eine gewisse Einfachheit, ja Roheit klingt auch aus der Art, wie er die Verse spricht, wie er aus dem Versschema die latente Derbheit aktualisiert. Die sich verkürzenden, gelegentlich fast leiernden Reimpaarverse der zweiten Strophenhälfte sind Holzschnittmanier: «Und hatte nicht geschrieben, ob er gesund geblieben» oder

> Und jedes Heer, mit Sing und Sang,
> Mit Paukenschlag, und Kling und Klang,
> Geschmückt mit grünen Reisern,
> Zog heim zu seinen Häusern.

Der unreine Reim stört uns geradezu. Unser Ohr ist etwas beleidigt. Fast sind wir schon geneigt, darin einen deutlichen Fehler zu sehen und ihn Bürgers Ungeschick zur Last zu legen, auf jeden Fall mit dem absoluten Maßstab des reinen Reims zu messen. Aber wir erinnern uns, daß Bürger eine kurze Theorie der Reimkunst geschrieben hat. Da finden wir Erwägungen, nicht nur, ob man «Schärfen: Werfen» reimen dürfe, sondern auch, ob die Reime «Hals: Salz», «Gans: Kranz» zu verwenden seien. «Träumen: leimen» wird ausdrücklich als kein ganz richtiger Reim bezeichnet, freilich mit dem Zusatz, es hänge von der Gedichtart ab: «Ein Dichter von feinem Ohre, zumal in denjenigen lyrischen Gedichten, worin es auf höchste Korrektheit angesehen ist», werde zu solchen Reimen nur im Notfall greifen. Bürger nennt sich selbst einen Dichter, «der sich bewußt ist, auf den italienischen Wohlklang so sehr als einer zu raffinieren». Nicht aus Ungeschick, in voller Absicht hat er den unreinen Reim hier gebraucht; er gehört zu der Rolle des einfachen Erzählers, gehört zu dem Stil seines Sprechens.

Aber sein Standort wechselt. Schon bald im Anfang entfährt ihm ein teilnehmender Ausruf:

> Ach! aber für Lenoren
> War Gruß und Kuß verloren.

Dem Verzweiflungsausbruch Lenorens im Dialog mit der Mutter wohnt er erschrocken bei. Noch wahrt er einen Schritt Ab-

stand und kann die Maßlosigkeit und Gottlosigkeit dieses Rasens
feststellen:

> So wütete Verzweifelung
> Ihr in Gehirn und Adern.
> Sie fuhr mit Gottes Vorsehung
> Vermessen fort zu hadern.

Aber dann wird er ganz hineingerissen in das unheimliche Geschehen. In den Versen

> Und horch! und horch! den Pfortenring
> Ganz lose, leise kling-ling-ling...

bedeutet ja das «horch!» keine Wendung mehr an den Hörer –
der ist schon vergessen. Es ist eine Sprachgeste der Teilnahme, der
Hinwendung, und das wird sich nun steigern zu den Gesten der
Einstimmung. Denn Darstellung und Einstimmung liegt in
Klangmalereien wie «trapp-trapp-trapp», «hopp-hopp-hopp»,
«husch-husch-husch» und dem häufigen «Hui!» Gerade diese
einstimmende Geste des «Hui!» finden wir später bei der Droste
so häufig wieder. Jetzt aber, da der nächtliche Gespensterritt beginnt, den der Erzähler mitreitet, gibt es keinen Abstand mehr.
Pausenlos jagen sich die Sätze, immer wieder anaphorisch gereiht,
oft gar nicht mehr zu Sätzen geformt: «Still Klang und Sang...»
Der Blick wird mitgerissen, dem nichts mehr haftet:

> Wie flogen rechts, wie flogen links
> Die Hügel, Bäum' und Hecken!
> Wie flogen links und rechts und links
> Die Dörfer, Städt' und Flecken!

Ganz eingestimmt auf die Schnelle, die Unheimlichkeit, die Grau-
sigkeit dieses nächtlichen Geisterritts ist der Erzähler. Was für
eine Welt aber ist das auch! Zuerst die verzweifelte Lenore, die
ihr Rabenhaar zerrauft und sich mit wütiger Gebärde zur Erde
wirft. An sich ist es eine traditionelle Geste, die als pöbelhaft in
den komischen Romanzen vor Bürger als Mittel der Komik verwendet worden war. Hier ist sie ganz ernst genommen als Ausdruck tiefster Verzweiflung. Und wie wirksam ist die Komposition «Rabenhaar». Täuschen wir uns? Wirkt in uns E. A. Poe's

Gedicht *The Raven* nach, wenn wir in dem Raben nicht nur anschauliche Farbbezeichnung, sondern eine Unheimlichkeit spüren? Ein dreifaches Wechselgespräch mit der Mutter folgt. Auch dabei tritt eine Steigerung ein:

> Bei Gott ist kein Erbarmen

sagt Lenore zunächst. Dann:

> O Mutter, Mutter, eitler Wahn!
> Gott hat an mir nicht wohlgetan!

Und als die Mutter sie entsetzt anfleht, Gott nicht zu lästern, sondern an ihre Seligkeit zu denken, da erklingt jener tiefste Aufschrei des ganz, mit allen Sinnen liebenden Mädchens:

> O Mutter, was ist Seligkeit!
> O Mutter, was ist Hölle?
> Bei ihm, bei ihm ist Seligkeit!
> Und ohne Wilhelm Hölle! –

In dreifacher Steigerung wird auch der Ritt dargestellt. Einzelne Verse kehren leitmotivisch wieder: «Und immer weiter hopp! hopp! hopp!...» oder: «Graut Liebchen auch? Der Mond scheint hell...» Dazwischen aber stehen nun drei Szenen: der gespenstische Leichenzug, der mitgerissen wird in den Sog des Rittes:

> Komm, Küster, hier! komm mit dem Chor,
> Und gurgle mir das Brautlied vor!

dann die Szene am Galgen, – wieder prasselt das luftige Gesindel hinter dem Reiter drein, die ganze Natur ist erfüllt von Gespenstischem, alles wird mitgerissen, Himmel und Sterne fliegen schließlich mit – und dann die Szene auf dem Kirchhof und der Kettentanz der Geister um die hinsinkende Lenore.

Nie wieder ist Bürger eine solche Einstimmigkeit, Stilreinheit, geschlossene Gestalt gelungen. Was ist das für eine Welt, die hier beschworen wurde? Wer die Welt nicht lesen kann, hält sich an die Worte. Tatsächlich wird explizit etwas gesagt; daß Lenore «vermessen» mit Gott haderte und somit sündigte:

Geduld! Geduld! wenn's Herz auch bricht!
Mit Gott im Himmel hadre nicht!

Wer nur Explizites liest, kommt dazu, die Lenore lehrhaft zu lesen, als Gedicht, in dem die Sünde der Gotteslästerung stracks bestraft wird. In diesem Sinne lassen sich gewiß andere Gedichte lesen, die das gleiche Motiv behandeln. Bei Hölty etwa rächt der Geist der toten Geliebten die Untreue des Verführers; bei Gleim rächt er die Mordtat. In Bürgers Lenore kommt der Geist herangezogen und mit ihm das ganze dunkle Reich der Gespenster, herangezogen von der Maßlosigkeit der Liebe und der Verzweiflung dieses Mädchens, die nur an ihm, dem einzigen, hängt, der Eltern und Leben und ewige Seligkeit nichts gelten ohne ihn. Diese Darstellung seelischer Abgründigkeit, menschlicher Maßlosigkeit, die nun entgrenzt wird in das Reich des Nächtlichen, des Unheimlichen, des Dämonischen, hat nichts mehr mit Gut und Böse zu tun. Sie ist als solche ohne moralische Beurteilung gestaltet.

Bürgers Lenore ist ein großes Kunstwerk, in dem alle aufgebotenen und zum Teil neuen Mittel zusammenwirken an der Schöpfung dieser einheitlichen, geschlossenen, stilvollen Welt. Die Gestalt des ganz liebenden und ganz verzweifelnden Mädchens ist damals mehrfach gedichtet worden. Bürgers Lenore darf in einem Atem mit den beiden größten Gestaltungen des Motivs in jener Zeit genannt werden: Goethes Gretchen und seinem ertrunkenen Mädchen, dessen Geschichte Werther erzählt.

Wenn aber damals so oft die letzte Tiefe der Liebe und der Verzweiflung, wenn die Abgründigkeit der menschlichen Seele so häufig in dem einfachen Mädchen aus dem Volke dargestellt wurde, dann war ein halbes Jahrhundert europäischen Bemühens zum Ziel gekommen. Im Drama hatte es eingesetzt, mit Diderot, Gellert und Lessing und dem rührenden Lustspiel der Cibber und Steele: den bürgerlichen Menschen als Träger ernsten Erlebens und ernster Geschehnisse, schließlich sogar als Träger der Tragik zu gestalten. Der Roman war gefolgt und hatte sich, etwa bei Richardson, immer weiter um den bürgerlichen Menschen bemüht. Der Sturm und Drang findet menschliche Natur, Ursprünglichkeit und Totalität, findet Sinne und Leidenschaften – um Hamanns und Herders Formel zu gebrauchen – ausgedrückt in den Liedern des Volkes und in den Dramen Shakespeares, gelebt aber im Volke selber. Der Sturm und Drang erweitert den Umkreis der dichterischen Gestalten in einem Maße, wie es kaum eine andere literarische Bewegung getan hat. Zu dem wenigen, was als Kunstwerk geblieben ist, gehört Bürgers Lenore, der neben ihrem künstlerischen damit ein ganz bestimmter historischer Stellenwert zukommt. Wir sind in der Tat schon bei der zweiten Betrachtungs- und Wertungsweise, die wir als die geschichtliche bezeichneten.

Wir können unter diesem Blickwinkel noch weiter werten. Eines der großen Probleme des 18. Jahrhunderts in dichtungsgeschichtlicher Sicht ist das Problem des Erzählers. Die Zeit entdeckt in dem individuellen Dasein einen besonderen Sinn und in dem persönlichen Erzählen, in dem der Erzähler greifbar wird, einen besonderen Wert. Beides führt zur Begründung des modernen Romans, zuerst bei den Engländern, dann bei Wieland – vielfach steht Cervantes Pate, dessen *Don Quijote* jetzt erst wirksam wird. Wir kennen Wielands Erzählweise im *Don Sylvio* oder *Agathon:* die Haltung der Überlegenheit, der Ironie, des weiten Abstands, der ihn die Wirrungen aus der menschlichen Natur deuten läßt und ihm Gelegenheit gibt, mit dem Leser zu plaudern oder auch zu spielen. Wir kennen den seraphischen Ton Klopstocks, des Erzählers aus der hohen Gestimmtheit, den der junge Wieland auch erprobt hatte und dem noch der Stürmer und Dränger Maler Müller verfiel. Gleim und Hölty hatten in ihren Romanzen die Haltung des Bänkelsängers eingenommen, aber diese Verwandlung war ihnen nicht geglückt; es wimmelt von Stilbrüchen, in denen der gebildete, überlegene Dichter durch die Spalten lugt. In den englischen Geisterballaden, die Percy bot, war der Erzähler gleichsam namenlos geblieben, unpersönlich, hatte sich um objektives Sprechen bemüht. Bürger hatte einiges gelernt; nachdem ihm die Herdersche Übersetzung von *William's Ghost* bekanntgeworden war, hatte er den Anfang der *Lenore* umgeschrieben und das Gespräch Mutter–Tochter aus dem epischen Bericht in die wörtliche Rede umgesetzt. Aber er wollte als Erzähler nicht verschwinden und schuf eine neue Art: die des mitgerissenen, ganz nah folgenden, ganz beeindruckten Erzählers.

Der Blick auf die historischen Zusammenhänge erlaubt eine neue Wertung mit Hilfe der Originalität in der Ausbildung einer neuen dichterischen Form. Die Balladengeschichte zeigt uns, wie wirksam Bürgers Neuerung gerade für das Erzählen der Ballade geworden ist. Die unmittelbaren Wirkungen reichen bis zur Droste.

Die Balladengeschichte lehrt noch mehr. Hölty hatte den ersten Versuch in der ernsten Ballade unternommen, Bürger wollte ihn übertrumpfen und hat ihn übertrumpft. Erst mit der Lenore beginnt die wirkliche Geschichte der neueren deutschen Ballade, die damit einen bedeutsamen historischen Stellenwert bekommt. Aber damit nicht genug. Denn die Lenore wirkte weit auf das Ausland, sie ist neben dem Werther die am weitesten wirkende deutsche Dichtung der Zeit, und auch von Späterem kann sich wenig darin mit ihr messen. Sie wirkt gerade als Gestaltung des Unheimlichen, Überwirklichen, sie steigert die Wendung zu Neuem in der englischen Dichtung der neunziger Jahre (einer der Übersetzer ist W. Scott, der an dieser Übersetzung sein dichterisches Talent entdeckt), sie führt neben Klopstock und dem Werther in Holland zu einer Hinwendung zur deutschen Literatur, sie wird in Frankreich gleich übersetzt, im Deutschlandbuch der Mme de Staël ausführlich behandelt und wirkt noch in der Bestimmung der Ballade im Vorwort von V. Hugos *Odes et Ballades* von 1826 nach. Die *Lettera semiseria sul Eleonore e il Cacciatore feroce di Bürger* von Berchet eröffnet in Italien den großen Kampf zwischen Klassik und Romantik.

Wir wenden uns noch zu der dritten Wertung, die unter der Frage stand: Was bedeutet das Werk für mich, will ich es – für mich, meine Zeit, für die Dichtung überhaupt? Können wir die Lenore zum Beispiel in der Schule verwenden? Sollen wir sie in unsere Lehrpläne aufnehmen? Eine Reihe von Fragen, die schon damals recht verschieden beantwortet wurden. Die ältere Generation lehnte die Lenore meist ab. Das kann uns nicht überraschen, und vielleicht werden wir ihre Wertung nicht sehr ernst nehmen, in der Vermutung, daß sie die Lenore gar nicht richtig gelesen und verstanden haben. Aber es gibt auch eine Äußerung von Herder, dem Herold der Volksdichtung, als dessen Jünger sich Bürger gerade mit dieser Dichtung gefühlt hatte: «Wollt, daß

ein anderer ebenso sänge, wie den Dichter der Teufel geholt.»
Herder konnte wahrlich lesen, wir dürfen glauben, daß er den
künstlerischen Wert der Lenore begriff und daß er ebenso ihren
historischen Wert erkannte, soweit das damals möglich war. Und
doch eine Ablehnung? Wir möchten vermuten: sie kam aus einem
Erschrecken vor der Gestaltung seelischer Maß- und Abgrund-
losigkeit, zu der eine Welt des Grauens, der Unheimlichkeit, der
Dämonie gehörte. Das hatte Herder nicht gemeint, wenn er die
leidenschaftliche, erfüllte Seele des natürlichen Menschen als
Quelle der Kunst und der Kultur verherrlicht hatte. Die grenzenlose Welt des nächtlichen Grauens wünschte er nicht gedichtet,
dem es darauf ankam, die Universalgeschichte der Menschheit als
Geschichte der Bildungen, der gewachsenen, organischen Formen
zu erfassen, er, der dem Begriff der Humanität entgegenreifte.

Die Frage stellte sich immer neu. Es ist die Art des Wertens,
vor die sich gerade der Lehrer immer wieder gestellt sieht und die
ihm doch nur zum Teil die Verfasser der Lehrpläne abnehmen
können. Denn der Lehrer hat zu entscheiden, welche Gehalte der
Dichtung er in der Klasse aufleuchten lassen will. Bei der geschichtlichen Betrachtungsweise wird es von dem Alter der Kinder abhängen, wieweit sie fähig sind, historische Zusammenhänge
zu erfassen und den Stellenwert des Werkes zu erkennen. Die
größte Bedeutung wird indessen wohl der Interpretation der
Dichtung als Dichtung und damit der Erziehung zu künstlerischer
Empfänglichkeit zukommen.

Bei allem naiven, unreflektierten Werten wird der Gegenstand
ganz in das eigene Ich und seine Situation hereingeholt. In dieser
Beschlossenheit in sich selbst liegt die Sicherheit des naiven Menschen und des Kindes. Die Erziehungsarbeit fördert, was schon
das natürliche Wachsen will: daß die Kapseln aufspringen und das
Kind, dem Sein des Draußen begegnend, in die Welt hinein-
wächst. Erziehung zur Kunst ist mehr als Kunsterziehung; sie
löst den Menschen aus seiner Befangenheit in sich selbst, befähigt
ihn zur Begegnung mit echtem Sein und macht ihn mit solcher
Begegnung freier und reicher und schöpferischer. In solcher Arbeit an jungen Menschen setzt die Hochschule nur fort, was die
Schule begonnen hat.

Der Stilbegriff der Literaturwissenschaft

Der Literarhistoriker, der über die Stilforschung berichten soll, wie sie in seiner Wissenschaft getrieben wird, has heißt über die Art, wie sie es tut, und über die Ziele, die sie damit zu erreichen sucht, ist in einer prekären Lage. «Der Stil ist der einzige Gegenstand der literarischen Kritik, und die wahre Aufgabe der Literaturgeschichte... besteht darin, die einzelnen Stile gesondert zu bestimmen und zu bewerten, auf einander zu beziehen und einzureihen» – «Von allen Möglichkeiten der literarischen Forschung ist sie (die Stilforschung) die am meisten autonome und dem Dichterischen am meisten treu» – in solchen Sätzen maßgebender Literarhistoriker klingt es, als gelangten wir mit der Stilforschung in die Kernzone der Literaturwissenschaft, in den Kreis der Aufgaben, die gerade ihr gestellt sind und nur von ihr gelöst werden können. Aber wir brauchen nur ein wenig auf den Sprachgebrauch des Alltags zu lauschen, um zu bemerken, daß Stil keineswegs etwas spezifisch Dichterisches und Literarisches ist. In der Schule erfährt der Heranwachsende vom Stil vermutlich zuerst im Zusammenhag mit der bildenden Kunst, wenn von romanischem und gotischem Stil gesprochen wird. Er lernt dann schnell, daß Stil nicht nur als Phänomen in den verschiedenen Künsten begegnet. Vom Deutschlehrer wird der Stil seines eigenen Aufsatzes gerügt oder getadelt, obwohl er ihn wahrlich nicht als Dichter geschrieben hat; er entdeckt vielleicht bald selber, daß seine Lehrer einen verschiedenen Stil des Unterrichtens haben; er hört vom Stil des Wohnens oder Reisens oder des Lebens sprechen, und die Subjekte können dabei wechseln: bald wird dem einzelnen Stil zugeschrieben, bald einer Gruppe, bald einer Nation, bald einer Epoche. Überall, wo Betätigung geschieht und wo ein sinnfälliges Gebilde als Ergebnis der Betätigung entgegentritt, scheint der Stilbegriff anwendbar. Es gibt nur einen großen Bereich, in dem das Wort Stil für Tun und Getanes nicht am Platz erscheint: den Bereich der Natur. Vom Stil eines Vulkanausbruchs zu sprechen oder eines jagenden Fuchses, das wäre so ungemäß wie einer Gebirgslandschaft oder einem Kaninchenbau Stil zuzuschreiben. Le style c'est de l'homme même, der Stil kommt vom Menschen selbst, oder besser noch: der Stil kommt dem Menschlichen zu, so müßten wir das gewöhnlich falsch zitierte und fast immer falsch gedeutete Wort des Naturforschers Buffon sinngetreu übersetzen.

So scheint denn also die Literaturwissenschaft keineswegs Herr im eigenen Hause zu sein, wenn sie Stilforschung treibt. Sie tut, was man überall tut und tun könnte, wo Menschliches am Werke ist. Ihr Spezifisches liegt offensichtlich nur darin, daß sie es – dem Wesen ihrer dichterischen Gegenstände gemäß – mit der Erforschung sprachlich geschlossener Gebilde zu tun hat. Es wäre dabei noch festzustellen, ob deren dichterischer Charakter ihr besondere Aufgaben stellt, oder ob sie nicht Zielsetzung und Arbeitsweise mit allen denen teilt, die sprachliche Gebilde irgendeiner Art, einen Zeitungsaufsatz, eine theoretische Abhandlung, eine Predigt, eine politische Rede, ja noch die Sprache der Reklame auf ihren Stil hin untersuchen.

Aber kaum, daß wir den Kreis für die literarische Stilforschung abgegrenzt haben, dessen Peripherie noch vage genug bleibt, erheben sich schon Mauern und grenzen sich Sektoren ab. Denn an den verschiedensten Stellen leuchten außerhalb des Kreises Ziele auf und suchen die Untersuchung auf sich zuzulenken. «Der Stil ist der Mensch», und zwar im Sinne von Einzelmensch, Individuum, so wird Buffons Wendung gewöhnlich umgedeutet. Man spürt die Setzung und die Forderungen, die darin liegen: Die Werke eines Dichters sind die sprachlichen Manifestationen seiner Persönlichkeit. Da er ein Dichter, also ein Künstler der Sprache ist, stellen sie die wesentlichen Manifestationen seiner Persönlichkeit dar, in ihnen erfassen wir ihn am reinsten und unmittelbarsten. Stilforschung wird deshalb an sprachlichen Gebilden als den Werken eines Dichters betrieben; ihre Sprache ist seine Sprache, ihre Eigentümlichkeiten sind seine Eigentümlichkeiten. Denn es leuchtet sofort ein, daß diese Arbeitsweise auf die sprachlichen *Eigentümlichkeiten* aufmerksam sein muß; sie notiert im Wortschatz etwa, welche Worte neugebildet, welche neu belebt sind, welche sich besonders häufig finden, welche Konstruktionen auffällig und dabei typisch für diesen Dichter sind usf. Das Sinnvolle solcher Untersuchungen bewährt sich immer wieder:

> Schon blühen ihre Blumen, die ernsten Veilchen
> Im Abendgrund, rauscht des blauen Quells
> Kristallne Woge. So geistlich ergrünen
> Die Eichen über den vergessnen Pfaden der Toten,
> Die goldene Wolke über dem Weiher.

Diese wenigen Zeilen, aus einem Gedicht herausgerissen, genügen schon, um jedem Hörer den Eindruck einer sehr persönlichen Sprache zu vermitteln und dem Belesenen den Namen des Dichters zu verraten. Wer darin Trakl erkannte, der hörte es aus dem häufigen Gebrauch der Farben und vielleicht an der Komposition Abendgrund (in den Zeilen vorher begegnet ein Frühlingsweiher): der Zusammensetzung einer landschaftlichen Raumstelle mit einer Tages- oder Jahreszeit, die beide in der Verschmelzung nun mehr bedeuten als eine raum-zeitliche Gegebenheit. So genügen oft wenige Zeilen, um uns den Stil Rilkes oder Hölderlins oder Schillers erkennen zu lassen.

Aber wie steht es mit solchen Versen:

> Es ist ein Schnee gefallen
> Und ist es doch nit Zeit,
> Man wirft mich mit den Ballen,
> Der Weg ist mir verschneit.

Auch der belesenste Hörer wird da keinen Dichter nennen können, gerade er wird keinen nennen wollen. Denn er hört: hier spricht kein eigentlicher Dichter, sondern hier, in einem Volkslied, spricht – nun nicht das Volk – aber doch eine Gruppe. Untersuchungen, die auf solche Gruppen als Sprechende ihre Aufmerksamkeit richten, scheinen sich durchaus mit den früher genannten zu vertragen; Konflikte scheint es nicht zu geben, da die Gegenstände selbst sich trennen: individuelle Werke hier, der Bereich der Volksdichtung dort.

Ein Konflikt kündigt sich aber an, wenn wir aufgefordert werden, die gleichen Gegenstände unter anderen Gesichtspunkten zu betrachten. Wer in dem ersten Beispiel nicht den Dichter erkannt hat, der hat vielleicht doch gespürt, daß es sich um ein modernes Gedicht handelt. Und vielleicht bleibt es ihm auch anregender, nachdem er den Namen Trakl erfahren hat, nach diesem modernen Geist zu fragen, der sich da ausspricht und offenbar Trakl die individuelle Ausprägung erst ermöglicht hat. Historisch gesehen ist es sogar älter, den Stil auf eine Epoche zu beziehen und in ihr die eigentliche Bewirkerin des eigentümlichen Formgepräges zu sehen. So hat sich denn die Forschung um den Stil des literarischen Barock oder der Romantik oder des Expressionismus bemüht, um nur einige der besonders umworbenen Epochen zu nennen. In den letzten Jahren ist dazu der Manierismus getreten, um den sich ein fruchtbares Gespräch zwischen Kunsthistorikern und Literarhistorikern entsponnen hat. Aber die Mühe hat sich doch nicht voll belohnt, und gegenwärtig herrscht nach den überschwenglichen Hoffnungen eine gewisse Resignation: weder hat sich der Stil etwa des Barock oder der Romantik bestimmen lassen, noch hat sich die Geschichte der Literatur als Abfolge von Stilepochen darstellen lassen. Es ergab sich zum Beispiel bald, daß die Epochen der Literarhistoriker zeitlich nicht mit denen der Kunsthistoriker oder der Musikhistoriker zusammenfielen, die den gleichen Namen trugen. Die architektonischen Hauptwerke des deutschen Barock entstehen erst spät im 18. Jahrhundert, für die Dichtungsgeschichte geht da schon die Aufklärung zu Ende. Die romantische Musik fällt in die Zeit, die von den Literarhistorikern als Biedermeier und poetischer Realismus bezeichnet wird. Die Stilepochen lösten sich gleichsam von der realen Geschichtlichkeit. Das wurde noch gefördert durch die Versuche, die mehrfache Wiederkehr solcher Epochen nachzuweisen; man sprach oder spricht etwa im Hellenismus vom Barock oder Rokoko oder von mittelalterlichem Realismus und Naturalismus oder einer zeitlosen Romantik oder einem zeitlosen Manierismus.

Wir halten hier ein. An sich könnte die Reihe der Phänomene, die man als Bewirker des Stils aufgestellt hat, noch lange fortgesetzt werden; wir nennen nur zum Beispiel biologische Stufen, (Jugendstil, Altersstil) oder räumlich gebundene Gruppen wie Stämme oder soziale Gruppen (bürgerlicher Stil, höfischer Stil). Nicht minder sinnvoll, aber auf eine andere Ebene führend, scheinen die Fragen nach dem lyrischen, epischen, dramatischen Stil oder nach dem Stil bestimmter Formen, nach dem Stil des Liedes, der Ballade, des Epigramms, der Komödie.

Diese Fragen spielen auf einer anderen Ebene. Denn in allen bisherigen Fragestellungen gab es einen außerhalb der Sprache stehenden Bewirker des Stils: die Person des Dichters, eine Gruppe, die Höfe, das Alter oder den gemutmaßten Geist der Epoche. Wenn wir aber nach dem Stil des Liedhaften fragen, dann bleiben wir im Umkreis des Liedes und können gar nicht heraus. Es gibt in der geschichtlichen Wirklichkeit keine Größe, die wir als den Bewirker ansetzen können.

Wir halten hier ein, um uns zu vergewissern, in welchem Sinn der Stilbegriff denn in all jenen nach außen schauenden Arbeitsweisen genommen wurde. Wir stellen als Historiker zunächst fest: in einem ganz anderen, als er jahrhundertelang genommen worden war, denn für die Zeit von der Spätantike bis ins 18. Jahrhundert bedeutete Stil eine bestimmte Schreibweise. Es gab deren drei: den schweren, den mittleren und den leichten Stil. Der schwere Stil etwa war durch einen gehobenen Wortschatz, durch Vergleiche und vielfältige Metaphern, durch den Gebrauch sprachlicher «Blumen» gekennzeichnet, die man in der Rhetorik lernte. Dieser Stilbegriff war normativ, denn jede Ebene hatte ihre Regeln, er war synthetisch, denn er faßte eine Mannigfaltigkeit im Sprachlichen zusammen, und er war nahezu rein formal, denn er zählte sprachliche Formen auf. Welchen Stil man zu gebrauchen hatte, das hing vom Thema und von der Gelegenheit ab. Der Blick auf die Herkunft endete gleichsam bei dem Instrument, sozusagen bei der breiten oder schmalen Feder. Stilus bezeichnet ja ursprünglich den Schreibgriffel, und die Ausdehnung des Begriffs auf das Geschriebene griff nicht sehr weit.

Als aber im 18. Jahrhundert die drei Stilebenen endgültig verworfen wurden, als die «Gelegenheiten» bedeutungslos wurden (wir übersehen gerne, daß Mozart fast alle seine Werke im Auftrag schrieb, und für weite Kreise der Gegenwart ist der dichterische Charakter eines bestellten Festspieles zunächst einmal fraglich), da wandelte sich der Stilbegriff. An die Stelle der Normen und Gelegenheiten trat jetzt der schaffende Geist, der den Stil prägte, Stil war der *Ausdruck* eines schaffenden Geistigen. In seiner *Geschichte der Kunst des Altertums*, dieser genialen Betätigung synthetischen Schauens, stellte Winckelmann die antike

Kunst als Abfolge von vier «Stilen» dar. Er hatte damit noch keinen Zeitgeist als eigentlichen Schöpfer des Stils hypostasieren wollen, aber der «Zeitgeist» wurde in der zweiten Jahrhunderthälfte eines der großen Worte. Davor aber trat noch im Geniedenken der Glaube an den schaffenden Genius des Dichters, der sich im Stil ausdrückte. Man kann vielleicht sagen, daß die Kunsthistoriker seit Winckelmann bei «Stil» an «Epochenstil» zu denken geneigt sind, die Literarhistoriker an «Persönlichkeitsstil». Aber Grenzen lassen sich nicht ziehen, und in diesem Jahrhundert ist der Versuch Wölfflins, den Stilwandel von der Renaissance zum Barock auf neuartige Weise, nämlich als den Wandel von Sehweisen und unter Ausschluß aller Fragen nach Motiven und Gehalten darzustellen, von den Literarhistorikern begierig aufgenommen worden. Schon im 18. Jahrhundert finden sich in der literarischen Stilforschung beide Betrachtungsweisen und finden sich noch manche der von uns aufgezählten. Die Vielfalt war derart, daß K. Ph. Moritz im Anfang seiner 1793 gehaltenen *Vorlesungen über den Styl* sagen konnte (S. 21): «Der Sprachgebrauch ist in Ansehung des Worts Schreibart oder Styl so äußerst schwankend, daß dies so häufig vorkommende Wort in jeder Rücksicht einer näheren Bestimmung bedarf.»

Wieweit der Stilbegriff bei Moritz sich von aller Norm befreit hatte, das zeigt ein anderes Wort: «So abweichend von den gewöhnlichen Begriffen dies auch klingen mag, so gibt es doch im strengsten Sinne gar keine Regeln des Stils. Denn man denkt sich doch unter Stil das *Eigentümliche*...; nun aber finden ja über das *Eigentümliche* keine Regeln statt. Alles, was sich darüber sagen läßt, beschränkt sich auf einzelne *Beobachtungen*.» Stil als der eigentümliche Ausdruck eines Geistigen, und Stilbetrachtung – bei wirklichen Kunstwerken – als Beobachtung und Beschreibung –, das sind moderne Gedanken.

Der normative Stilbegriff wurde gleichsam aus dem Bereich echter Dichtung verbannt. Er hat sich draußen erhalten und bleibt auch mit dem Begriff der «Gelegenheit» verkoppelt. Wir finden ihn in allen Stilistiken, die belehren wollen, wie man gehörig spricht und schreibt. Er liegt den Liebesbrieflehren wie den Handelskorrespondenzlehren zugrunde, und nur mit ihm ist der Leh-

rer in der Lage, bei seinen Schülern den Stil ihrer Erlebnisauf-
sätze oder Problemaufsätze oder ihrer beschreibenden Aufsätze
zu kritisieren und zu verbessern.

Vollends gegenwärtig aber mutet K. Ph. Moritz mit dem Anfang seiner Vorlesungen an, wenn wir da hören, daß «im Grunde
jedes Produkt des Geistes für sich eine ganz eigene individuelle
Erfindung ist, deren Individualität gerade ihren eigentlichen
Wert ausmacht, und bei der die Klasse, worunter man sie bringt,
immer nur das Zufällige ist». Das sind zugleich Goethesche Gedanken; in Italien waren sich beide begegnet und hatten die Grundlagen einer neuen Ästhetik und Poetik entwickelt, wie sie sich aus
der Schau auf das einzelne Kunstwerk als in sich geschlossenes,
organisches Gebilde ergab.

Es ist die radikalste Individualisierung. Alles das Kunstwerk
Überschreitende, alles Verbindende, ob Epoche oder Gattung,
ob sozialer Raum der Entstehung und Wirkung: selbst der Zusammenhang mit anderen Werken des Künstlers, ja mit ihm selbst,
wenn wir den Gedanken konsequent weiterdenken – sie treten
zurück hinter dem Individuum des einen Werkes. Eine bedenkliche Individualisierung geradezu, wenn wir nicht die neue Bindung wahrnähmen, die der Organismusbegriff mit der Natur und
ihren Produkten stiftet, eine Bindung freilich, die leicht verloren-
gehen konnte und nahezu verlorengegangen ist.

Aber der Gewinn, der große Gewinn, wie wir sagen möchten,
ist unverkennbar. Dieser Stilbegriff, der nur dem einzelnen Werk
zugeordnet ist, liegt, wie der Begriff etwa des lyrischen und des
liedhaften Stils, auf einer anderen Ebene als die zuvor genannten.
Denn nun gibt es wiederum nichts außerhalb des Werkes Liegendes
mehr, über das wir mit der Stiluntersuchung Aussagen zu machen
hätten. Zugleich gewinnt der Stilbegriff an synthetischer Kraft.
Faßte er vorher eine Mannigfaltigkeit von Zügen zusammen, so
ist der Stil nun die Gesamtheit der sprachlichen Erscheinung. Und
das ist keine Summe mehr, sondern ein funktioneller Zusammenhang, in dem eines auf das andere bezogen und abgestimmt ist.
Jetzt wird es möglich, die feinsten Schwebungen zu verfolgen,
die über den Worten fortschwingen. Denn die Worte der Dichtung bedeuten immer mehr als sie bezeichnen. Der Abendgrund,

der Frühlingsweiher bei Trakl – sie bedeuten mehr als einen Grund am Abend und einen Weiher im Frühling. Das erfaßten wir früher schon. Jetzt aber ist es möglich, dem Zusammenklang in den Obertönen durch das ganze Gedicht nachzugehen, auch den Kontrasten dabei; denn Abgestimmtheit bedeutet ja nicht Eintönigkeit. Die Schönheit des Kunstwerks wächst mit den Spannungen, die in ihm zur Einheit zusammengefügt sind.

Es wird auch möglich, schwache, unpassende, unstimmige Stellen und Züge zu entdecken, die in keinem funktionalen Zusammenhang stehen, sondern ihn stören oder gar zerreißen. Das Werten geschieht im Untersuchen selber; es vollzieht sich nicht mehr als zusätzlicher Akt und nicht nach außerhalb liegenden Maßstäben. Es geschieht nach den Maßstäben, die das Werk selber in die Hand gibt, wenn die Hand nur feinfühlig genug ist, sie aufzunehmen. – Ein kleines Beispiel. In einem frühen Roman führt Tieck seinen Maler Franz Sternbald auf einen Berg und läßt ihn nun die Natur, läßt ihn in der Natur den «ewigen Weltgeist» erleben. Es ist ein Augenblick des Überschwanges:

Franz streckte die Arme aus, als wenn er etwas Unsichtbares an sein ungeduldiges Herz drücken wollte, als möchte er nun erfassen und festhalten, wonach ihn die Sehnsucht so lange gedrängt: die Wolken zogen unten am Herizont durch den blauen Himmel, die Widerscheine und die Schatten streckten sich auf den Wiesen aus und wechselten mit ihren Farben, fremde Wundertöne gingen den Berg hinab, und Franz fühlte sich wie festgezaubert, wie ein Gebannter, den die zaubernde Gewalt stehen heißt, und der sich dem unsichtbaren Kreise, trotz alles Bestrebens, nicht entreißen kann. «O, unmächtige Kunst!», rief er aus, und setzte sich auf eine grüne Felsenbank nieder; «wie lallend und kindisch sind deine Töne gegen den vollen harmonischen Orgelgesang, der aus den innersten Tiefen, aus Berg und Tal und Wald und Stromesglanz in schwellenden, steigenden Akkorden heraufquillt. Ich höre, ich vernehme, wie der ewige Weltgeist. . .»

Wir erleben Franz' Verzückung unmittelbar mit; denn der Erzähler, der zunächst spricht, hat sich ganz auf ihn eingestimmt. Alles Dingliche erscheint ihnen belebt, jeder Gegenstand verliert seine scharfen Konturen; die eigentlichen Worte passen nicht mehr, denn alles steht im Zusammenklang und wird zum kündenden Boten der einen göttlichen Macht. Wenn der Erzähler da nun zwischendurch mitteilt, sein Held setze sich auf eine grüne Felsenbank nieder, dann ist diese grüne Felsenbank zu platt. Sie zerreißt das ganze Gewebe, und man fühlt den boshaften Verdacht aufsteigen, zu dem es mancherlei Bestätigung gäbe, ob nicht dem Erzähler die grünen Felsenbänke vertrauter sind als die Orgelgesänge des Weltgeistes. Die Stelle steht auch nicht im heimlichen Zusammenhang mit ähnlichen, so daß wir sie als Aufbrodeln eines ironischen Unterstroms deuten dürften: sie ist funktionslos und ein reiner Stilbruch.

Erst aus dem Zusammenhang läßt sich der Bedeutungsgehalt und die Leistungskraft der einzelnen sprachlichen Züge bestimmen. Es ist eine Einsicht der Stilforschung, daß die gleichen sprachlichen Formen sehr verschiedenes leisten können. Die vorherrschende Parataxe, das heißt die Reihung von Hauptsätzen, braucht nicht immer Ausdruck der Einfalt zu sein, und vorherrschende Vokale klingen in einem Gedicht anders als im nächsten.

Die literarische Stilforschung gewinnt in der Untersuchung des einzelnen Werkes ihre größte Geschmeidigkeit und ihre subtilste Begrifflichkeit. Sie befruchtet damit alle jene Untersuchungen, die Stilforschung über das einzelne hinaus betreiben. Uns scheint dabei eine bisher noch nicht genügend entwickelte Verfahrensweise erfolgversprechend. Wir erwähnten die Schwierigkeiten, in die eine Erforschung der Epochenstile geraten ist. So stark epochale Unterschiede sich immer wieder dem Blick aufdrängen – das Material des Literarhistorikers bietet sich nicht in solcher Ordnung dar. Dafür deuten sich andere Ordnungen in den Sachen selbst an. Über einen bestimmten Zeitraum hin stellen sich innerhalb einer Gattung mehrere Werke in einen sinnfälligen Zusammenhang. Der Geschichtschreiber kann im ausgehenden 18. Jahrhundert mit Leichtigkeit die Geisterballade, die Ritterballade, die naturmagische Ballade usf. als relativ geschlossene Arten erfassen; im Roman der Zeit etwa den empfindsamen, den Schauer-, den psychologischen Roman oder den erzählenden Roman in der Nachfolge Fieldings. Zu jeder Art gehören charakteristische Motive, eigene Gehalte, eine besondere Struktur und eben eine Art von eigentümlichem Stil, – so gewiß es Überlagerungen der Art geben kann und schließlich auch Werke, die sich kaum einordnen lassen. Das eigentliche historische Leben der Literatur vollzieht sich nicht in geschlossenen Epochen, sondern an und in solchen strukturell-stilistischen Einheiten. Oft steht ein geniales Werk am Anfang und bestimmt die Nachfolger, wie Bürgers Lenore und Goethes Götz; mitunter entsteht es erst im Verlauf oder am Ende der Entwicklung: das romantische Lustspiel gipfelt in Büchners Leonce und Lena.

Aber hat sich da nicht eben ein moderner und also zeitgebundener Gedanke eingeschlichen? Uns boten sich Stileinheiten an, und wir fragten doch wieder nach dem genialen Werk, nach der Dichtung, die ganz in sich selber ruht, «deren Individualität gerade ihren eigentlichen Wert ausmacht, und bei der die Klasse, worunter man sie bringt, immer nur das Zufällige ist», um noch einmal K. Ph. Moritz zu zitieren. Liegt nicht in der Sicht auf das individuelle Werk als das Eigentliche der Kunst ein ästhetisches Vorurteil? Die griechischen Tragiker, die spanischen Dramatiker des 17. Jahrhunderts, aber auch die englischen Dramatiker der elisabethanischen Zeit – sie schufen nicht isolierte Kunstwerke, die unnahbar auf dem autonomen Felde der Dichtung ein eigenes Leben führen sollten, sondern sie erfüllten «eine Gelegenheit». Wir nehmen sie anders, als sie gemeint waren. Wir sammeln einzelne Werke und stellen sie in Museen der Dichtung auf. Die Sicht auf das individuelle Werk entspricht unserer Situation. Der moderne Stilbegriff entwickelte sich zu einer Zeit, da die Kunst – auf allen Gebieten – sich von den «Gelegenheiten» löste und da in der bildenden Kunst mit dem Rokoko der letzte «naive Stil» zu Ende ging, wie Pinder ihn nannte. Wir nehmen in der Gegenwart keinen übergreifenden Stil mehr wahr, sondern sehen nur isolierte Werke, und wir übertragen das auf die Vergangenheit. Für Goethe und Moritz gab es in dem Organismuscharakter des Kunstwerks noch eine Bindung, wobei man darüber streiten kann, wie weit die Analogie zur Natur gehen sollte. Wenn Leo Spitzer, einer der führenden Stilforscher unserer Zeit, sagt: «Der Stil ist nur äußere Kristallisation der ‚inneren Form', oder, um eine andere Metapher zu verwenden: das Lebensblut der dichterischen

Schöpfung ist überall das gleiche, ob wir es beim Stil oder dem Gehalt, bei der Handlung oder bei der Struktur anzapfen», so gebraucht er die Wendung vom Organismus bewußt und gerade deshalb sehr ehrlich als Metapher.

Die neue Stilforschung betätigt sich in einer Zeit, da die Chaotik des Stils offenbar geworden ist. Darin liegt ein innerer Zusammenhang, und daraus spricht eine Sehnsucht. Aber man darf keine zu hohen Erwartungen hegen. Mit den Ergebnissen der Stilforschung gewinnt nur die auf Erkenntnisse gerichtete Wissenschaft. Die Lebenskräfte des Stils spürt einzig der Untersuchende, und so mag man hoffen, daß die Stilforschung in den einzelnen, die sie betreiben, das Stilgefühl bildet und verfeinert. Das Problem des gemeinsamen Stils aber läßt sich damit nicht lösen.

Wer erzählt den Roman?

Als sich Gottfried Keller 25 Jahre nach dem Erscheinen des *Grünen Heinrich* an dessen Umarbeitung machte, da heizte er sein Zimmer mit den abgelagerten Exemplaren der ersten Fassung. Er hatte sie vom Verleger eingehandelt, weil er die Jugendarbeit als verfehlt ansah. Möge die Hand verdorren, so äußerte er, die sie wieder hervorzöge. Aber wenn er hier Fluch spendete, so war er doch nicht bereit, der umgearbeiteten Fassung seinen Segen mitzugeben. Blättert man in seinen Briefen aus dem Frühjahr 1881, in dem die ersten Besprechungen erschienen, so stößt man immer wieder auf tiefgegründete Zweifel an seinem eigenen Werk. Es ist keine angenommene Bescheidenheit, wenn er ein Lob mit dem Hinweis auf «die formalen und inneren Schwächen meiner Hervorbringung» abwehrt, die er «genugsam fühle». An anderer Stelle spricht er vom Vorhandensein eines Grundmangels, von dem Beweis sogar, und formuliert nun das Problem, das ihn so beunruhigt: «Der hohe Rang, welchen Sie meinem Buche anweisen, ist schon darum unmöglich, weil die autobiographische Form zu unpoetisch ist und die souveräne Reinheit und Objektivität der wahren Dichtersprache ausschließt; daß aber jene Form . . . die Oberhand gewonnen hat, ist eben der Beweis vom Vorhandensein eines Grundmangels.»

Ein Formproblem also. Wir erinnern uns: die erste Fassung hatte als Er-erzählung in der «Objektivität der wahren Dichtersprache» begonnen. Beim Einzug in München hatte der Erzähler den *Grünen Heinrich* (und damit auch uns, die Leser) in der selbst aufgezeichneten Jugendgeschichte lesen lassen. Die hatte natürlich erst noch geschrieben werden müssen und sich auf zweieinhalb der insgesamt vier Bände ausgedehnt, bis dann wieder der Erzähler das Wort ergriffen hatte. Die Zweiheit der Erzähler und damit der Perspektiven – der weiten, alles überschauenden und alles wissenden, der «objektiven» dort und der engen, auf die Erfahrungen und Erlebnisse eines individuellen Menschen beschränkten und stets subjektiven hier – hatte Keller offenbar als Uneinheitlichkeit gewertet.

Er beseitigte sie in der Umarbeitung, in dem er alles in die Ich-Form brachte. Nun aber waren die Zweifel gekommen, ob er sich

nicht falsch entschieden habe, ob der Verzicht auf die Souveräni-
tät des Erzählens, wie sie die Ich-Form verlangte, nicht ein Verzicht auf die «Reichsunmittelbarkeit» des Poeten, ein Verzicht
auf die eigentliche Poesie war. Keller erwartete in diesen Mona-
ten, von den Zünftigen, den Ästheten und Literarhistorikern,
Aufschlüsse grundsätzlicher Art zu bekommen. Gewiß, sie äußer-
ten sich und verglichen die beiden Fassungen. Aber mit den Me-
thoden, die sie anwandten: der Erlebnis-Methode, die das dichterische Werk auf Erfahrungen und Meinungen des Autors zu-
rückführte, und der philologischen, die Wandlungen im Wortlaut
feststellte und wertete, bekamen sie die entscheidenden Probleme,
wie Keller meinte, gar nicht zu Gesicht.

Der Groll brach am stärksten in einem Brief an Storm durch,
vom 11. April 1881. Der Scherer-Schüler Brahm hätte «die
philologische Methode noch verkehrter angewendet, ... während er die Hauptfrage der Form: Biographie oder nicht? gar nicht
berührte.» Und nun stellt Keller das Problem noch einmal in
seinem vollen Umfang: «Diese Frage umfaßt nämlich auch die
andern nicht stilgerechten epischen Formen; Briefform, Tage-
buchform und die Vermischung derselben, in welchen nicht der
objektive Dichter und Erzähler spricht, sondern dessen Figuren-
kram, und zwar mittels Tinte und Feder. Hier ist der Punkt, wo
die Kritik einzuspringen hat... Diese Untersuchung ist aber
nicht eine textkritliche, sondern eine rein ästhetische Sache und
Arbeit.»

Die Kritik der Zünftigen, so empfand es Keller, versagte völlig.
Er war nicht der einzige, der die Verfahrensweisen der sich damals als Wissenschaft konstituierenden Literaturgeschichte als
ungemäß ablehnte. Ein Jahr zuvor, fast auf den Tag genau (am
10. 4. 1880), schrieb Fontane, und man spürt, wie die Narben
persönlicher Erfahrungen wieder zu schmerzen beginnen: «Das
Urteil eines feinfühligen Laien ist immer wertvoll, das Urteil
eines geschulten Ästhetikers meist absolut wertlos. Sie schießen
immer vorbei, sie wissen nicht, worauf es eigentlich ankommt. In
der Dichtkunst... ist es gerade ebenso... Überall da, wo es auf
das Gestalten ankommt, reden die Philosophen Unsinn. Es fehlt
ihnen ganz das Organ für das, was die Hauptsache ist.»

Wir wollen hier nicht mit einer Verspätung, zu der unser Beruf neigt, den dichterischen Rang des *Grünen Heinrich* beweisen. Darüber ist längst entschieden. Goethes *Wahlverwandtschaften*, Kellers *Grünen Heinrich* und Fontanes *Effi Briest* nennt Thomas Mann einmal als die deutschen Romane des 19. Jahrhunderts, die zur Weltliteratur gehören, und spricht damit eine gängige Wertung aus. Es soll uns auch nicht lediglich um die Behandlung des Kellerschen Problems gehen, ob die Ich-Form mit ihrer engeren und subjektiven Perspektive im Grunde unpoetisch sei. Die Antwort darauf wird sich gleichsam nebenbei ergeben, wenn wir den Umkreis erweitern und nach dem Erzähler im Roman überhaupt fragen.

Wir hoffen damit zur Erkenntnis der noch immer recht unzulänglich gedeuteten Romanform beitragen zu können. Und zugleich geraten wir in pochende Gegenwärtigkeit. Denn jedem Leser von Romanen aus dem 20. Jahrhundert muß auffallen, wie seltsam es da um den Erzähler und das Erzählen bestellt ist.

Schon vor 25 Jahren bemerkte ein Historiker des englischen Romans: «Überschaut man im Fluge den englischen Roman von Fielding bis heute, so beeindruckt einen mehr als alles andere das Verschwinden des Autors». Es ist, als hätte sich die Wertung umgekehrt, als erschiene den modernen Romanschriftstellern – und manche haben es in der Tat ausgesprochen – der objektive Erzähler als unpoetisch, als veraltete Konvention, als falsch und sei dagegen der Wechsel der Perspektiven oder die Ich-Form oder das Erzählen aus personaler Perspektive das Poetische und Richtige. Die Wendung kündigte sich, wie wir heute erkennen, noch im 19. Jahrhundert selber an, als Henry James den wechselnden Standpunkt empfahl; der Historiker des deutschen Romans wird hinzufügen, daß die Romantiker, und allen voran Brentano, die Wirkungen im Wechsel der Opsis schon vielfach erprobt hatten. Die Einheit der olympischen Perspektive, nach der also früher auch nur ein Teil der Romane strebte, ist gegenwärtig fast völlig aufgegeben. Welch seltsames Erzählen bei James Joyce oder Proust oder Knut Hamsun; wie liebt es der späte Thomas Mann, besondere Erzähler vorzuschicken: Serenus Zeitblom für den *Dr. Faustus*, einen Mönch im Alamannenlande für den *Erwählten* oder den alt gewordenen Krull als Erzähler seiner jugendlichen Abenteuer. Welch seltsames Erzählen auch in *Der Pest* von Camus oder in seinem neuen Roman *Der Fall*. Und wenn im ersten Teil des *Stiller* von Max Frisch der Held selber spricht (im zweiten Teil wird es einer seiner Freunde tun), so entgleitet er uns in jedem geraden Kapitel, wenn er die Erzählungen anderer Gestalten wiedergibt: Er erzählt weder aus seiner Perspektive des Hörenden noch aus der der Sprechenden, sondern verwandelt sich in einen schwer zu fassenden anonymen Beobachter.

Seit einiger Zeit ist die Forschung mit jener Verspätung, zu der unser Beruf neigt, auf diese Vorgänge sehr aufmerksam geworden. In einem aus der Neuheit des Beobachtungsfeldes verständlichen Übermaß der Freude hat man jüngst sogar versucht, die Arten des Erzählens zur Grundlage einer Typologie des Romans zu verwenden. Es ergaben sich dabei, wie es einer anständigen Typologie zukommt, drei Grundformen[1].

Das sind neuartige Versuche, die zumindest unsere Vorstellungen von der Romanform erweitern. Manch einer mag zögern, einer scheinbar formalen Frage soviel Bedeutung zuzumessen. Aber die Frage ist nicht nur formal. Die Beseitigung des olympischen, objektiven Erzählers hat Virginia Woolf schon vor 40 Jahren mit der undurchdringlichen Dunkelheit des Lebens begründet, die keine ruhige Umsicht und Allwissenheit erlaube; die Aufgabe des Romanschreibers sei, das Leben gerade in seiner Unerkennbarkeit und seiner Zerstückelung getreu wiederzugeben.

Die Besinnung auf das Erzählen und den Erzähler führt also zu Problemen, denen es nicht an Dringlichkeit fehlt. Sie erweitern unsere Vorstellungen von der Romanform, so sagten wir, und bevor wir sie weiterspinnen, wollen wir an diesem Punkte noch einmal Rückschau halten. Wie hat man bisher die Romanform zu bestimmen und deuten gesucht?

«Der Roman ist eine erdichtete Liebesgeschichte», so meinte der französische Pater Huet, als er 1670 die erste maßgebende

---

[1] F. Stanzel, *Typische Erzählsituationen im Roman*, Wien 1955. Vgl. auch Norman Friedman, *Point of View in Fiction*, Publ. of the Mod. Language Association, Dezemberheft 1955.

Poetik des Romans schrieb. In seiner Art, das heißt also mittels des Inhalts, haben viele nach ihm die Bestimmung unternommen. Liebesroman, Familienroman, Gesellschaftsroman, Künstlerroman, Reiseroman, Heimatroman, historischer Roman und so fort, – das sind alles Ausdrücke, die uns geläufig und kaum zu entbehren sind, und trotzdem erfassen sie nur Oberflächliches und stellen, schon weil sie sich in ihren Zentren nicht ausschließen, keine wirkliche Typologie dar. Warum sollte ein Künstlerroman nicht zugleich Heimatroman und historisch sein und dabei noch das Glück haben, eine Liebesgeschichte zu bergen? Wir müssen wohl darauf verzichten, aus den Inhalten mehr als eine äußerliche Klassifikation zu gewinnen. Dennoch läßt sich die Meinung vertreten, daß der Roman als Ganzes einen ihm gemäßen und zum Beispiel vom Epos unterscheidenden Stoffbereich besitzt. Er umfaßt alles, was an einem Menschen personeller und individueller Art ist. Der Mensch als Individuum betrachtet: das ist der dem Roman eigene stoffliche Aspekt.

Wir verzichten an dieser Stelle darauf, uns mit Meinungen auseinanderzusetzen, die massive Aussagen über das Verhältnis einer solchen Kunstform zu dem Geiste der Kulturen machen: daß etwa die Blüte des Romans Symptom dekadenter Spätzeiten sei oder daß der Roman in der Gegenwart kein Lebensrecht mehr besitze. «Die Epik», so äußert zum Beispiel Erich Kahler, «ist dazu gedrängt, den Roman, die erfundene individuelle Geschichte aufzugeben», und begründet solche Prophezeiung: «Seitdem die Industrialisierung und Technisierung der Welt in großem Maße eingesetzt hat, ist das entscheidende Geschehen der Welt nicht mehr individuelles, sondern kollektives und technisches Geschehen. Und was zwischen den menschlichen Individuen sich begibt, ist rein privat geworden, das heißt, es kann als solches nicht mehr repräsentativ und daher auch in der Kunst nicht mehr symbolisch sein für das wesentliche Geschehen in der Zeit[1]». Wir verzichten auf eine Erörterung, weil sie uns in Diagnosen der Gegenwart verwickeln würde, und heben lediglich die merkliche Animosität gegen das Erfundene des Romans, gegen seine Fiktionalität hervor. Zu dem Grundsatz einer solchen wohl auch Virginia

[1] *Die Neue Rundschau*, Jahrgang 1953.

Woolf vorschwebenden Ästhetik: der Romanschreiber dürfe sich nicht vom Leben entfernen, sondern müsse es getreulich abschreiben, wird der Erzähler des Romans, wenn wir ihn erst kennengelernt haben, noch ein Wort sagen.

Wir bleiben bei der Rückschau und freuen uns an dem Gewinn, den uns der Einblick in den dem Roman eigenen Stoffbereich beschert: er läßt uns seinen plötzlichen Aufstieg zur herrschenden Dichtform im 18. Jahrhundert verstehen. Denn diese Zeit, die das Vermögen des Romans zur Darstellung individuellen Lebens voll entdeckt, entdeckt gleichzeitig die individuelle Lebensform als gottgewollte Ordnung des Seins. Der Erfolg des *Werther* beruht, wie es scheint, auf dem Wesen, auf dem inhaltlich bestimmbaren Wesen der Romanform, die hier gleichsam auf das strahlendste offenbart worden sei. Der Leser der Briefe nimmt unmittelbar an dem inneren Leben Werthers teil.

Aber es ist gut, auch sehr bekannte Werke noch einmal aufzuschlagen. Wir begegnen im Anfang gar nicht seiner Gestalt, sondern hören in einem Vorspruch einen dritten sprechen: «Was ich von der Geschichte des armen Werthers nur habe auffinden können, habe ich mit Fleiß gesammelt...» Es schiebt sich jemand zwischen uns und die Gestalt, einer, der die Briefe und Tagebucheintragungen gesammelt hat und sie uns vorlegt, weil er weiß, daß sie ein Ganzes, eine Geschichte bilden. Damit rücken Werthers Briefe vom ersten Wort an in eine bestimmte Perspektive. Damit ist aber auch gesagt, daß ein Roman nicht nur durch den Stoff gekennzeichnet ist, sondern auch durch diesen Wesenszug: eine Gestalt zu haben und damit Anfang, Mitte und Ende. Wir brauchen hier nicht zu fragen, auf was für eine Gestalt das Wort «Geschichte» zielt, dem wir in den Romantiteln des 18. Jahrhunderts so oft begegnen, und ob es immer die gleiche Gestalt meint. *Geschichte des Agathon* heißt es bei Wieland, und dann *Geschichte der Abderiten* und schon vorher: der Roman von *Don Sylvio* sei eine «Geschichte». Und schauen wir nach England, so begegnet uns ein entsprechendes Wort: *History of the Adventures of Joseph Andrews* heißt es bei Fielding und *Tom Jones, History of a Foundling*. Galt der Roman lange als die formloseste Kunst, so bemühen sich seit einiger Zeit deutsche und englische Forscher gerade um die Geheimnisse der Romanform, und es fehlt nicht an Versuchen, von daher eine Typologie des Romans zu gewinnen. Entwicklungsroman, Figurenroman, Handlungs- oder Ereignisroman, Raumroman — das sind alles Ausdrücke, die typische Strukturen oder doch Strukturschichten erfassen möchten.

Der zu uns in dem Vorspruch des *Werther* sprach, hat den Geschichte-Charakter des Ganzen gesehen. Aber er nennt noch ein anderes Formelement, er schafft es vor unseren Augen: den Leser. Diese Feststellung mag auf den ersten Blick überraschen. Denn Leser eines Romans, das sind doch wir, standesamtlich beglaubigte Menschen. Wie können wir, wie können die ungezählten und völlig verschiedenen Leser Formelemente des Romans sein? Wir zitieren weiter aus dem Vorspruch zum *Werther:* «. . . habe ich mit Fleiß gesammelt und leg es euch hier vor, und weiß, daß ihr mir's danken werdet. Ihr könnt seinem Geist und seinem Charakter eure Bewunderung und Liebe, seinem Schicksale eure Tränen nicht versagen. Und du, gute Seele, die du eben den Drang fühlst wie er, schöpfe Trost aus seinem Leiden, und laß das Büchlein deinen Freund sein. . .» Der Leser wird angeredet. Aber wer ist der Leser? Und nun wird schon deutlich, daß es doch nicht wir verschiedenartige und standesamtlich beglaubigte Menschen sind. Denn als solche wissen wir, daß Werther und Tom Jones und Don Quijote gar nicht gelebt haben, sondern gedichtet worden sind. Von dem Leser aber wird verlangt, daß er diese Grenze auslöscht. Für ihn hat Werther Geist, Charakter und Schicksal, für ihn lebt Werther und stirbt Werther. Der Leser ist etwas Gedichtetes, ist eine Rolle, in die wir hineinschlüpfen und bei der wir uns selber zusehen können. Der Beginn der Verwandlung ist uns gewöhnlich nicht bewußt; sie hebt an, wenn wir das Wort «Roman» im Untertitel eines Buches lesen oder vielleicht schon, wenn die Magie des Einbands auf uns wirkt. Romane haben ein anderes Format und sind anders ausgestattet als wissenschaftliche Bücher oder Propagandaliteratur.

In dem Vorspruch zum *Werther* wird die Haltung, die der Leser einzunehmen hat, recht deutlich vorgeschrieben. Er wird als Seele angesprochen, als Einzelseele sogar. Das ist ein literarsoziologisch bedeutsamer Vorgang. Die Romane des Mittelalters, noch des 16. Jahrhunderts, wollen, wie uns die Vorreden bezeugen, vor einer gleichartigen Hörerschaft vorgelesen werden. Der Werther, der neue Roman des 18. Jahrhunderts, verlangt den Einzelleser. Aber nicht jede Einzelseele ist Leser des *Werther*. Sie muß eben den Drang empfinden wie er, sie muß in der Wärme des fühlenden Herzens lesen, sie muß eine der Seelen sein (oder in sich erwecken), die Goethe an anderer Stelle[1] «fühlbare Seele» oder «gewürdigtes Herz» nannte. Wer nicht so zu lesen vermag, für den ist das Buch nicht geschrieben. Die wahren Leser aber werden später, wenn der Herausgeber das Wort von neuem ergreift, unmittelbar angesprochen und einbezogen werden. «Unser Freund» wird es da heißen. Wir dürfen und müssen damit rechnen, daß überall da, wo ein solcher Vermittler spricht, er zu uns, zu dem von ihm geschaffenen und an der poetischen Welt teilhabenden Leser spricht. Das bestimmt seinen Ton. Die literarische Kritik hat bei ihren Stilanalysen vielleicht noch nicht genug auf dieses Verhältnis des Erzählers zu seinem Leser und auf die Leserrolle geachtet, die da jeweils vorgeformt wird. Einer der eindringlichsten Interpreten, selber ein Dichter, hat den Blick schon vor Jahrzehnten darauf gelenkt. In dem Aufsatz *Schöne Sprache* (*Prosa* Bd. IV) schreibt Hugo v. Hofmannsthal: «Die Distanz, welche der Autor zu seinem Thema, die welche er zur Welt, und die besondere, welche er zu seinem Leser zu nehmen weiß, die Beständigkeit des Kontaktes mit diesem Zuhörer..., das sind lauter Ausdrücke, die auf ein zartes geselliges Verhältnis zu zweien hindeuten, und sie umschreiben einigermaßen jenes geistig-gesellige leuchtende Element, das der prosaischen Äußerung ihren Astralleib gibt... Auf Kontakt mit einem idealen Zuhörer läuft es bei ihnen allen hinaus. Dieser Zuhörer ist so zu sprechen der Vertreter der Menschheit, und ihn mitzuschaffen und das Gefühl seiner Gegenwart lebendig zu erhalten, ist vielleicht das Feinste und Stärkste, was die schöpferische Kraft des Prosaikers zu leisten hat.»

Hofmannsthal meint alle Prosa, aber es ist unschwer zu erkennen, daß die Erzählkunst, und dabei wiederum der Roman, mit dem Aufbau der Leserrolle einen besonderen Aufwand treibt,

---

[1] Zwo wichtige bisher unerörterte Biblische Fragen. M. Morris, *Der junge Goethe*, Bd. III, S. 129

und es ist unschwer zu vermuten, daß sie damit besondere Wirkungen erreicht. Was die aktualisierte Beziehung zwischen dem Leser und dem erzählenden Vermittler im Roman leisten kann, sei an einem kleinen Beispiel gezeigt. Im Anfang von Huxley's *Brave New World* wird ein weißes, kaltes Gebäude genannt. Wir gehen mit wachsender Beklemmung durch die Korridore und stoßen schließlich auf den Direktor. «Er hatte», so berichtet der Erzähler, «ein kräftiges Kinn und große, ziemlich vorstehende Zähne, gerade noch von den vollen, üppig geschwungenen Lippen bedeckt, wenn er schwieg. Alt? Jung? Dreißig, fünfzig? Fünfundfünfzig? Schwer zu sagen. Übrigens ergab sich die Frage gar nicht, denn in diesem Jahre der Beständigkeit, 632 n. F., fiel es niemand ein, sie zu stellen.» Wer fragt da plötzlich, die Beschreibung unterbrechend, nach dem Alter? Offensichtlich der Erzähler. Aber warum? Weil er sie uns, den Lesern, von den Lippen abliest. Weil er weiß, daß wir bei der Einführung einer Gestalt ihr Alter zu erfahren wünschen. Weil er weiß, daß eine solche Kenntnis zu unserer Menschenauffassung und unserer Orientierung in der Welt gehört. Er gibt uns keine definitive Antwort. Aber indem er zeigt, daß er uns und unsere Art zu denken kennt, verheißt er, sich darauf einzustellen und gewinnt er unser Vertrauen. So kalt, so seelenlos und beklemmend diese Welt des Jahres 632 nach Ford sein mag, wir werden ihm nun zuhören. Denn es wird einer erzählen, der noch weiß, was Wärme und Seele und Menschsein heißt.

Wir sind mit solchen Beobachtungen zum Leser als einem stilbildenden Prinzip im Roman längst bei unserem Thema. Denn Leser und Erzähler, beide der poetischen Welt zugehörig, stehen in einer unlösbaren Korrelation. Es sind die zwei Enden eines Stabes, und wir wollen den Zugriff der einen Hand nicht lockern, wenn wir jetzt am anderen Ende zupacken und fragen, wer denn nun der Erzähler des Romans sei.

Ein Erzähler ist in allen Werken der Erzählkunst da, im Epos wie im Märchen, in der Novelle wie in der Anekdote. Jeder Vater und jede Mutter weiß, daß sie sich verwandeln müssen, wenn sie ihren Kindern ein Märchen erzählen. Sie müssen die aufgeklärte Haltung des Erwachsenen aufgeben und sich in ein Wesen verwandeln, für das die dichterische Welt mit ihren Wunderbarkeiten Wirklichkeit ist. Der Erzähler glaubt an sie, auch wo er ein Lügenmärchen erzählt. Er kann ja nur lügen, weil er glaubt. Ein Autor kann nicht lügen. Der kann bloß gut oder schlecht schreiben. Ein Vater, eine Mutter als Nacherzähler vollbringen die gleiche Verwandlung, die der Autor mit sich vornehmen mußte, als er zu erzählen begann. Das heißt also, daß der Erzähler in aller Erzählkunst niemals der bekannte oder noch unbekannte Autor ist, sondern eine Rolle, die der Autor erfindet und einnimmt. Für ihn existieren ja Werther und Don Quijote und Madame Bovary; er ist der poetischen Welt zugeordnet. Nun ist im Epos, im Märchen, in der Novelle die Erzählhaltung ziemlich genau vorgeschrieben. Es scheint ein Kennzeichen des im 18. Jahrhundert entstehenden modernen Romans zu sein, daß er eine Fülle von Möglichkeiten erlaubt: hier finden wir einen naiven Erzähler, dort einen witzigen, da den gerührten, den mitgerissenen, den ironischen, den weltmännisch-kühlen usf. Unter allen Wesenszügen des Romans ist die variable Art des Erzählens vielleicht die wichtigste, und wenn wir einleitend den Aufstieg des Romans im 18. Jahrhundert mit seinem Stoffbezirk zu erklären suchten: dem Innenleben des erzählten Helden, so müssen wir das jetzt ergänzen. Der Roman empfahl sich zugleich als Erzählung eines persönlichen, individuellen Sprechers. «Der Roman ist eine subjektive Epopöe, in welcher der Verfasser sich die Erlaubnis ausbittet, die Welt nach seiner Weise zu behandeln. Es fragt sich also nur, ob er eine Weise habe; das andere wird sich schon finden», – das ist die prägnante Wesensbestimmung des Romans, die Goethe einmal gegeben hat. Er sieht in der persönlichen Erzählweise das eigentliche Kennzeichen; alles andere wird sich schon finden...

Wir haben ein negatives Ergebnis gewonnen: der Erzähler eines Romans ist nicht der Autor. Und wir scheinen ein positives Ergebnis gewonnen zu haben: der Erzähler ist eine gedichtete Person, in die sich der Autor verwandelt hat. Die Sprache selber scheint dieses Ergebnis zu bestätigen. Denn das Wort «Erzähler» ist, wie die Sprachwissenschaft sagt, ein Nomen agentis; die Endung -er (wir kennen sie von Wörtern wie Bäcker, Lehrer, Schuster) besagt, daß einer da ist, der das Backen, Lehren, Schustern oder auch Erzählen als Tätigkeit ausübt. Die Erfahrungen des Alltags bekräftigen das: wenn wir einem Bekannten zuhören, der von einer Reise zurückgekommen ist und nun davon erzählt, so ist das offenbar wie ein Modell des Romanerzählers. Im Anfang einer modernen Poetik der Erzählkunst lesen wir: «Unter Erzählung verstehen wir schon im gewöhnlichen Leben eine zusammenhängende Mitteilung von vergangenen Tatsachen, die... wenigstens nebenher ästhetisch wirken kann... Der Weg von diesen Vorformen zu den künstlerischen ,Urformen' ist nicht weit» (Petsch). Wir behaupten dagegen: der Weg ist unendlich weit, oder vielmehr: es führt überhaupt kein Weg von dem einen in den anderen Bereich. Es gibt nur den Sprung. Jene Modellvorstellung von dem erzählenden Reisenden ist falsch. Erste Zweifel an ihrer Geltung werden schon wach, wenn wir die Geschichte des Romans überschauen. Der im 18. Jahrhundert so persönlich hervortretende Erzähler verschwindet nämlich vielfach. In Flauberts *Madame Bovary* ist vom zweiten Kapitel an kein persönlicher Erzähler mehr zu fassen. Ein sozusagen entpersönlichter Erzähler spricht. Keineswegs ist es so, daß wir nur noch die Worte der Figuren hören und ihre Gedanken denken und ihre Eindrücke erleben. Es ist durchaus einer da, der uns sagt, was Emma Bovary tut und was sie denkt und was sie empfindet, sogar: was sie nicht denkt und nicht empfindet. Aber es ist keine erzählende Person mehr zu greifen, und wir beginnen uns zu fragen, ob vielleicht hinter den persönlichen Erzählern der Wielandschen oder Fieldingschen Romane mehr steckt als wir zunächst vermuteten?

Nun scheint unsere Modellvorstellung uneingeschränkt bei dem sogenannten Ich-Roman zu gelten. Wenn der altgewordene Simplizissimus oder der älter gewordene Felix Krull von ihrem Leben erzählen, dann besteht offenbar eine klare Analogie zu dem Vater oder Großvater, der den Enkeln von seiner Jugend erzählt. Aber wir machen doch einige seltsame Beobachtungen. Den erzählenden Großvater sehen wir in einem Sessel sitzen, wir erleben ihn als gegenwärtig, während seine Jugend weit zurück liegt. Beim Simplizissimus erleben wir beinahe die erzählte Jugend als Gegenwart, gleichsam als eine fortschreitende Gegenwart, während uns die Situation des Erzählers dunkel bleibt. Fast empfinden wir es als ungehörig, danach zu fragen, wie alt er jetzt sei, welchen Beruf er ausübe und wie es seinen Angehörigen gehe. Wir wünschen geradezu, daß er aus einem gewissen Dunkel zu uns spricht, und wundern uns gar nicht über sein Vermögen, uns ganz nah an die erzählten Vorgänge heranzuführen. Wenn der junge Simplex einen Braten riecht, dann läuft dem erzählenden Simplicius gleichsam das Wasser im Munde zusammen. Er kann im selben Atemzug Abstand nehmen und die Vergänglichkeit alles Irdischen beklagen, aber sofort ist er wieder ganz dabei und nimmt die kleinsten Umstände wahr, als stände er davor. Mnemosyne ist die Mutter der Musen, aber es wäre völlig ungemäß, wollten wir solche Gabe der Vergegenwärtigung psychologisch als Ausdruck eines besonders guten Gedächtnisses deuten.

Gewiß, Felix Krull verbürgt an einer Stelle ausdrücklich die Wortwörtlichkeit des von ihm erzählten Gesprächs mit Professor Kuckuck: das Thema habe für ihn eine besondere Bedeutung gehabt, und so sei er fähig, die geäußerten Worte «ganz wörtlich» wiederzugeben. Aber ist das nicht ein Spiel mit der Situation realen Erzählens, das hier getrieben wird? Dürfen wir etwa die Genauigkeit der anderen Dialoge, dürfen wir auch nur ein einziges der so treffsicheren Wörter in der Szene vor dem Stabsarzt als ungefähre Rekonstruktion aus jahrzehntelangem Abstand in Frage stellen? Nein, jedes Wort will als so gesprochenes gelesen werden. Der Erzähler erzählt nicht mit der Gabe eines guten Gedächtnisses, sondern schaut mit einer mehr als menschlichen Fähigkeit das Vergangene als gegenwärtig.

Wir verkennen nicht, daß Thomas Mann enge Fäden zwischen dem erzählten und dem erzählenden Krull spinnt (in der Dichte, Straffe und Ornamentik solchen Gewebes unterscheiden sich die Ich-Romane stilistisch): aber selbst da denken wir nicht in der Kategorie einer geschlossenen individuellen Entwicklung und vereinigen keineswegs den jungen mit dem alten Felix Krull. Wenn wir im Anfang spüren, daß er da Goethesche Wendungen und Bilder abwandelt und den Ton von Dichtung und Wahrheit gleichsam parodiert, dann verfehlt ein Leser den Sinn, der annehmen wollte, Felix Krull habe irgendwann einmal Goethe gelesen und werde davon vielleicht sprechen.

Und nun gar erst der Erzähler in jenem großen Roman aus dem 19. Jahrhundert, der erst vor zwei, drei Jahrzehnten in seinem weltliterarischen Rang erkannt worden ist: Melvilles *Moby Dick*. «Man nenne mich Ishmael» lautet der erste Satz. Eine seltsame Unsicherheit überkommt uns. Ist der Erzähler denn etwa nicht jener Ishmael, von dem er erzählt? Die Zweifel werden bei dem aufmerksamen Leser immer stärker. Denn der Held der Erzählung, jener Ishmael, ist ein einfacher, primitiver Seemann. Der Erzähler aber ist ein überaus gebildeter Mann, er kennt sich in den Naturwissenschaften, in der Geschichte aus; er hat Rabelais, Locke, Kant gelesen und zitiert aus Goethes Gesprächen mit Eckermann. Und dann: er erzählt viel mehr, als er erlebt hat. Nicht erst bei der Katastrophe des Schlusses –, schon vorher berichtet er heimlich geführte Gespräche, von denen er nie etwas erfahren haben kann. Dann wieder verschmilzt er mit der Besatzung und weiß nicht mehr, als sie in diesem Augenblick weiß, so als ob er nicht mehr der Rückschauende wäre. Dann wieder berichtet er innere Selbstgespräche und Gedanken des Kapitäns, die der niemals mitgeteilt hat. Es wäre völlig falsch, diesen Wechsel der Perspektiven als technischen Fehler anzumerken und ihn – man hat es versucht – als Folge verschiedener Konzeptionen und Arbeitsphasen zu erklären. Melville hat sein Werk in dieser Form veröffentlicht, und er hatte alles Recht dazu. Der Ich-Erzähler eines Romans ist hier wie überall keineswegs die geradlinige Fortsetzung der erzählten Figur. In ihm steckt mehr; seine Erzählergestalt als altgewordener Held ist nur eine merkliche Rolle, hinter der etwas anderes steht.

Wir sind an die Stelle gekommen, da sich Gottfried Kellers Zweifel beschwichtigen lassen. Ich-Roman, Tagebuch- und Briefroman sind keineswegs unpoetischer als andere Formen. Denn der Erzähler ist nicht in die enge Perspektive einer bestimmten Figur gefesselt, er gibt die Reichsunmittelbarkeit des Poeten keineswegs auf. Die Verwandlung ist ein Spiel, dem trotz aller Hingabe daran von höherer Warte aus das Gefühl seiner Vorläufigkeit beigemischt bleibt. Und wie leicht ließe sich der Wesensunterschied, der geradezu unvereinbare (und viel weiter als im *Krull* getriebene) Wesensunterschied zwischen dem erzählten

Grünen Heinrich und dem erzählenden aufweisen. Jener ein ewiger Dilettant, der sich alles zutraut und nichts kann, weil er nie in den Kräftestrom der Ordnungen hineinfindet, dieser aber ein Wissender, ein Schauender, ein Gestaltender, der uns, und sei es in einem Landschaftsbild, die dauerhaften Ordnungen der Welt, seiner von ihm erzählten Welt offenbart, an der sein Held nur das Farbenspiel der Oberfläche wahrnimmt.

Die Frage nach dem Erzähler in den Ich-Romanen hat statt einer sicheren Antwort nur Ungewißheit gebracht. Der figürliche Erzähler erwies sich als eine Rolle. Von wem gespielt? Doch wohl von dem gleichen, dessen proteische Verwandlungsfähigkeit sich in der Romangeschichte kundgab. Die Grenzen zwischen Ich-Form und Er-Form schwinden. So dürfen wir auf eine endgültige Antwort hoffen, wenn wir nun in einem letzten Anlauf den Erzähler von Romanen in der Er-Form zur Rede stellen.

Wir sahen, daß der Roman des 18. Jahrhunderts seine Rolle als persönlicher Erzähler sehr genau und bunt ausbildet. Aber er ist auch da nicht unseresgleichen und mit den für uns gültigen Maßen zu messen. Die auffällige Leichtigkeit, mit der ein Ich-Erzähler sich zwischen seinem (undeutlichen) Erzählerstandpunkt und dem Erzählten hin und her bewegt, als sei er in beiden gleichzeitig zu Hause[1], kennzeichnet auch den Er-Erzähler und gewöhnlich noch viel stärker. Die Begebenheiten können ihn gelegentlich so fesseln, daß er den zeitlichen Abstand überhaupt aufgibt und im sogenannten Praesens historicum zu sprechen beginnt, das heißt aus der Gegenwärtigkeit des Geschehens. Die Funktion, die das Praesens historicum als Steigerung des Vergegenwärtigens erfüllt, weist darauf hin, daß in dem sonst angewendeten

---

[1] Br. Snell weist mich freundlicherweise auf den Musenanruf zu Beginn des Schiffskatalogs im 2. Gesang der *Ilias:*

Sagt mir anitzt, ihr Musen, olympische Höhen bewohnend,
Denn ihr seid Göttinnen und wart bei allem und wißt es;
Unser Wissen ist nichts, wir horchen allein dem Gerüchte:
Welche waren die Fürsten der Danaer und die Gebieter?

Wenn hier der vordergründige Erzähler die Allgegenwärtigkeit und Allwissenheit des eigentlichen Erzählers beschwört, erhellt sich zugleich die Situation und das Vermögen des Romanerzählers, so persönlich er sich auch geben mag.

Praeteritum praeteritale Funktionen lebendig sind. Uns scheint das ein kräftiges Argument gegen die jüngst geäußerte Vermutung zu sein, das epische Praeteritum habe keine zeitliche, sondern nur eine fiktionale Geltung, das heißt es besage lediglich, daß wir uns im Bereiche der Fiktion befänden[1]. Wir verstehen einen Grund zu dieser Annahme sehr wohl, nämlich die ungewöhnliche Kraft der Vergegenwärtigung, die der Erzähler besitzt und von der wir ausdrücklich sagten, daß sie sich nicht psychologisch als gutes Gedächtnis erklären lasse. Aber die Kraft der Vergegenwärtigung ist ein die Zeitstufe des Verbums weit übergreifendes Phänomen und beläßt dem Praeteritum seinen zeitlichen Wert. Die Vorausdeutungen, die Behauptung des «Geschichte»-Charakters im Anfang der Romane, all das besagt ganz eindeutig, daß der Erzähler von einem dem Erzählten weit vorausliegenden Standpunkt aus erzählt, so leicht es ihm auch fällt, ganz gegenwärtig zu sein. Er kann sogar, was keinem Sprecher der Realität gegeben ist, zugleich an zwei Orten sein, zugleich in zwei Zeitordnungen leben. In jüngsten Erörterungen zu den Problemen der Erzählkunst spielt ein Satztypus eine Rolle, für den wir als kürzestes Beispiel den Satz wählen: Morgen ging der Zug...

Es ist ein ungeheuerlicher Satz. Das Staunen läßt einen nicht wieder los. Wir können wohl im täglichen Leben sagen: Er wollte morgen mit dem Zuge fahren. Auch da steht eine Vergangenheitsform neben einem in die Zukunft weisenden Zeitadverb. Aber es ist nur eine Zeitordnung da. Der Sprecher spricht in der Gegenwart, er steht im Nullpunkt des Systems. Von da aus geht der Zug morgen, und von da aus liegt die Absicht des Abfahrens in der Vergangenheit, – von der der Sprecher irgendwie erfahren hat. Vergangenheitsform und Adverb meinen zwei verschiedene Dinge. In jenem kleinen Beispiel aber geschieht das Ungeheuerliche, daß ein und derselbe Vorgang, das Abfahren des Zuges, im selben Atemzug, im selben Satz, in nebeneinandergestellten Worten einmal als Vergangenheit und einmal als Zukunft ausgesagt wird: morgen ging der Zug... Der Sprechende lebt in zwei Zeit-

[1] Zu der zwischen K. Hamburger und H. Seidler geführten Diskussion vgl. jetzt *Deutsche Vierteljahrsschrift*, Jahrgang 1955, und das inzwischen erschienene Buch von K. Hamburger, Die Logik der Dichtung, 1957.

ordnungen, in der seiner Gestalten, und da liegt die Abfahrt voraus; und er lebt zugleich irgendwo weit voraus in seiner Erzählgegenwart, und von daher ist alles vergangen[1].

Vom «täglichen Leben» läßt sich das nicht verstehen. Es führt kein Weg, sondern nur ein Sprung von da in den Bereich der Kunst, die ihre eigenen Ordnungen hat. Wir müssen es endgültig aufgeben, den Erzähler des Romans an dem Bilde des im Sessel sitzenden Großvaters zu messen. So erwecken wir denn auch das Staunen über eine Eigenschaft des Erzählers wieder, das wir fast verlernt haben: daß er nämlich allwissend ist bzw. sein kann. Keiner von uns vermag dem anderen ins Herz zu sehen. Von seinen Gedanken und Gefühlen wissen wir nur mit einem sehr schwankenden Wissen durch Worte, Gebärden und Handlungen, nur mittelbar also. Der Erzähler vermag, was Gott und den Göttern allein vorbehalten ist. Hier muß alle Analogie mit irdischen Situationen zerschellen. Auch der psychologiefreudigste Leser wird zugeben, daß er die Angabe in einem Roman: «Er erschrak im Innern, ließ es sich aber weder jetzt noch später merken» – als echte Aussage, nicht aber als erschlossene Vermutung liest und zu lesen hat. Selbst da, wo der Erzähler ganz deutlich als Person, als unseresgleichen erscheint, gesteht ihm der Leser selbstverständlich und meist unreflektiert zu, daß er sein Wissen

[1] Man könnte den Einwand erheben, daß unser Beispiel herausgerissen und somit über die Bedeutung der verbalen Zeitform nichts ausgemacht sei. Wir geben ein ausführlicheres Beispiel aus O. Ludwigs *Zwischen Himmel und Erde*. Im ersten Kapitel wird der alte Appollonius Nettenmair aus der Gegenwartsperspektive beschrieben. Zu Beginn des zweiten Kapitels «blättert» der Erzähler «einunddreißig Jahre» zurück und schildert den jungen Appollonius, der zur Reparatur der Turmspitze von seinem Vater aus der Fremde heimgerufen worden ist. Von der Höhe vor der Stadt fällt der Blick des Heimkehrenden auf St. Georg: «Vielleicht morgen schon begann er seinen Teil Arbeit. Dort, senkrecht über dem weiten Bogen, durch den er die Glocken sich bewegen sah, war die Aussteigetür angebracht».

Man wird im ersten Satz die verbale Zeitform als «obliques» Präteritum deuten, dessen präteritale Funktion damit eingeschränkt sei. Das gilt aber nicht für das «sah» im zweiten Satz. Hier überlagern sich im gleichen Satz die beiden Perspektiven: die gegenwärtige der Figur (vgl. das deiktische Ortsadverb «dort», das dem «morgen» im vorhergehenden Satz zugeordnet ist) und die präteritale, aus einem Abstand von 31 Jahren schauende des Erzählers.

nicht auf unseren Wegen erworben hat. Sondern anderswoher.
Wie man im 19. und 20. Jahrhundert vielfach auf die Sinn-
fälligkeit des persönlichen Erzählers verzichtet hat, so hat man
auch die Allwissenheit des Erzählers eingeschränkt. Das ist eine
Stilfrage. Macht man daraus eine grundsätzliche Frage und geht
man so weit, den Erzähler aus dem Roman überhaupt zu verbannen, – man hat es im 20. Jahrhundert theoretisch gefordert
und praktisch versucht – so beraubt man den Roman seines be-
deutsamsten Wesenszuges, dann muß er verkümmern. Man hat
die Beseitigung des Erzählers übrigens schon im 18. Jahrhundert
versucht; es gibt auch in der Romangeschichte wenig Neues. Die
Tatsache, daß keiner der vielen Dialogromane der Zeit um 1800
lebendig ist und die Versuche damals schnell aufgegeben worden
sind, gibt nicht nur der Literaturgeschichte, sondern der Poetik
des Romans zu denken.

Wer ist aber denn nun der Erzähler des Romans, ob er sich die
Maske eines persönlichen Erzählers vorhält oder ein Schemen
bleibt? Die Analogie zum Erzähler des täglichen Lebens mußten
wir zerstören. Dafür hat sich eine andere aufgedrängt: die zum
allwissenden und allgegenwärtigen Gott oder den Göttern. Der
Erzähler des Romans – das ist nicht der Autor, das ist aber auch
nicht die gedichtete Gestalt, die uns oft so vertraut entgegentritt.
Hinter dieser Maske steht der Roman, der sich selber erzählt,
steht der Geist dieses Romans, der allwissende, überall gegenwärtige und schaffende Geist dieser Welt. Die neue, einmalige
Welt entsteht, indem er Gestalt annimmt und zu sprechen beginnt,
indem er sie mit seinem schöpferischen Wort selber hervorruft. Er
selber schafft sie, und in ihr kann er allwissend und überall gegenwärtig sein. Der Erzähler des Romans, in einer Analogie verdeutlicht, ist der mythische Weltschöpfer.

Was wir nach den Erörterungen des Problems schließlich ermittelt haben, das wird im Anfang eines modernen Romans Anschauung. Thomas Manns *Der Erwählte* beginnt mit einem un-
geheuren Glockenläuten über Rom. Auf der zweiten Seite wird
die Beschreibung unterbrochen: «Wer läutet die Glocken? Die
Glöckner nicht. Die sind auf die Straße gelaufen wie alles Volk,
da es so ungeheuerlich läutet. Überzeugt euch: die Glockenstuben

sind leer. Schlaff hangen die Seile, und dennoch wogen die Glokken, dröhnen die Klöppel. Wird man sagen, daß *niemand* läutet? – Nein, nur ein ungrammatischer Kopf ohne Logik wäre dieser Aussage fähig. Es läuten die Glocken, das meint: sie werden geläutet, und seien die Stuben noch so leer. – Wer also läutet die Glocken Roms? – *Der Geist der Erzählung.* – Kann denn der überall sein, hic et ubique, ... an hundert weihlichen Orten auf einmal? – Allerdings, das vermag er. Er ist luftig, körperlos, allgegenwärtig, nicht unterworfen dem Unterschied von hier und dort. Er ist es, der spricht: Alle Glocken läuteten; und folglich ist er's, der sie läutet. So geistig ist dieser Geist und so abstrakt, daß grammatisch nur in der dritten Person von ihm die Rede sein und es lediglich heißen kann: 'Er ist's'. Und doch kann er sich auch zusammenziehen zur Person, nämlich zur ersten, und sich verkörpern in jemanden, der in dieser spricht und spricht: Ich bin es. Ich bin der Geist der Erzählung, der, sitzend an seinem derzeitigen Ort, nämlich in der Bibliothek des Klosters Sankt Gallen im Alamannenlande, wo einst Notker der Stammler saß, zur Unterhaltung und außerordentlichen Erbauung diese Geschichte erzählt, indem ich mit ihrem gnadenvollen Ende beginne und die Glocken Roms läute.»

Aber auch in der Romantheorie gibt es wenig Neues. Was wir in unseren Erörterungen ermittelten und was hier im Anfang des *Erwählten* Anschauung wurde, das ist schon früher behauptet worden. Vor hundert Jahren verkündigte Otto Ludwig vom Erzähler: «Er ist unumschränkter Herr über Ort und Zeit... Er kann, was der Gedanke kann, seiner Darstellung kommt keine reale Beschränkung in den Weg; für seine Szene gibt es keine physische Unmöglichkeit; er kann, was die Natur kann und der Geist. Ihm steht eine Musik zu Gebote, gegen welche alle reale Musik plump ist und schwer, wie der Körper gegen die Seele gehalten...» Und vor nahezu 200 Jahren nannte Blankenburg in seiner ersten großen Theorie des Romans den Erzähler einen «Weltschöpfer». Wir haben nur eine Position wieder eingenommen und vielleicht etwas ausgebaut, die in früherer Zeit angelegt wurde, die aber in den Diskussionen und in der Praxis der Gegenwart vergessen oder zerstört zu werden drohte.

Sie scheint uns wichtig um der Einsichten, die sie in die Romanform erlaubt. Und sie verschafft noch weitere Ausblicke. Denn
befinden wir uns nicht im Bannkreis des Dichterischen überhaupt,
wenn wir die Paradoxie erkennen: der Dichter schafft die Welt
seines Romans – aber es gilt auch: diese Welt schafft sich durch
ihn, verwandelt ihn sich zu, zwingt ihn zum Spiel der Verwandlungen, um dadurch wirklich zu werden? Aus jedem gut erzählten Roman weht uns etwas an, das mehr ist als die Liebe und der
Haß und alle Leidenschaftlichkeit im Charakterbild des Autors
und mehr als die Gedankenfülle in seinem Weltbild. Der heimliche Reiz der Romanform liegt vielleicht in dem Kontakt, der
sich hinter dem ganzen vordergründigen Spiel der Verwandlungen
von Erzähler und Leser stiftet und sich gleichwohl nur durch sie
hindurch stiften kann. Aber ist das noch etwas spezifisch Roman-
haftes? Wir sind in dem Spiel der Verwandlungen auf Erscheinungen gestoßen, die sich in der Dichtung allerorts begeben. Das
Hineinschlüpfen in die Leserrolle entspricht jener geheimnisvollen Verwandlung, die der Theaterbesucher an sich erfährt,
wenn der Gong ertönt und die Lichter erlöschen. Und die Zweiheit von Er-Roman und Ich-Roman, die sich als so vorläufig erwies, hat ihre genaue Entsprechung in der Lyrik, wenn wir da
Ich-Lyrik und Rollenlyrik unterscheiden. Auch das ist nur ober-
flächlich; wer wollte wagen, da in der Tiefe zu trennen und etwa
das Ich, dem die Natur so herrlich leuchtet, mit dem des Autors
zu identifizieren, und andererseits die Worte des Prometheus nur
als Äußerung dieser Gestalt zu nehmen?
Noch eine Feststellung läßt sich zum Schluß von dem gewonnenen und, wie wir meinen, fest ausgebauten Standpunkt treffen.
Sie richtet sich gegen jene Meinungen, die genugsam zu Worte gekommen sind: als sei es den Romanschreibern der Gegenwart
nicht mehr erlaubt, die Welt zu kennen und zu durchschauen,
von der sie erzählen, als sei es lediglich ihre Aufgabe, die Realität
möglichst getreu abzuschreiben. Der Romanschreiber ist Weltschöpfer. Wir wollen nicht zurück zu der behaglichen Allwissenheit des Erzählers aus dem 19. Jahrhundert und seiner Vertrau-
lichkeit mit dem lieben Leser. Das war eine geschichtliche Stilform
des Erzählens. Wir wenden uns auch nicht gegen den «realisti-

schen» Roman, – der gehört ebenfalls zu den historischen Stil-
formen. Aber mit dem ersten Wort, das der Romanschreiber
setzt, schafft er eine Welt und schafft sie sich durch ihn. Die
exaktesten Beschreibungen technischer Vorgänge, sozialer Zustände oder innerer Regungen sind niemals Wiedergabe, sondern
immer Schöpfung. Wer den Drang dazu in sich fühlt, muß auch
den Mut dazu haben.

Goethe und das Spiel

Vom Spiel soll die Rede sein, und es ist wohl nur natürlich, daß dieses Vorhaben am Beginn lebhafte Bedenken weckt. Wir haben uns daran gewöhnt, das Spiel aus dem festen Gefüge unseres ernsten Tageslaufes zu verbannen und ihm, das sich nicht in den sinnvollen Zusammenhang unseres Tuns einfügen, sondern ohne Rechenschaft zu geben nur um seiner selbst willen betrieben werden möchte, bestenfalls in den müßigen Stunden des Abends einen Platz zu gönnen. Nur widerstrebend folgen wir dem Zwang, den schon die Vorstellung vom Spiel am unrechten Ort ausübt: auf unseren festen, durch mancherlei Hilfen gesicherten Standpunkt zu verzichten, um uns – und sei es auch nur in Gedanken – der Beweglichkeit, Verwandlungslust, nutzlosen Spannung, der unberechenbaren Fülle von Möglichkeiten und der letzten Zwecklosigkeit des Spiels hinzugeben.

Schon die Sprache selber scheint von der Verantwortungslosigkeit angesteckt zu werden, wo sie aufs Spiel zu sprechen kommt; denn welche Antwort wäre noch möglich, wenn sie nicht nur das Kind, sondern ebenso den Musiker, den Schauspieler, die Phantasie, wenn sie Worte, Licht und Wellen, aber auch den Mechanismus der Maschine, die Knochen im Gelenk spielen läßt und neben Bällen, Karten und den Holzfiguren von König und Königin auch den höchsten Ernst des Tragischen und die niedrigste Komik in ihr Spiel und Widerspiel mischt und wer weiß wen und was alles eine Rolle spielen läßt.

Wir wollen uns nicht dabei beruhigen, daß vom Spiel bei Goethe die Rede sein soll und daß eine solche historische Betrachtung, ihren eigenen Ernst mitbringend, mit der Leichtfertigkeit des Spiels schon fertig werden wird. Wir wollen uns auch nicht dabei beruhigen, daß wir in den Bannkreis Goethes treten, in dessen Nähe alles bedeutsamer wird. Eher könnten wir Vertrauen fassen, daß er, der den großen, das wissenschaftliche Denken unseres Jahrhunderts beherrschenden Gedanken der Morphe, der Gestalt, vorgedacht und forschend erprobt hat, auch an dem gaukelnden Spiel die dauerhafte Gestalt geschaut haben wird. Indem das Thema Gegenstand einer literarhistorischen Betrachtung wird, dürfen wir sogar annehmen, daß sie noch besondere, eigene Anliegen betreiben und für das Verständnis der Goethischen wie der Dichtung überhaupt Beiträge gewinnen will.

Damit wird denn aber doch fraglich, ob unsere scharfgezogene Grenze zwischen dem Ernst der Tagesarbeit und dem Spiel der Mußestunden zu Recht bestehe. In der Tat, von beiden Seiten her gerät sie schnell ins Wanken. Wer würde noch Schach spielen, wenn die Figuren nicht mehr König und Dame und Turm und Läufer, Springer und Bauern hießen, wenn die so hervorgerufene Bildsphäre einer Staatsführung durch den Spieler verschwände? Wer könnte gut und mit dem gehörigen Ernst Karten spielen, ohne den prickelnden Reiz der Glücksbefragung zu empfinden – sei es auch unter der Schwelle des Bewußtseins – und zugleich die Aufforderung, alle Geschicklichkeit und Kombinationsgabe dagegen in die Waagschale zu werfen? Und Huizinga hat in seinem so erregenden Buch vom *Homo ludens* den Völkerkundlern beigepflichtet, daß im Grunde des so harmlosen Pfänderspieles der tödliche Ernst des Halsrätsels liegt, bei dem es um Kopf und Kragen geht.

Huizingas eigentliches Anliegen aber war, das Spielelement der Kultur, die kulturschaffende Kraft des Spiels sichtbar zu machen. Wir benehmen uns ja gar nicht immer so zweckhaft und geradlinig auf das Ziel hin, wie wir meinen. Wir haben Hunger und essen. Aber was für Schleier haben wir uns in den Eßsitten gewoben, um den eigentlichen Zweck zu verhüllen. Welche seltsamen Schwierigkeiten haben wir uns dabei mit den Instrumenten und dann noch wieder mit ihrer Handhabung bereitet. Jahrelang wird an den Kindern erzogen, bis sie lernen, den Löffel nicht mit geradem Griff anzufassen, wie es natürlich wäre. Aber dafür waltet dann die Freude, der künstlich bereiteten Schwierigkeiten Herr geworden zu sein. Es ist dieselbe Freude wie im Hopsespiel der Kinder: wenn das Kettchen nicht nur richtig geworfen worden ist, – wehe, wenn es in die Hölle gerät, wie hier die Bildsphäre heißt –, sondern nun noch auf einem Bein zurückgeholt wird. Oder wenn – um uns dem Bereich der Dichtung zu nähern – bei der Sestine oder dem Sonett oder gar dem Sonettenkranz die kompliziertesten Reimvorschriften wirklich gemeistert werden oder beim Epigramm die größte Sinnfülle auf engsten Raum gebracht worden ist. Und waltet in den theoretischen Erörterungen über die berühmten drei Einheiten nicht oft etwas zu viel weltanschaulicher Ernst, so daß der Blick für das darin lebende große und hohe Spielelement der freiwillig anerkannten und dann gemeisterten Schwierigkeit blind geworden ist? Die Malerei hat es leicht, weil sie es mit der Zweidimensionalität von Beginn an schwer hat. Wie schwierig ist es demgegenüber für die Skulptur, sich in Material, Proportion und Spielfeld die künstlichen Schwierigkeiten zu schaffen, deren Meisterung ihr den Charakter als Kunst sichern helfen.

Diese kurzen Bemerkungen waren wohl nötig, um durch die Oberflächlichkeit unserer täglichen Ansichten vom Spiel hindurchzustoßen und die Tiefe des Ernstes zu erreichen, in dem das Spielphänomen gründet. Goethe, dem wir uns nun zuwenden, wird uns davon noch mehr sehen lassen.

In einem späten Aufsatz hat er eine kurze Deutung der deutschen Literatur in den vorangehenden Jahrzehnten gegeben. Er sah dabei die Zeit seit etwa 1790, dem Jahr der Kritik der Urteilskraft, als eine Einheit und nannte sie in dem Titel *Epoche der forcierten Talente*. Sie entsprang, wie er sagte «aus der philosophischen». «Die Notwendigkeit eines entschiedenen Gehaltes, man nenne ihn Idee oder Begriff, ward allgemein anerkannt; daher konnte der Verstand sich in die Erfindung mischen, und wenn er den Gegenstand klug entwickelte, sich dünken, er dichte wirklich. Hierzu gaben den ersten theoretischen Anstoß Schillers ästhetische Briefe in den Horen.» Goethe spricht dann weiterhin über «die äußere und letzte Form der Ausführung» und schließt den Abschnitt: «Die beiden Enden der Dichtkunst waren also gegeben, entschiedener Gehalt dem Verstande, Technik dem Geschmack, und nun erschien das sonderbare Phänomen, daß jedermann glaubte, diesen Zwischenraum ausfüllen und also Poet sein zu können... Selbst Schiller, der ein wahrhaft poetisches Naturell hatte, dessen Geist sich aber zur Reflektion stark hinneigte und manches, was beim Dichter unbewußt und freiwillig entspringen soll, durch die Gewalt des Nachdenkens zwang, zog viele junge Leute auf seinem Wege mit fort.»

Äußere Form an dem einen Ende der Dichtkunst, Gehalt an dem anderen. Das sind Begriffe, die uns nicht nur aus der Sprache des alten Goethe vertraut sind, sondern die wir immer wieder in den Äußerungen der klassischen Zeit vernehmen, in den kunsttheoretischen Aufsätzen wie in den Briefen, die er mit Schiller wechselt. Und die Literarhistoriker kennen sie aus der täglichen Arbeit, sie beobachten und erfassen die äußere Form und die Technik, sie bemühen sich um den Gehalt, um die Probleme, um die Ideen. All das sind Phänomene, die zur Dichtung gehören und deren Erforschung eine echte Aufgabe der Wissenschaft von der Dichtung ist. Aber sie liegen, wie Goethe sagte, an beiden Enden. Dazwischen muß es indessen etwas geben, das beide umfängt, verbindet, einschmilzt und das man nicht durch Reflektion und Gesinnung ersetzen kann: ein Etwas, das unbewußt und freiwillig entspringen soll und das aus dem wahrhaft poetischen Naturell stammt, wie es nur der echte Dichter besitzt.

Schillers *Briefe über die ästhetische Erziehung* — nach Goethe Wegweiser in eine falsche Richtung? durch einseitiges Betonen des Gehalts die Dichter irreleitend? Aber war es nicht gerade Schillers Bemühen, die Extreme zu versöhnen, im Menschen wie in der Kultur, und dann auch gerade das Kunstwerk von seiner vermittelnden Mitte her zu erfassen, die Goethe nur als Geheimnis andeutet? Wir haben die Formeln im Ohr: der auf die individuelle Mannigfaltigkeit des Lebens gerichtete Stofftrieb hier — der auf die Gattung, die zeitlose Gestalt gerichtete Formtrieb da — beide nun verbunden durch einen dritten, der ihre Einseitigkeiten einschränkt, der sich auf Leben und Gestalt, auf lebende Gestalt richtet, d. h. auf die Schönheit: durch den Spieltrieb. «Denn, um es endlich auf einmal herauszusagen, der Mensch spielt nur, wo er in voller Bedeutung des Worts Mensch ist, und er ist nur da ganz Mensch, wo er spielt.»

Damit ist also jenes Phänomen genannt, das den Gegenstand unserer Betrachtung bilden soll. Wenn wir zunächst noch bei Schiller verweilen, so ist das unvermeidlich; denn in den jahrelangen gemeinsamen Bemühungen der Freunde um die Grundlagen ihrer Kunst erkannte Goethe dem Freunde die Rolle des Philosophen zu, der für die Klärung der Begriffe zuständig war und dessen Terminologie er oft übernahm. Was bedeutet also das Spielphänomen für Schiller?

Jene zitierten Sätze sind in ihrem Ton echtester Schiller, – aber sind sie es auch in ihrem Inhalt? Eine Verherrlichung des Spielens – geschrieben von einem, der nach dem Bilde, das wir alle von ihm haben, niemals und nirgends ein Spieler war? Ein Lobpreis auf die Kunst als heiteres Spiel, – von einem, dessen Werke nie als heitere Spiele auf uns wirken, sondern mit der Wucht ihres Pathos? Wir begnügen uns hier mit der Bemerkung, daß der Widerspruch sich mildert, wenn wir die Ausführungen über den wesenhaft spielenden Menschen als besonderen Exkurs über den idealischen Menschen verstehen. Das wirkliche Thema der Briefe aber bildete die eigene Zeit. «Jetzt aber steigen wir aus der Region der Ideen auf den Schauplatz der Wirklichkeit herab» heißt es gleich nach der zitierten Stelle über das Spielen. Und in dem Augenblick erhält das Kunstwerk besondere Aufgaben, nämlich den Menschen freizumachen, «um in die Welt der Ideen zu treten». Es ist nun kein zweckfreies Spiel mehr, sondern dient der Erziehung des Menschen. Sein Wesen aber stellt sich jetzt anders dar: es ist nicht mehr harmonisches Ergebnis eines Ausgleichens zwischen Stoff und Form, sondern Preis eines Kampfes: «Jede schöne Erscheinung offenbart einen Sieg»; «In einem wahrhaft schönen Kunstwerk soll der Inhalt nichts, die Form aber alles tun... darin besteht das eigentliche Kunstgeheimnis des Meisters, daß er den Stoff durch die Form vertilgt.»

So wird verständlich, warum Goethe die Briefe einer einseitigen schädlichen Bevorzugung des Gehaltes bezichtigte und sie an den Anfang der Epoche der forcierten Talente stellen konnte. So wird auch verständlich, daß man vor einiger Zeit den Versuch gemacht hat, jenen Exkurs über den Spielbetrieb als gar nicht von Schiller stammend, sondern als Einmischung eines Dritten hinzustellen, als Eigentum Goethes (J. Ulrich im *Jb GG 20*, 1934). Wir können der Frage nach der Herkunft der Schillerschen Spielphilosophie nicht nachgehen. Sie würde uns doch nicht zu Goethe, eher zu Kant führen, in dessen Kritik der Urteilskraft die Vorstellung vom freien Spiel der Gemütskräfte im ästhetischen Urteil grundlegend ist. Wir würden bei dem kulturellen Aspekt zu Herder und anderen Denkern des 18. Jahrhunderts geführt werden, nicht zuletzt zu Wieland. Es klingt im Anfang wie eine Vorwegnahme Schillers, wenn Wieland in seinem Aufsatz über die Zeitkürzungsspiele sagt:

«Der Mensch ist nur dann an Leib und Seele gesund, frisch, munter und kräftig, fühlt sich nur dann glücklich im Genuß seines Daseins, wenn ihm alle seine Verrichtungen, geistige und körperliche, zum Spiele werden... Nehmet vom Leben weg, was erzwungener Dienst der eisernen Notwendigkeit ist, was ist in allem Übrigen nicht Spiel? Die Kinder spielen mit der Natur, die Dichter mit ihrer Einbildungskraft, die Philosophen mit Ideen und Hypothesen, die Schönen mit unseren Herzen und die Könige – leider! – mit unseren Köpfen.» Und er schließt seine Betrachtung mit dem Wunsch, den Huizinga ungefähr erfüllt hat: «Ich würde es daher als eine selbst des scharfsinnigsten Menschenforschers keineswegs unwürdige Beschäftigung ansehen, wenn ein solcher sich entschlösse, die Geschichte der Spiele, mit philosophischem Auge betrachtet, zum Gegenstand einer genauen und vollständigen Untersuchung zu machen.»

Nicht nach der Vorbereitung der Schillerschen Spielphilosophie wollen wir fragen, sondern noch einen Augenblick beobachten, wie sie bei ihm selber nachwirkt; denn die folgende Zeit ist gerade die des innigsten Gedankentausches mit Goethe. Das Reich der Kunst als Reich des Spiels und des Scheins – diese These der ästhetischen Briefe bleibt auch die Grundlage der ästhetischen Erörterungen Schillers in den nächsten Jahren. Aber dabei wandelt sich der Begriff des Spielens. Mag es sich weiterhin auf die Schönheit richten, darauf kommt es nicht mehr an. Schiller möchte jetzt das Wort Schönheit aus der Ästhetik verbannen und durch die *Wahrheit* als höchstes Ziel aller Kunst ersetzen. Darin liegt ihre Würde, liegt ihr Ernst. Was bedeutet dann aber das ästhetische Spiel? Was bedeutet es in der Formel: das Kunstwerk eine Verbindung von Ernst und Spiel –, die er jetzt prägt und die fortan die gemeinsamen Erörterungen bestimmt?

Das Spielhafte in der Kunst meint nun ihren Sonderbezirk, es offenbart und bewirkt die Abgrenzung gegenüber der Wirklichkeit. Immer wieder mahnt Schiller, daß der Künstler nicht mit den Wirkungen des Stofflichen, des Pathologischen arbeiten dürfe. Vielmehr müsse er die empirischen Formen auf die ästhetischen reduzieren, die Naturwirklichkeit in Kunstwahrheit überführen. Eben das vollzieht sich im Spielen. Schiller erneuert mit solchem Spielbegriff die ursprüngliche Bedeutung des Wortes, wie uns J. Trier jüngst gezeigt hat. Denn Spiel ist eigentlich die Umhegung, die Abgrenzung, und dann alles, was in der Umzäunung geschieht. Aber indem das Spielen gegen die niedere Realität abgrenzt, bildet es für Schiller doch nur den äußeren Tempelbezirk. Im Innern aber, im Tempel selber, steht der Altar, auf dem der Ernst, auf dem die Wahrheit thront.

«Weil aber, nach meinem Begriff, das Ästhetische Ernst und Spiel zugleich ist», so heißt es am 17. 8. 97 in einem Brief an Goethe, und damit wird die prägnante Formel zum erstenmal ausgesprochen, die den Freunden eine Zeitlang als Schlüssel zum Kunstwerk dient. Wenige Monate später, am 8. 5. 98, erinnert Schiller den Freund an die Mariane-Episode im Meister, «wo gleichfalls der pure Realism in einer pathetischen Situation so heftig wirkt und einen nicht poetischen Ernst hervorbringt; denn nach meinen Begriffen gehört es zum Wesen der Poesie, daß in ihr Ernst und Spiel immer verbunden seien.» Mariane, ein Mensch im Straßenkleid, ist unbemerkt durch die Tore geschlüpft und bis auf den Altar gedrungen, die Aufmerksamkeit auf den Ernst ihres eigenen traurigen Geschicks ablenkend.

Welches aber sind die Formungsmittel des Spiels, mit denen es alles Stoffliche verwandelt? Ein wirksames Mittel, und es geht den Freunden wie eine Erleuchtung auf, ist der Vers. «Es ist unmöglich, ein Gedicht, (das heißt ein Dichtwerk) in Prosa zu schreiben», lesen wir in einem Brief Schillers, und Goethe stimmt zu: «Alles Poetische sollte rhythmisch behandelt werden!»

Ein anderes Mittel des künstlerischen Spieles ist die Phantasie. Ihr kommt es zu, die Reduktion des Empirischen auf das Ästhetische zu vollziehen, den Stoff in Schein zu verwandeln. Aber gerade von ihr als einem ungetreuen Tempelwächter droht Gefahr. Sie liebt es, selbstherrlich zu spielen und die Gläubigen vom Tempel fort auf ihre eigenen bunten Gefilde zu ziehen. Sie verschafft Genuß und Erholung, aber sie treibt ein leeres, kein poetisches Spiel, wie es in der Einleitung zur Braut von Messina heißt. Das echt poetische Spiel soll Erholung verschaffen (Spiel als Gegensatz zur Arbeit), es soll «von den Schranken der Wirklichkeit befreien» (Spiel als Freiheit), aber es soll beides nur, um das Gemüt zum Empfang des Ernstes zu stimmen; die wahre Kunst errichtet «auf der Wahrheit selbst ihr ideales Gebäude».

Ein drittes Spielelement der Dichtung ist den Freunden das Theatralische. «Der Deutsche ist überhaupt ernsthafter Natur», äußert Goethe 1808, «und sein Ernst zeigt sich vorzüglich, wenn vom Spiele die Rede ist, besonders auch im Theater.» Goethe hatte als Theaterdirektor genugsam Gelegenheit, solche Erfahrungen zu sammeln. Aber wir machen wohl heute noch immer die gleichen Erfahrungen, noch in weiterem Umfang, seit der Film hinzugekommen ist.

Rhythmus, Phantasie, theatralisches Wesen, – Schiller war sogar bereit, fremde Hilfe zu holen, um den Spielcharakter der Dichtung zu verstärken. «Die Oper stimmt durch die Macht der Musik und durch eine freiere harmonische Reizung der Sinnlichkeit das Gemüt zu einer schöneren Empfängnis; hier ist wirklich auch im Pathos selbst ein freieres Spiel, weil die Musik es begleitet.» Schon immer habe er ein «gewisses Vertrauen zur Oper gehabt». Es gilt jetzt freilich nur der sänftigenden Macht der Musik. Die praktische Auswirkung solcher Gedanken finden wir weniger in den Liedeinlagen der Schillerschen Dramen als in melodramatischen Szenen wie in der *Jungfrau von Orleans*.

Goethe geht zögernd auf den Gedanken des Freundes ein. Er weist auf die gerade stattgehabte Aufführung des *Don Juan*, in der der Freund seine Hoffnungen hätte verwirklicht finden können. Aber, fügt er hinzu, «dafür steht dieses Stück ganz isoliert, und durch Mozarts Tod ist alle Aussicht auf etwas Ähnliches vereitelt.» Goethe zögert, obwohl doch die Oper eine seiner heimlichsten, unerfüllt gebliebenen Hoffnungen war. Aber wie der Goethesche Beitrag zum Gehalt des Briefwechsels nicht selten da liegt, wo er zögert oder ausweicht oder verstummt, so wird auch gerade an dieser Stelle die ganze Verschiedenheit im Denken der beiden Freunde offenbar. Schiller möchte mit Hilfe philosophisch deduzierter Begriffe den Grundriß für das ideale Kunst-

werk festlegen; für Goethe ist das große Werk Schöpfung des
Genies; nach Mozarts Tod ist alle Hoffnung benommen.

Damit wird nun aber überhaupt fraglich, in welchem Sinne
Goethe an den Erwägungen über die Spielmittel und den Spielcharakter der Kunst teilnehmen konnte. Gewiß, er nahm teil und
übernahm auch die grundlegende Formel. Aber was konnte sie
ihm bedeuten? Denn schon der Ansatz war ihm ungemäß: daß
alles Stoffliche, Wirkliche, Natürliche vertilgt und verwandelt
werden müsse, um der Wahrheit die Bahn zu bereiten. Daß Natur
und Kunst getrennte Weltgegenden seien, daß die Kunst ihre
eigenen Gesetze habe, das war seit der italienischen Reise auch
die Grundüberzeugung Goethes. Dieser Einklang war die be-
glückende Erfahrung, als er Schiller im Jahre 1794 begegnete,
und bestimmte nun die anhebende gemeinsame Bemühung, die
sich gerade auf das Erfassen der kunsteigenen Gesetze richtete.
Aber Schillers feindselige Haltung gegenüber der Naturwirklichkeit, die jener Formel zugrunde lag, konnte Goethe nicht teilen.
Wer in ruhiger Gewißheit äußerte, daß ein Gegenstand, sobald
er vom Künstler ergriffen sei, schon nicht mehr der Natur angehöre, was brauchte der die Besinnung auf die reduzierenden Mittel des Spiels?

Tatsächlich bekommt das Wort von der Dichtung als Spiel bei
Goethe einen ganz neuen und ungleich tieferen Sinn als bei Schiller. Der Tempel der ernsten Wahrheit verschwindet, und nicht
nur der äußere Bezirk, der ganze umhegte Platz wird zum Spiel-
platz. Doch nicht nur im Reich der Kunst wird gespielt; Goethe
findet, ja fordert es in anderen Bereichen. Und dem wollen wir
uns zunächst zuwenden.

Auch Schiller kannte und spielte die Spiele der Unterhaltung,
ohne die sich heute, wie Goethe in *Dichtung und Wahrheit* sagt,
eine gewisse allgemeine Geselligkeit nicht mehr denken läßt. Schiller gesteht dem Freunde einmal, daß er mit Schelling bei dessen wö-
chentlichen Besuchen «zur Schande der Philosophie seis gesagt»,
L'hombre zu spielen pflege, jenes im 18. Jahrhundert beliebte,
aus Spanien gekommene Kartenspiel. Goethe wünscht ihm Glück
dazu. Er habe zwar keine Ahnung, wie man sich dabei zerstreuen
oder erfreuen könne, aber er treibe dafür mancherlei wissenschaft-

liche Spiele wie Mineralogie und dergleichen. Das ist nicht als Herabsetzung der Mineralogie oder einer anderen Wissenschaft gemeint, und selbst die Abneigung gegen Gesellschaftsspiele gilt nicht uneingeschränkt: Goethe hat sie alle gekannt und gespielt. Gewiß ohne rechte Neigung, ohne den gehörigen Ernst. Als Erscheinungen aber sind sie ihm interessant; immer wieder holt er sie zum Vergleich heran und erhellt mit Hilfe ihrer Struktur, das heißt dem verschiedenen Verhältnis, in dem die Geschicklichkeit des Spielers zu der Einschränkung auf die vom Glück gegebenen Karten steht, größere Strukturen. In dem seltsamsten Vergleich, in den Kartenspiele je gebracht worden sind, verdeutlicht er einmal die antike Denk- und Dichtart durch das Whistspiel und die moderne durch das L'hombre, «bei dem meinem Wollen und Wagen viele Türen gelassen sind». Im geselligen Umgang aber bevorzugte er selbst ein anderes Spiel: das Versteckspielen. Es war eins seiner liebsten Spiele, das ganze Leben hindurch. Mehrfach erzählt er uns in Dichtung und Wahrheit von seiner Lust, verkleidet aufzutreten. Er liebte es, Unbekannten gegenüber eine Rolle zu spielen, wie beim ersten Besuch in Sesenheim oder beim Gießener Juristen Höpfner, aber er liebte es ebenso im Kreise der Freunde, anderen «etwas aufzubinden» und sie – mit einem Lieblingsausdruck – zu «mystifizieren». Er tat es selbst da, wo das Spiel nichts Erheiterndes mehr hatte und aufhörte, harmlos zu sein.

Man ist auf diese gleichbleibende Neigung Goethes, zu mystifizieren, Versteck zu spielen, besonders seit Georg Simmels Hinweisen aufmerksam geworden. Man hat sie jüngst mit ähnlichen Verhaltungsweisen, seiner Abwehr, irgend jemand in seine Werkstatt schauen zu lassen, dem Trieb, die tiefsten Überzeugungen nicht zu bekennen, seiner besonders im Alter so deutlichen Nötigung, Masken verschiedenster Art zu tragen, unter jenem Oberbegriff zusammengefaßt, den der Deuter von Goethes Erlebnis des Ostens (H. H. Schaeder) als Leitmotiv und Gesetz des *West-östlichen Divans* erkannt hat: dem der Verwandlung. Und damit ist nun mehr gesagt, als wenn wir jenes Verhalten im täglichen Umgang deuten als spielerische Freude am Kostüm, als Wahrung der persönlichen Freiheit, als Selbstbehauptung oder selbst als instinktive Sicherung, die das schöpferische Genie braucht. Wir sind da-

mit ganz beim Spiel im Goetheschen Sinne. Denn nicht nur beim
Mystifizieren wollte Goethe spielen und nicht nur im Umgang
mit den Menschen, er wollte es immer, auch beim Schaffen, auch
beim Arbeiten, auch beim ernsthaftesten Forschen. Statt vieler
Zitate nur ein Wort, das der fast Sechzigjährige zu Riemer sprach:
«Nur nichts als Profession betreiben! das ist mir zuwider; ich will
alles, was ich kann, spielend treiben, was mir eben kommt und so
lange die Lust daran währt. So habe ich in meiner Jugend gespielt,
unbewußt; so will ichs bewußt fortsetzen durch mein übriges
Leben.»

Wir dürfen das Wort nicht zu leicht nehmen. Und wir sollten
uns hüten, seinen tieferen, über den Sprecher hinausweisenden
Sinn durch die Bemerkung zu entwerten, daß eine solche Haltung
das Äußere von Goethes Lebensumständen als Voraussetzung
brauche. Nicht gegen den Beruf wendet sich Goethe, sondern –
unsere Sprache erlaubt die deutliche Unterscheidung: gegen die
Profession. Das, was wir können, wozu wir berufen sind, sollen
wir spielend betreiben. Was bedeutet für Goethe das Spielen als
richtige Haltung in allem Tätigsein? Was meint es zunächst, wenn
er seine naturwissenschaftlichen Forschungen, wenn er gerade
seine Arbeiten zur Farbenlehre, die ihm wahrlich am Herzen
lagen und die er mit tiefstem Ernst und zähester Ausdauer betrieben hat, immer wieder als Spiele bezeichnet?

Spielen, das heißt zunächst konzentrierte Tätigkeit, schöpferische Produktivität. Immer wieder muß Schiller erleben, daß der
Freund eine gemeinsame Arbeit abbricht, daß sie ihm fade wird,
daß er die Lust daran verliert. Es geschieht immer dann, wenn
Goethe zur Produktion gekommen ist und nun nichts mehr erwartet. Ende 1797 faßt er die jahrelangen Erörterungen über die
Motive, über das Epische und Dramatische in einem Aufsatz zusammen. Für Schiller ist es eine Grundlage für weitere Gespräche.
Goethe aber antwortet: «Die theoretischen Betrachtungen können mich nicht lange mehr unterhalten, es muß nun wieder an
die Arbeit gehen.» Brach er hier das Theoretisieren zugunsten
der Dichtung ab, so hatte er im Anfang desselben Jahres einmal
das Umgekehrte getan, als ihm das nachträgliche Bessern an den
Hexametern von *Hermann und Dorothea* lästig geworden und er

auf den alten Plan einer Abhandlung über Moses und den Zug durch die Wüste gestoßen war: «Es ist mir recht wohl, wieder einmal etwas auf kurze Zeit zu haben, bei dem ich mit Interesse, im eigentlichen Sinne, spielen kann. Die Poesie, wie wir sie seit einiger Zeit treiben, ist eine gar zu ernsthafte Beschäftigung.»

Spielen, das heißt weiterhin die Befreiung von dem Druck des Alltäglichen und dem Zwang des Gewohnten. «Das Spiel offenbart die große Freiheit des Geistes.» Es bleibt Goethes stetes Mißtrauen gegen die zünftige, gegen die professionell betriebene Wissenschaft, daß sie sich nicht genug von vorgefaßten Schulmeinungen und hergebrachten Theoremen zu befreien verstünde, um sich ganz auf die Sachen einzustellen. Denn das ist nun das Entscheidende an Goethes Spielbegriff: Spielen, das heißt, sich ganz den Dingen hingeben, sich von sich selber befreien und von dem Lebensstrom des Seinsbereiches durchströmen und durchformen lassen. Goethe steht als Naturforscher nicht als Subjekt vor dem ganz anderen der Objekte. Er will einschwingen in die übergreifende Gestalt, sich einordnen und einformen. Im Spielen erfahren wir, wenn wir es recht betreiben, Bereicherung, Umbildung, Verwandlung vom Seinsbereich her, und nur im Umgang mit den echten Seinsbereichen will Goethe spielen. «Jeder neue Gegenstand, wohl beschaut, schließt ein neues Organ in uns auf» – diese Goethesche Lehre von der Verwandlung möchten wir lieber in das Zentrum seiner Vorstellungen vom Menschen, vom schöpferischen Menschen gestellt wissen als jenes häufiger zitierte von der geprägten Form, die lebend sich entwickelt, oder gar das von der Persönlichkeit als dem höchsten Glück der Menschenkinder. Wenn wir das Wort Persönlichkeit in solchen Goetheschen Zusammenhängen überhaupt verwenden wollen, dann nur im Sinn der (freilich umstrittenen) Etymologie: personare als durchtönen lassen, als Maske-tragen, als Rolle-spielen, nicht aber als Beharrung im Individuellen. Gerade davon befreien wir uns im echten Spielen: «Unser ganzes Kunststück besteht darin, daß wir unsere Existenz aufgeben, um zu existieren.» Die Hingabe und Bereitschaft zur Verwandlung im Spielen muß gänzlich sein und unvorsichtig: jede Vorsicht auf Nutzen und Ergebnisse würde ablenken und beirren. Es waltet in solchen Überzeugungen ein tiefes, reli-

giöses Vertrauen: alle Produktivität, die vom Lebensstrom durch-
flutet ist, erfüllt den Sinn des Lebens, des Daseins: «Der Sinn des
Lebens ist das Leben selber.»

Neben der Natur als dem Seinsbereich, von dem sich der spielende
Forscher verwandeln und durchformen läßt, steht für Goethe die
Kunst als Seinsbereich, dessen Geltung nicht erst zu beweisen ist,
als eine der großen Weltgegenden. Wie wahr, wie seiend! ruft er
in Italien beim Anblick der großen Kunstwerke. Spielend sollte
auch der Dichter schaffen, hinabtauchend und sich tragen lassend
von dem Strom, der auch hier fließt. Deshalb muß Goethe die
forcierten Talente tadeln, die von der Absicht auf den Gehalt als
den Zweck der Dichtung ausgingen, deshalb mußte er es bedauern,
daß Schiller, trotz seines «wahrhaft poetischen Naturells», manches, was frei und unbewußt entspringen soll, durch Nachdenken
zu zwingen suchte und viele junge Leute auf seinem Wege mit
fortzog. Sie alle konnten nicht mehr spielen, und wir verstehen
jetzt wohl, da Spiel nicht mehr als Gegensatz zum Ernst, sondern
zur Absichtlichkeit, und als Freiheit vom Druck des Allzuwirk-
lichen verstanden wird, wenn es Goethe als einen der Vorzüge
der Alten rühmt, «daß das höchste Pathetische auch nur ästhetisches
Spiel bei ihnen gewesen wäre, da bei uns die Naturwahrheit mit-
wirken muß, um ein solches Werk hervorzubringen», – die Naturwahrheit, die Gegenständlichkeit, die noch nicht von der Hand
des echten Künstlers ergriffen und verwandelt worden ist. Es ist
eins der vielen Bekenntnisse Goethes gegen den Naturalismus.
Wenn er in den folgenden Sätzen den oft zitierten Zweifel ausspricht, ob er eine wahre Tragödie schreiben könne, wenn er
fürchtet, sich durch den bloßen Versuch zu zerstören, so äußert sich
darin nicht eine Scheu, Tragisches in seiner vollen Tiefe zu empfinden, sondern gerade das Gegenteil: er zweifelt, ob er aus der
Bedrückung herausfinden und die Freiheit des Spiels gewinnen
könne.

Wo aber die Freiheit errungen ist, da kann Goethe – und jetzt
lernt Schiller von ihm – in uns geradezu blasphemisch anmutenden
Wendungen von den eigenen Werken sprechen. Als die Szene
von Wallensteins Tod geschrieben ist, gratuliert er dem Freunde
«recht herzlich zum Tode des theatralischen Helden» und fährt

fort – er arbeitet gerade an der ihm so wichtigen *Achilleis:* «Könnte ich doch meinem epischen vor eintretendem Herbste auch das Lebenslicht ausblasen.» Die *Braut von Korinth* ist «ein Spaß». Den Taucher solle Schiller «je eher, je lieber ersaufen lassen». Während der seine Maria Stuart «die königliche Heuchlerin» nennt, wählt Goethe später Bezeichnungen, die von nicht wiederzugebender Derbheit sind. In der Zeit der Umarbeitung des *Götz* schreibt er, er hoffe, «in sechs Wochen von diesem wiedergeborenen Mondkalb zum zweiten Male entbunden zu werden». Und als er den *Faust* wieder vornimmt, da spricht er von den Papieren als der Schwammfamilie und als Possen, und gleichwohl setzt er auf sie «sein einziges Vertrauen».

Wie das Spielen des Wissenschaftlers, so ist auch das Spielen des wahren Künstlers frei von aller Zweckhaftigkeit, und so ist es auch sein Werk. Die Redekunst, so heißt es in den Noten zum *Divan*, verfolgt ihre Zwecke; die Poesie aber, als «immer wahrhafter Ausdruck eines aufgeregten, erhöhten Geistes ist ohne Ziel und Zweck». Das rühmte er immer wieder als die Befreiungstat des Alten aus Königsberg, der er selber eine frohe Epoche verdanke, daß er in seiner Kritik der Urteilskraft die Kunst von dem absurden Gedanken der Endzwecke gelöst habe.

Wir haben uns weit entfernt von dem Schillerschen Spielbegriff mit seiner vorbereitenden Aufgabe, die Naturwahrheit auf die ästhetische zu reduzieren, um so dem Ernst der Wahrheit zum Siege zu verhelfen. Wie aber konnte Goethe, und damit kehren wir zu einer früheren Frage zurück, die Schillersche Formel vom Ernst und Spiel im Kunstwerk aufnehmen, welchen Sinn konnte sie bei ihm bekommen? Goethe entwickelte die Formel in einem kleinen Kunstroman, wie er ihn nennt, der den Titel führt *Der Sammler und die Seinigen*. In dem kleinen Briefroman werden sechs Typen von Künstlern aufgestellt, drei unter der Rubrik *Spiel*. Zwar heißt es noch, daß sich im wahren Kunstwerk alle sechs Neigungen vereinigen müßten. Aber Goethes eigene Neigung gilt offensichtlich den Spielenden, und unter ihnen denen, die Imaginanten genannt werden. Wir dürfen nicht übersehen, daß sich die Schreiberin der wichtigsten Briefe, die reizende Julie, zu dieser Gruppe bekennt und mit Eifer ihren Standpunkt vertritt, daß «das Genie sich hauptsächlich in der Erfindung äußere», ein Vorzug, «den niemand den Imaginanten oder Poetisierern streitig machen könne». Uns scheint weiterhin bedeutungsvoll, daß Goethe gerade in der ersten Zeit der Bekanntschaft mit Schiller – es ist eine der herrlichen Unlogiken der Dichtungsgeschichte – jenes Werk sprudelndster, schöpferischster Phantasie hervorbrachte, dem in der bisherigen deutschen Literatur nichts, selbst bei Wieland nichts auch nur von ferne verglichen werden kann; jenes Werk, von dem Goethe selber wußte, daß es eine seiner schönsten Dichtungen war, und das nicht nur von den Romantikern und den Imaginisten zu allen Zeiten besonders geliebt worden ist: das Märchen. Er ließ es mit den Worten eines Gesprächspartners einleiten: «Die Einbildungskraft... soll, wenn sie Kunstwerke hervorbringt, nur wie eine Musik auf uns selbst spielen.»

Goethes Neigung zum Märchen durchzieht sein ganzes Leben; gerade in diesen Jahren trug sie die schönste Frucht. Wir wissen nicht, ob sein Wunsch, mit Schiller die Gattung an sich zu besprechen, in Erfüllung gegangen ist. Er hat sie später von sich aus gekennzeichnet, als er in den Noten zum *Divan* auf Mahomets Verbot der Märchen zu sprechen kam. Da erklingen Wendungen, wie wir sie sonst nur hören, wenn Goethe von der Dichtung überhaupt spricht: «Ihr eigentlicher Charakter ist, daß sie keinen sittlichen Zweck haben und daher den Menschen nicht auf sich selbst zurück, sondern außer sich hinaus ins unbedingt Freie führen und tragen.» An anderer Stelle sagt er, daß Dichtung ein sich Selbstentspinnen eines Märchens über einem historisch bestimmten Ort und Zeitpunkt ist. Und wie er Shakespeares Stücke als «höchst interessante Märchen» bezeichnet, so nennt er auch den Faust einmal ein «inneres Märchen». Das Märchen, nicht obgleich, sondern weil es freies Spiel der Einbildungskraft ist, gilt Goethe, wie wir sagen dürfen, als eine der echtesten poetischen Formen.

In der bildenden Kunst ist Goethe auf ein dem Märchen entsprechendes Phänomen aufmerksam geworden, ja, indem er es begrifflich erfaßte, vermittelte er es der Ästhetik als eigenes Phänomen, die bisher nur vom Schönen und Erhabenen sprach. Es ist die *Arabeske*, wie Goethe den gleich nach der italienischen Reise verfaßten Aufsatz überschrieb, und auf ein Erlebnis der Reise ging

er zurück: auf die Wandmalereien in Pompeji. Die Romantiker
nahmen auch diese Goethesche Anregung auf, und neben dem
Märchen und oft gleichbedeutend erscheinen Arabeske und Gro-
teske als der eigentliche Geist der romatischen Poesie wie der Poesie
überhaupt. Wir müssen freilich im Vorbeigehen erwähnen, daß
neben Goethe noch ein anderer den Romantikern und aller späteren Ästhetik den Begriff des Grotesken vermittelt hat: der
«wackere Mann», wie ihn Goethe nennt, der Lehrer der Wacken-
roder und Tieck, der Armin und A. W. Schlegel: der Göttinger
Kunsthistoriker Fiorillo.

Zwischen Goethe und den Romantikern aber wird doch ein
Unterschied spürbar. Für die Romantiker waren Märchen und
Arabeske völlig freie Spiele des poetischen Geistes; für Goethe
war die Arabeske merkwürdig geworden, weil er nicht nur ihre
Funktion auf den Wandgemälden, sondern auch ihre innere, ge-
regelte Organisation erkannt hatte: der Gedanke der Metamor-
phose schien ihm hier als Instinkt am Werk gewesen zu sein.
Solche innere Organisation aber, mochte das Ganze auch dem Verstande unfaßlich bleiben, besaß auch sein Märchen. Es war, wie
er an den Bewunderer und Übersetzer des Märchens, an Carlyle,
schrieb, das Produkt einer «geregelten Einbildungskraft».

Damit aber erfassen wir einen neuen Aspekt in Goethes Vorstellungen vom Spiel der Dichtung. Schon die Einbildungskraft
als die eigentlich Spielende im Schaffen des Künstlers ist geregelt.
Der Dichter, der sich von dem Strom des künstlerischen Seins-
bereichs tragen läßt, schafft notwendig nach verborgenen Gesetzen. Die Kunstgesetze liegen «ebenso wahr in der Natur des
bildenden Genius, als die große allgemeine Natur die organischen
Gesetze ewig tätig bewahrt», heißt es in Goethes Kommentar zu
Diderots Aufsatz über die Malerei, und in der Rezension des
Wunderhorns: das dichterische Genie besitzt «die höhere innere
Form».

Von solcher Auffassung des dichterischen Spiels her verstehen
wir nun Goethes Bemühungen um die Kunstgesetze in ihrem
ganzen Sinn. Er will sie nicht als Denker ableiten und dann zur
Richtschnur machen. Er will sie aus den Werken der Genies als
den gesetzhaltigen Offenbarungen des künstlerischen Genius er-

fassen, mit allem Zugeständnis an dessen Schöpferkraft: «Solange ein Kunstwerk nicht vorhanden ist, hat niemand einen Begriff von seiner Möglichkeit», sagt er einmal. Die theoretischen Bemühungen erfüllen die ersten Jahre der Freundschaft mit Schiller und kreisen vor allem um die Themen der Gegenstände, des Motivs, des Verses, des Symbolischen, der Dichtungsarten. Von 1798 an nimmt Goethe an den theoretischen Erörterungen nur noch spärlich teil. Aber es gibt eine zweite Epoche, in der er die alten Bemühungen aufnimmt und fortsetzt. Die Divanzeit von 1814 bis 1818 ähnelt in auffälliger Weise den vier ersten Jahren der Freundschaft mit Schiller. Hier möchte man fast die Goethesche Wendung von der Spiraltendenz alles Lebendigen gebrauchen. Jetzt redigiert Goethe die *Italienische Reise* endgültig; jetzt gibt er jenen Mosesaufsatz heraus, bei dem er damals im eigentlichsten Sinn hatte spielen können. Jetzt knüpft er an die morphologischen Studien der Schillerzeit an und schreibt ihre Geschichte. Jetzt stellt er dar, wie er Schiller begegnete und was ihm Kant bedeutete. Selbst die alte Streitlust regt sich, und der damals losgelassenen Koppel der *Xenien* folgen jetzt die ersten *Zahmen Xenien*, die gar nicht so zahm sind. Im Vordergrund des Denkens jedoch steht das neuerliche Bemühen um die Kunstgesetze. «Aber die Form, ob sie schon vorzüglich im Genie liegt, will erkannt, will bedacht sein» heißt es in den *Noten zum Divan*, und damit ist die Situation der ersten Schillerzeit wieder hergestellt. Fast alle Themen der früheren Zeit tauchen auf: Reim, Rhythmus, Motiv, Phantasie u.a., aber auch die umfassenderen Themen. Neben Epik und Dramatik stellt sich jetzt gleichberechtigt die Lyrik, und alle drei werden als Naturformen der Dichtung erkannt, über denen als eine zweite Schicht, von ihnen gespeist, die Dichtungsarten lagern, deren Reihe nun gewachsen ist. Und es hellt sich auch der weiteste Horizont auf: die Sprache.

Wir können nicht aus der Nähe beobachten, wie Goethe die Regeln des dichterischen Spiels jetzt im einzelnen erfaßt und deutet. Wir stellen nur noch die Frage, warum Goethe nicht von jenem Phänomen eingehender spricht, in dem die Sprache selber zu spielen beginnt: von dem Spiel der Worte, dem Wortspiel. Die Romantiker haben es über alles geliebt. Wir denken an den An-

fang des *Zerbrochenen Kruges* oder an Brentanos *Ponce de Leon,*
ein dramatisches Spiel, in dem von der ersten bis zur letzten Szene
ein glitzerndes, prasselndes Feuerwerk von Wortspielen auf-
steigt. Bei Goethe sind sie auch in der Dichtung selten, vielleicht
im zweiten *Faust* etwas häufiger. Aber stellte man alles zusammen,
so ließe sich kaum der Umfang einer Kapuzinerpredigt damit
füllen.

Goethes Zurückhaltung und Abneigung dem Wortspiel gegenüber liegt wohl an der Peripherie jenes Kreises, in dessen Zentrum
der Haß auf alles Formlose, Fratzenhafte, Karikaturistische, Bloß-
Zerstörende als Instinkt waltet. Sein Sprechen ist derart gegen-
ständlich, daß es ihn peinigt, wenn die Bezüge plötzlich abge-
spannt, umgeknüpft und verknäuelt werden. Seine Komik verwendet andere Mittel. Brentano hat auch im täglichen Umgang
eine einzigartige Fähigkeit besessen oder vielmehr: ist davon besessen gewesen, die Sprache laufen und spielen zu lassen. Goethe
ist neben ihm wohl der genialste Improvisator in der deutschen
Sprache gewesen. Vor allem in der Jugend und der ersten Weimarer Zeit erschien seine Gabe des spontanen Hervorbringens den
Teilnehmern als unbegreifliches Wunder.

Auch im Alter konnte das Eis brechen und Goethe eine ihm
zusagende Gesellschaft mit Improvisationen, und das heißt: den
hervorbrechenden Spielen seiner Einbildungskraft mitreißen und
beglücken. Es waren selten noch Dichtungen, was da entstand.
Als Beispiel sei an jenes ludus ingenii erinnert, wie man es genannt hat, in dem er dem Gesprächspartner Falk nach dem Wielandschen Begräbnis den Mythos von der unsterblichen Monade improvisiert – angeregt wohl durch die Worte vom Fortleben, die
Wieland seinen Agathodämon hatte sprechen lassen. Oder wir
denken an jene Dornburger Szene, die uns von zwei Teilnehmern
erzählt worden ist, da Goethe, angeregt durch aufmerksame Zuhörer und anmutige Zuhörerinnen, den Mythos vom Erdetreiben
und dem Weltgeist und seinem Alphabet improvisiert.

Was aber ist das Gemeinsame an all diesen Improvisationen, ob
in der Jugend, ob im Alter? Daß es alles Spiele sind, gewiß, auch
die Mythen – wie ja der Aufweis des Spielelementes in den Mythen aller Zeiten eine der schönsten Einsichten Huizingas ist.

Aber gemeinsam ist noch mehr: daß alle Goetheschen Improvisationen nicht die Sprache laufen und spielen lassen, sondern sich
in ganz festen, geschlossenen Formen abspielen. Einen Improvisator mit solchem Vermögen der Form hat es wohl nicht wieder
gegeben. Wir aber verstehen vielleicht das wiederholte theoretische
Bemühen Goethes um die Formen als die Regeln des poetischen
Spieles nun etwas tiefer. Und wir haben einen Zugang zu dem
Problem gewonnen, von dem wir ausgingen: wie sich jene Mitte
zwischen der äußeren Form und dem Gehalt als den beiden Enden
des Kuntwerks in Goethes Vorstellung schloß.

Wir haben, uns um Goethes Spielen bemühend, vom Spielen
der geselligen Spiele, vom Spielen des Wissenschaftlers, vom Spielen des Künstlers gesprochen. Aber Goethe führt uns in noch
weitere Zusammenhänge. Unüberhörbar war ja in vielen Zitaten,
wie Kunst und Natur aufeinander bezogen werden. In beiden
höchste Produktivität, in beiden der Lebensstrom wahren Seins,
in beiden geheimnisvolle Ordnungen, in beiden letzte Zweckfrei-
heit. Wenn aber das Schaffen des Künstlers dem Schaffen der Natur vergleichbar ist, wenn das Schaffen des Künstlers ein Spielen
darstellt, dann spielt also auch die Natur? Auch sie spielt, so sagt
es uns Goethe immer wieder. Und er drängt uns noch weiter.
Sie spielt als Schaffende in ihrer Weltgegend, und sie spielt als
«allgemeine Natur», als «Gott-Natur», die alles trägt und erhält. «Sie schafft ewig», heißt es in dem von Goethe inspirier-
ten Aufsatz über die Natur, «sie ist die einzige Künstlerin...
sie spielt ein Schauspiel... sie verwandelt sich ewig, und ist
kein Moment Stillestehen in ihr... die Menschen sind alle
in ihr und sie in allen. Mit allen treibt sie ein freundliches
Spiel und freut sich, je mehr man ihr abgewinnt. Sie treibt's
mit vielen so im Verborgenen, daß sie's zu Ende spielt, ehe sie's
merken... sie hat mich hineingestellt, sie wird mich auch herausführen, ich vertraue mich ihr.» Alles Leben, alles Welttreiben ein
Schauspiel, das die Gott-Natur spielt. Wir stehen in einem großen
Zusammenhang. «Jeder von uns Vertretern lebendiger Geschöpfe
werde von uns betrachtet als eine Marionette göttlichen Ursprungs,
sei es, daß sie von den Göttern bloß zu ihrem Spielzeug ange-
fertigt worden ist oder in irgendwelcher ernsthaften Absicht» –

diese Worte Platos aus den *Gesetzen* gelten heute als der Quell jenes Stroms durch die Jahrhunderte, dessen Lauf uns jüngere Forschungen nachgezeichnet haben: über die Stoiker und Neuplatoniker, über die Kirchenväter durch das Mittelalter und die Renaissance zum Barock, in dem der Strom anschwillt. Totus mundus agit histrionem stand über dem 1599 erbauten Globe-Theater in London, de werelt is een speeltooneel über der bald danach erbauten stadschouwburg von Amsterdam.

El gran teatro del Universo ist ein Kapitel in des Spaniers Gracián *Criticón* überschrieben, und sein Zeitgenosse Quevedo übersetzt den Stoiker Epiktet, der dem Gedanken des Theatrum mundi besondere Prägnanz gegeben hatte; noch W. Raabe beruft sich auf den Stoiker, wenn er in den *Leuten im Walde* den Topos verwendet. Das größte Werk aber im spanischen Barock, in dem nun das Spiel zum Weltspiel auf der Bühne wird und die Metapher zu sich zurückkehrt, ist Calderóns *El gran teatro del mundo*. Hofmannsthal hat es in unserem Jahrhundert erneuert. Dazwischen nun steht Goethe. Wenn er in den zitierten Worten von der Gott-Natur, die durch den schaffenden Genius hindurch ihr Spiel treibt, den Gedanken auf seine Art aussprach, so war das kein Ästhetizismus. Man hört es noch an der Sprache, die gerade an diesen Stellen merklich Goethisch ist: es war religiöse Verkündigung, wenn auch von dem göttlichen Dichter des Stückes, der bei Calderón Welt und Menschen auf die Bühne beruft, nicht gesprochen wird. Nicht die Gott-Natur wurde ästhetisiert, sondern die Kunst rückte in dem Goetheschen Spielgedanken in höhere Bezüge. «Die Menschen sind nur so lange produktiv in Poesie und Kunst, als sie noch religiös sind» lautet ein Wort, das in unsere Zusammenhänge gehört.

Wir haben die tiefste Schicht in den Goetheschen Vorstellungen vom Spiel erreicht. Es sei noch eine Stelle aus den Noten zum Divan angeführt: «Der geistreiche Mensch . . . betrachtet alles, was sich den Sinnen darbietet, als eine Vermummung, wohinter ein höheres geistiges Leben sich schalkhaft-eigensinnig versteckt, um uns anzuziehen und in edlere Regionen aufzulocken.» Eine bedeutsame Abwandlung des alten Gedankens: jetzt liegt der Sinn des Spiels nicht mehr in ihm selber oder in dem Gefallen, das der göttliche Spielleiter daran findet, oder in dem Urteil, das er darüber fällen wird, – all unsere irdische Gegenständlichkeit und Vergänglichkeit ist jetzt Bildsphäre eines Spiels, die ständig auf Höheres, Eigentliches verweist. Alles Vergängliche ist nur ein Gleichnis.

Zwischen Calderóns und Hofmannsthals Großem Welttheater steht das Spiel von der Welt des alten Goethe. Noch größer und weiträumiger, denn es umfaßt neben dem Menchen noch die Weltgegenden der Natur und der Geschichte. Man mag, schaut man vom Stoff des Faust als einem der großen Stoffe der Weltliteratur her, vielleicht bedauern, daß Goethe ihm so wenig gerecht werden wollte. Aber – vertrauen wir uns dem Dichter an, der hier schöpferisch und glaubensvoll, die Regeln erfüllend und sie im Wissen leise umspielend, in aller Freiheit und Heiterkeit des Geistes sein letztes, größtes Spiel gespielt hat.

Goethes Auffassung von der Bedeutung der Kunst

«Alle Kunst muß belehrend sein.»

«Der Wunsch nach Beifall ist ihm (dem Künstler) eingepflanzt.»

«Des tätgen Manns Behagen sei Parteilichkeit.»

«Der Künstler, er gebärde sich, wie er will, (wird) immer nur sein Individuum zutage fördern.»

«Den echten Dichter wird niemand kennen, als wer dessen Zeit kennt.»

«Natur und Kunst sind zu groß, um auf Zwecke auszugehen.»

«Dem Künstler darf nicht gefallen, was dem Publiko gefällt.»

«Der Dichter steht zu hoch, als daß er Partei machen sollte.»

«Alle Schalen und Schlacken der Zeit und des Individuums, durch welche sich auch der Beste hindurch und heraus zu arbeiten hat, (sind beim echten Künstler) nur augenblicklich, vergänglich und hinfällig gewesen.»

«Ein echtes Kunstwerk (soll) sich selbst ... auslegen und vermitteln.»

Es wäre ein Leichtes, die Reihe widersprüchlicher Aussagen fortzusetzen. Damit aber ergibt sich, daß wir unsere Bemühungen um Goethes Auffassung von der Bedeutung der Kunst nicht auf der Ebene der Zitate durchführen können. Wir kämen sonst zu einer Mehrzahl sich widersprechender Meinungen oder gerieten in Gefahr, Nichtpassendes zu verschweigen oder doch zu vernachlässigen, um eine vermutete oder gewünschte Meinung bestätigt zu sehen. Wer bei Goethe solche Bestätigung sucht, dem wird der getreue Eckart das Krüglein rasch mit den schönsten Worten füllen, – nur daß er jedem anderen gegenüber ebenso freigebig ist.

Nicht auf der Ebene von Zitaten und ihrer Meinung dürfen wir uns aufhalten. Aber die Frage nach der Auffassung zielt ja von vornherein auf Tieferes. Wohl ist es solchen Wörtern, wie Meinung, Ansicht, Überzeugung, Auffassung – im Gegensatz zu anderen, wie These, Dogma, Lehrsatz – gemeinsam, daß sie immer zugleich den Blick auf den Träger lenken. Meinungen, Ansichten, Überzeugungen hat man und äußert man; Dogmen, Thesen, Lehrsätze werden als solche verkündet. Doch das Eigene von Auffassung liegt nicht darin, daß sie lockerer ist als Überzeugung und fester geknüpft als Meinung, sondern daß an ihr tiefere Schichten des Menschen beteiligt sind. Sie wird auch nicht eigentlich geäußert, sondern sie wirkt, oft dem Träger unbewußt, durch seine Äußerungen und Meinungen hindurch.

Wir werden nun nicht versuchen, Goethes Auffassung von der Kunst – behalten wir den Singular ruhig bei, auch wenn es mit der Einheit und Einheitlichkeit nicht zu genau genommen werden soll und von Beginn an Wandlungen wahrscheinlich sind – als Teil einer immer doch nur postulierten Weltanschauung zu sehen und von daher abzuleiten. Goethes Auffassung bekundet sich, so sagten wir. Wo? Gewiß in seinen eigenen Dichtungen, und es wäre ein lohnendes und überaus reizvolles Unternehmen, die Aufgabe von dieser Seite her anzupacken. Wir wählen einen anderen Weg: indem wir uns an Goethes Äußerungen über die Kunst und ihre Bedeutung halten und noch genauer, da uns ja die Meinung solcher Äußerungen als unsicherer Boden erschienen war: an die Goethesche Sprache dabei. Es heben sich nämlich aus den unzähligen Bemerkungen bestimmte Ausdrücke heraus, mit denen Goethe wiederkehrende Phänomene erfaßt; im Grunde werden wir uns mit drei Wörtern der Goetheschen Sprache beschäftigen, Wörtern, mit denen er drei, besser: die drei Weisen bezeichnet, in denen der Mensch Kunst aufnimmt und sie ihm bedeutend wird.

Wir haben damit zugleich das Thema noch weiter eingegrenzt. Bedeutung der Kunst: Bedeutung ist immer Bedeutung für..., und so ist zunächst gesagt, daß die Kunst als Eigenbereich in ihrem Zusammenhang mit dem gesehen werden soll, was nicht sie selber ist. Nun wäre es wieder reizvoll zu fragen, was nach Goethe die Kunst für die anderen Lebensbereiche bedeutet, etwa für Wissenschaft, für Religion, für Wirtschaft. An Äußerungen fehlt es nicht, und schon über den Spruch:

> Wer Wissenschaft und Kunst besitzt,
> Hat auch Religion;
> Wer jene beiden nicht besitzt,
> Der habe Religion

wäre als Meinung wie als Bekundung einer Auffassung viel zu sagen. Wir werden statt dessen den Blick allein auf den die Kunst aufnehmenden Menschen richten, auf die Wirkungen, die sich in ihm oder in ganzen Gruppen entfaltet, und dabei auch gar nicht erst den Versuch unternehmen, die Künste voneinander zu sondern. Es drängt sich freilich die Frage nach dem Wesen der Kunst selber heran (auch die dritte: nach dem Ursprung der Kunst, dem Schaffen im Künstler, wird sich einmischen). Denn bestätigt sich nicht immer wieder, daß die Wirkung schon eines einzelnen Kunstwerks auf die Menschen ganz verschieden ist, erleben wir es nicht an uns selber, daß die Wirkung des gleichen Werkes auf uns ganz verschieden sein kann, nicht nur je nach Altersstufe, sondern schon nach der Stimmung? Die Wirkung des Kunstwerks ist offensichtlich nicht immer identisch mit dem, was an Wesen, Intentionalität, an Wirkungsmöglichkeiten in ihm liegt, und es scheint fast fraglich, ob sie je auch nur den Grad einer angenäherten Entsprechung erreicht.

Goethe hat diesen Fragen besonders im Alter eine fortwährende Aufmerksamkeit gewidmet. Ihn reizte dabei nicht der individuelle Fall, er achtete vielmehr auf die verschiedenen Dispositionen von Gruppen. Immer wieder spricht er so von Gebildeten und Ungebildeten, oft noch mehrere Grade dazwischen unterscheidend. Der Ungebildete etwa steht leicht von Beginn an schief zur Kunst, indem er ihre Künstlichkeit verfehlt und Kunstwerke als naturwahr nimmt. Oder er geht mit der Erwartung an die Kunst, belehrt zu werden: «*Wenn der höher Gebildete von dem ganzen Kunstwerke die Einwirkung auf sein inneres Ganze erfahren und so in einem höheren Sinne erbaut sein will, so verlangen Menschen auf einer niederen Stufe der Kultur die Nutzanwendung[1].*» Goethe meint das keineswegs als Tadel; er spottet nicht über die Fürsorglichen, die, um mit Jean Paul zu sprechen, aus den Blüten immer Gesundheitstränke brauen. Der Zusammenhang der folgenden Stelle macht deutlich, daß sie sehr anerkennend gemeint ist: auf die «*unteren Volksklassen*» wirkt «*der tüchtige Gehalt mehr als die Form[2]*». Was hier stattfindet, bezeichnet Goethe — und damit stoßen wir auf das erste unserer drei Wörter — als Sich-aneignen. Es ist gleichsam ein Naturphänomen des Lebens, im Falle der Kunst-

---

[1] Über Hebels *Alemannische Gedichte.*
[2] *Lyrisches Volksbuch*, Antwort auf Niethammers Vorschlag eines deutschen Nationalbuches.

aneignung eine Art geistiger Nahrungsaufnahme zur Erhaltung
und Kräftigung des lebenden Wesens. Gewiß tritt dabei eine Verschiebung, vielleicht Verzerrung, immer aber eine Auswahl ein,
indem die einen sich an den Stoff halten, die anderen an den Gehalt (während die Form, um den dritten Begriff zu nennen, mit
denen Goethe so gern das Kunstwerk deutet, den meisten ein Geheimnis bleibt). Aber Goethe beklagt das nicht, es ist ein Natur-
vorgang, in dem das Individuum sich kräftigt, verselbstet und als
naturgewollte Lebensform bestätigt.

Ist die Frage nach der Bedeutung der Kunst damit grundsätzlich beantwortet? Liegt der Sinn der Kunst darin, angeeignet zu
werden, wie es die einzelnen oder die Gruppen für sich brauchen?
In den Zitaten klang schon auf, daß es noch andere Weisen der
Kunstaufnahme gibt, und halten wir uns, unserem Vorsatz gemäß, an Goethes Sprache, so stoßen wir auf zwei weitere Ausdrücke,
die immer wiederkehren. An einer Stelle hat Goethe sogar alle drei
Ausdrücke zu einem System zusammengestellt. Im Jahrgang 1828
der Zeitschrift *Über Kunst und Altertum* bemerkt er unter dem
Titel *Helena in Edinburgh, Paris und Moskau:* «Hier strebt nun
der Schotte, das Werk zu durchdringen; der Franzose, es zu verstehen; der Russe, es sich anzueignen. Und so hätten die Herren
Carlyle, Ampère und Schewireff, ganz ohne Verabredung, die
sämtlichen Kategorien der möglichen Teilnahme an einem Kunst-
oder Naturprodukt vollständig durchgeführt. Das weitere hier-
über zu verhandeln, sei unsren wohlwollenden Freunden überlassen. Sie werden, das Ineinandergreifen jenes dreifachen nie
scharf zu trennenden Strebens bemerkend und bezeichnend, uns
über die mannigfaltigsten ästhetischen Einwirkungen aufzuklären
erwünschte Gelegenheit davon hernehmen.»

Durchdringen, verstehen und aneignen als die drei Arten, in
denen die Beziehungen zwischen Kunst und Mensch verlaufen,
in denen die Kunst bedeutend wird. Wir wollen der Aufforderung
Goethes an seine Freunde folgen, freilich nicht als Ästhetiker, die
prüfen, ob das richtig und vollständig ist, sondern als seine Deuter,
die sich um *seine* Auffassung des Problems bemühen.

Zog der Mensch beim Aneignen das Kunstwerk in seine Existenz und verwertete es nach Maßgabe seiner Eigenheit und für

sich, so hat sich beim Durchdringen die Richtung umgekehrt. Der Mensch gibt sich dem Kunstwerk hin, und zwar seiner Ganzheit, so wie es ist. Hier wird eine Gleichheit zwischen beiden Seiten angenommen, eine Adäquatheit der Aufnahme, wir könnten auch mit Goethe sagen, der Mensch lasse sich vom Kunstwerk durchdringen. Goethe kommt dabei zu einer auffälligen, wohl dem griechischen Medium nachgebildeten Form, um diese Einhelligkeit zu bezeichnen. Denn wir finden nicht nur solche Wendungen wie: Tieck «durchdringt» den Wallenstein (und das ist als höchste Anerkennung gesagt), sondern auch diese andere: «Wenn Kunstliebhaber und -freunde irgendein Werk freudig genießen wollen, so ergötzen sie sich am Ganzen und durchdringen sich von der Einheit, die ihm der Künstler hat geben können.» Wir erhalten dabei gleich eine Reihe von Ausdrücken, die offensichtlich mit dem Durchdringen verbunden sind: sich ergötzen, genießen, und wir erfahren vor allem, womit der Aufnehmende sich durchdringt: mit der Einheit des Werkes. Wer ein Werk durchdringt, der bleibt nicht an der Oberfläche der Worte, Bilder, Geschehnisse, Personen, sondern der erkennt ihre höhere Bedeutung und ihre Einordnung in die sinnlich-geistige Ganzheit des Kunstwerks.

Es ist der poetische oder, wie Goethe auch sagt, der symbolische Blick, der so durch die Oberfläche hindurchdringt, und daher erklärt es sich auch, daß das Wort durchdringen bei Goethe erst seinen prägnanten Sinn bekommt, nachdem er im Begriff des Symbols das Verhältnis vom Konkret-Individuellen zur Bedeutung, zum höheren Sinn erfaßt hat[1]. Wieder aber ist es ein Phänomen, das die ästhetische Aufnahme weit übergreift. Stammt doch das Kunstwerk selber aus einem solchen Durchdringen der Welt seitens des Künstlers: «Shakespeare gesellt sich zum Weltgeist; er durchdringt die Welt wie jener; beiden ist nichts ver-

---

[1] In dem Aufsatz *Über einfache Nachahmung der Natur, Manier und Stil* handelt es sich auf der einen Seite noch um die allgemeinen Bildungsgesetze, die als ein Mehr in der Erscheinung spürbar werden sollen, und auf der anderen Seite deshalb um ein «Erkennen»: «*Diesen Grad*, (d. h. ,*den höchsten . . . , welchen die Kunst je erreicht hat und je erreichen kann*') *auch nur zu erkennen, ist schon eine große Glückseligkeit . . .* »

borgen[1].» Oder über Byron: «Der durchdringende Dichter hat seinem unbegrenzten Talent neue Regionen erobert[2].» Was hier von den beiden – für Goethe – größten Dichtern der neueren Zeit gesagt wird, gilt für das Schaffen jedes «wahren dichterischen Genies»: «Das lebhafte poetische Anschauen (Durchdringen) eines beschränkten Zustandes erhebt ein Einzelnes zum zwar begrenzten, doch unumschränkten All, so daß wir im kleinen Raume die ganze Welt zu sehen glauben[3].»

Das Sich-durchdringen als die Form der höchsten, weil vollständigen und adäquaten Teilnahme am Kunstwerk ist also zugleich ein Leitbegriff in Goethes Schaffensästhetik, das heißt seiner Vorstellung vom Schaffen des Künstlers, und es ist zugleich der Zentralbegriff in seiner Deutung des Kunstwerks an sich. Denn die Struktur des Kunstwerks – und das ist nun nicht einfach die Folge seiner Herkunft aus der durchdringenden poetischen Anschauung, sondern eigenständiger Wesenszug seiner inneren Organisation – stellt wiederum eine Durchdringung dar: eine wechselseitige Durchdringung seiner Elemente, die sich bei einer sondernden Betrachtung – und freilich nur in solcher Nachträglichkeit – ermitteln lassen. Als solche Elemente kehren in Goethes Sprache, wie bereits angedeutet wurde, Stoff, Gehalt und Form immer wieder. Stoff, Gehalt und Form, im echten Kunstwerk unlöslich verschmolzen, stammen an sich aus ganz verschiedenen Bereichen: «Die Besonnenheit des Dichters bezieht sich eigentlich auf die Form, den Stoff gibt ihm die Welt nur allzu freigebig, der Gehalt entspringt freiwillig aus der Fülle seines Innern; bewußtlos begegnen beide einander, und zuletzt weiß man nicht, wem eigentlich der Reichtum angehöre.

Aber die Form, ob sie schon vorzüglich im Genie liegt, will erkannt, will bedacht sein», so sagt Goethe in dem Abschnitt *Eingeschaltetes*, mit dem er den darstellenden Zusammenhang der Noten und Abhandlungen zum Divan bedeutungsvoll unterbricht. Und wenn er den Satz fortsetzt, so verkündet er den Kern seiner Auffassung vom Wesen des Kunstwerks: «Und hier wird Be-

---

[1] *Shakespeare und kein Ende.*
[2] Besprechung von Byrons *Cain.*
[3] Rezension des *Wunderhorns.*

sonnenheit gefordert, daß Stoff, Form und Gehalt sich zueinander schicken, sich in einander fügen, sich einander durchdringen.» Das ist eine deutliche Steigerung, und den höchsten Grad bildet das wechselseitige Durchdrungensein.

Wir können an dieser Stelle offenlassen, ob die starke Betonung der Besonnenheit nicht eine für die Divanzeit charakteristische Akzentverschiebung darstellt. Wir halten uns vielmehr an jene drei Elemente, die sich zwar im echten Kunstwerk zur Einheit durchdrungen haben, von der Betrachtung aber gesondert werden können[1]. Das hat mit aller Vorsicht zu geschehen. So ist schon das, was Goethe als das Stoffliche am Kunstwerk bezeichnet, immer vom Gehalt durchglüht und von der Form durchformt. Nicht erst im vollendeten Werk: «Indem der Künstler irgendeinen Gegenstand der Natur ergreift, so gehört dieser schon nicht mehr der Natur an, ja man kann sagen: daß der Künstler ihn in diesem Augenblick erschaffe[2].» Ebenso ließen sich Äußerungen anführen, nach denen die Gehalte immer schon eine Schicklichkeit zur Form besitzen müssen. Aber immer wahren sie doch in Goethes Auffassung eine gewisse Selbständigkeit, und damit wahrt er selber eine merkliche Selbständigkeit gegenüber Schiller, für den Stoff und Gehalt ganz von der Form her aufgezehrt werden mußten. Für Goethe bleibt die eigene Bündigkeit im Stofflichen einer Dichtung ein Erfordernis; die geschaffene Welt soll aus eigener Kraft leben und der Aufnehmende soll in ihr atmen und sich frei bewegen können. «Die vorteilhaftesten Gegenstände sind die, welche sich durch ihr sinnliches Dasein selbst bestimmen[3].»

Welche Wirkungen aber gehen davon auf den Aufnehmenden aus? Wollten wir im Bilde bleiben, so müßten wir sagen, daß in der Welt des wahren Kunstwerks der Aufnehmende nicht nur atmen kann, sondern daß sich ihm «Blick und Brust öffnet»[4]. Der Ungebildete hält sich an das rein Stoffliche, er eignet sich aus der

---

[1] *«Wer hingegen theoretisch über solche Arbeiten* (die Kunstwerke) *sprechen, etwas von ihnen behaupten... will, dem wird Sondern zur Pflicht»,* in: *Shakespeare und kein Ende.*

[2] *Einleitung in die Propyläen.*

[3] *Über die Gegenstände der bildenden Kunst.*

[4] *Römische Geschichten von Niebuhr.*

geformten Welt des Kunstwerks nur das gleichsam Materielle der Begebenheiten und Zustände an. Der höher Gebildete nimmt die geformte Welt mit allen Sinnen auf. Er ergötzt sich an ihr, genießt sie, – eine Fülle von solchen Ausdrücken steht Goethe da zur Verfügung. Wenn auch der Bereich der aus der Kunst ausgeschlossenen Gegenständlichkeit nur gering sein mag (für den klassischen Goethe ist er noch größer als für den alten), so verliert doch selbst das Dunkle, das Schreckliche, das Fürchterliche durch die Formung des Künstlers sein Beklemmendes, wird es uns nie die Kehle zuschnüren, sondern gefällig bleiben, anmutig, schön und erheiternd. Wir mißverstehen dieses Wort heute nur zu leicht, das sich in den Äußerungen Goethes zur Kunst, aus welcher Zeit sie auch stammen, immer wieder findet (mißverstehen es wie auch das so gern neben ihm stehende «genießen»). Die Heiterkeit ist ein Grundbegriff schon der Wielandschen[1], schon der anakreontischen Ästhetik und meint etwas anderes als jene fröhliche Gestimmtheit an der Oberfläche seelischen Lebens, die verfliegt, sobald etwas Ernstes entgegentritt. Die Heiterkeit in jenem Sinne ist in tieferen Schichten der Seele beheimatet. Sie verfliegt nicht mit dem Eindruck des Kunstwerks, sondern wird zur Formkraft im Innern. Ihr ist eigen, was Goethe von der Wahrheit rühmt: «daß sie uns Blick und Brust öffnet und uns ermutiget, auch in dem Felde, wo wir zu wirken haben, auf gleiche Weise umherzuschauen und zu erneutem Glauben frischen Atem zu schöpfen[2].» Heiterkeit ist nicht Stimmung, sondern Gesinnung, «Sinnesart», wie Goethe sagte, und hat als solche etwas von dem «hohen muot[3]» des ritterlichen Menschenbildes an sich. «Heiterkeit und Bewußtsein sind die schönen Gaben, für die er (der Künstler) dem

[1] In der Gedenkrede weist Goethe gerade bei der Behandlung der Wielandschen Heiterkeit auf Shaftesbury als den *älteren Zwillingsbruder im Geiste* und auf seine Lehre von der Heiterkeit.

[2] *Römische Geschichte von Niebuhr.*

[3] Das «Etwas» ist die innere Freiheit und Unabhängigkeit sowie die aktive, freudige Weltzugewandtheit. In dem *Wort für junge Dichter* kommt Goethe auch sprachlich nah an die mittelalterliche Formulierung heran: *«Geht er* (der Künstler) *dabei frisch und froh zu Werke, so manifestiert er gewiß den Wert seines Lebens, die Hoheit oder Anmut, vielleicht auch die anmutige Hoheit, die ihm von der Natur verliehen war.»*

Schöpfer dankt», so heißt es im Fortgang jenes Zitats aus den *Noten zum Divan:* «Bewußtsein, daß er vor dem Furchtbaren nicht erschrecke, Heiterkeit, daß er alles erfreulich darzustellen wisse.» Wieder erscheint, was zum Wesen des Kunstwerks gehört, zugleich als Grundbegriff der Wirkungs- wie der Schaffenspoetik.

Aber wie auch Wieland, so erkennt Goethe zugleich die Gefahren solcher heiteren Kunst, ja die innere Paradoxie, die in ihrer Wirkung liegt. Die Heiterkeit stammt aus der Sinnlichkeit der gestalteten Welt, dabei aber, wie wir erkannten, gerade aus der Behandlung, die der Künstler ihr gegeben hat. Mag der Ungebildete sich nur das Stoffliche aneignen, der feiner Gebildete erfreut sich, genießt, weil er mit Geschmack empfindet. Und selbst im Ungebildeten vollzieht sich durch das anmutige Kunstwerk, ohne daß er es merkt, eine Bildung des Geschmacks und damit des inneren Menschen. Eine solche Bildung, eine solche cultura animi, wie sie durch die Kunst geschieht, kann nun aber auch zur Verbildung, zur Überfeinerung, zur Verweichlichung führen. Diese Gefahr liegt im Wesen der Kunst, und der ältere Goethe hat in seiner eigenen Zeit, und gerade beim Blick auf die «gebildeten Schichten», immer wieder die beängstigenden Symptome einer Spätkultur, einer Epoche der Dekadenz wahrgenommen. «Unsere Zeit hat Geschmack aber keinen Charakter»[1], so lesen wir 1808, und schon dieses Datum läßt uns vermuten, welcher zeitgenössischen Dichtung Goethe solche unheilvollen Einflüsse zuschreibt.

Er selber beginnt nun eine reiche Tätigkeit, um dem entgegenzuwirken. Sie steht unter dem Leitsatz: *Auf den Charakter des Volkes, nicht auf den Geschmack ist zu wirken*[2]. Goethe hat im Alter mit Recht und mit Stolz auf seine lebenslange Teilnahme an der Volksdichtung weisen können. Jetzt aber steigert er das, fast darf man sagen: bis zu einer planvollen Organisation aller Beschäftigung mit der Volksdichtung der Völker. In der Zeitschrift *Über Kunst und Altertum* schuf er sich das nach außen wirkende Organ, in dem er selber alle Neuerscheinungen auf diesem Felde besprach. Mündlich und schriftlich ermunterte er Freunde und Fernerste-

---

[1] *Entwurf zu einem Volksbuch historischen Inhalts.*
[2] *Entwurf zu einem Volksbuch historischen Inhalts.*

hende zum Sammeln und Übersetzen. All das wird nicht nur von
der Teilnahme an der Volkspoesie als einem Phänomen ursprüng-
licher Dichtung getragen. Dergleichen lag gewiß darin, aber be-
stimmender war die Anteilnahme an der eigenen Zeit, der Versuch,
die Heilkräfte zu wecken, die der Erkrankung entgegenwirken
mochten. Es ist Goethe der Erzieher, Goethe der Heilende, der
hier am Werke ist, und wir verweilen noch etwas bei den frühen
Äußerungen des Jahres 1808: der Erörterung des Niethammerschen Vorschlags zu einem deutschen Volksbuch und dem ausführlichen eigenen Entwurf zu einem Volksbuch historischen
Inhalts.

Was wirkt auf die unteren Volksklassen, auf die Menge?, so
fragt er in jener Erörterung des Niethammerschen Vorschlags
und antwortet: «Der tüchtige Gehalt mehr als die Form. Was ist
an ihr zu bilden wünschenswert? Der Charakter, nicht der Geschmack: der letzte muß sich aus dem ersten entwickeln.» Das
Element des Kunstwerks, das am stärksten auf das Volk wirken
kann, auf das Goethe seine Hoffnung setzt, wenn nach der Bedeutung der Kunst für einen Erneuerungsprozeß der Nation gefragt
wird, ist der Gehalt. Da es hier primär nicht um das Blühen der
Kunst, sondern die Gesundung des Volkes geht, so drängt Goethe
alle anderen Wesenszüge wie Stoff, Behandlung, Form zurück
und mißt bei der Auswahl, bei der Bewertung einzig mit dem
Maßstab des Gehaltes. «Wo ein solcher Gehalt zu finden?», fragt
er in dem *Entwurf zu einem Volksbuch.* «Für den Deutschen liegt
er bereit, mehr als für andre Nationen. Das Rechte, das Tüchtige
aller Zeiten und Völker.» Und kurz vorher: «Von außen stählt
den Charakter das Tüchtige, das sich ihm als ein gleich Gesundes
zugesellt.

Alles Kernhafte, das wir im Altertum und in den früheren
Epochen aller Nationen finden.»

Das Rechte, das Tüchtige, das Kernhafte, das Gesunde – da
haben wir schon 1808 die Ausdrücke beieinander, die uns aus so
vielen Äußerungen der folgenden Lebensjahre entgegentönen,
aus den Besprechungen der Volkslieder, der Naturdichter, dem
Wort für junge Dichter und auch aus so mancher Dichtung Goethes selber; und wenn er dem letzten Abschnitt jenes Entwurfs

den Titel gab *Meine Einwirkung*, so hätte er bei einer Ausführung schon damals auf eine stattliche Reihe von Werken weisen können, deren tüchtige Gehalte in die Nation gewirkt hatten. Goethe hat es ja immer gern vernommen, wenn seine Werke auf das Tüchtige, das Rechte, sogar auf das Sittliche des Gehaltes hin gelesen wurden –, auch wo er es selber besser wußte. (Wir können der Frage, in welchem Verhältnis Goethes eigene Dichtungen zu seiner Auffassung von der Kunst und ihrer Bedeutung stehen, hier nicht nachgehen. Wir werden ja sofort bedenklich, sollten wir Werke wie den West-östlichen Divan oder den zweiten Teil des Faust auf das beziehen, was sich hier als Auffassung Goethes ergeben hat.)

Dagegen führt uns der Zusammenhang noch auf ein anderes, ein weiteres Feld. Goethe bemühte sich zur gleichen Zeit, da ihm die Heilung und Bildung seines Volkes so am Herzen lag, um die Heilung und Bildung der Völker überhaupt. In seiner Forderung nach einer Weltliteratur floß gewiß vieles zusammen; wirksam aber war auch dabei der Wunsch: «Was nun in den Dichtungen aller Nationen hierauf hindeutet und hinwirkt, dies ist es, was die übrigen sich anzueignen haben[1].» Worauf wird gedeutet und gewirkt, was soll angeeignet werden? Goethe spricht es im selben Zusammenhang aus, er nennt es: «einige Milde», eine «wahrhaft allgemeine Duldung». Wenn auch nicht zu hoffen sei, daß durch die aufkommende Weltliteratur «ein allgemeiner Friede... sich einleite», so darf doch erwartet werden, daß durch die «wechselseitige Anerkennung» und die Aneignung der rechten Gehalte «der unvermeidliche Streit nach und nach läßlicher werde, der Krieg weniger grausam, der Sieg weniger übermütig».

Alle solche Auffassungen von der Bedeutung der Kunst sind an das Phänomen der Aneignung gebunden. Wenn wir uns jetzt dem des Verstehens zuwenden, so bleiben wir zunächst noch in der Schicht der Stoffe und Gehalte, setzen aber bei den Gegenbegriffen des Tüchtigen, Rechten und Gesunden ein. Goethe nennt sie den Widergeist, das Hypochondrische, das Kranke. Wo er in der zeitgenössischen Dichtung solche Tendenzen spürte, da nahm er entschieden Stellung, da wurde er selber einseitig und wertete ein

[1] *German Romance.*

Kunstwerk nicht mehr als Ganzes, sondern nur nach seinem Gehalt. Wir wissen: als schwächlich, als krank und kränkend empfand er einen großen Teil der romantischen Dichtung. Goethes Urteil über Kleist brauchte die Theoretiker des Wertungsproblems nicht zu beunruhigen und liefert vor allem den Skeptikern dabei kein Material: als sei mit solcher Verkennung eines Genies durch den kompetentesten Kritiker die völlige Subjektivität aller Werturteile in künstlerischen Dingen erwiesen. Goethe hat Kleists Dichtertum nicht einen Augenblick verkannt. «Jener talentvolle Mann», so nennt er ihn 1826[1], und man muß dieses Wort so ernst nehmen wie das andere von «dem reinsten Vorsatz einer aufrichtigen Teilnahme», die er ihm entgegengebracht habe. «Schauder und Abscheu» aber erregte ihm das Krankhafte der Werke, und er verurteilte sie, weil er solche Wirkungen für seine so anfällige Zeit nicht wünschte. Als Pädagoge, nicht als Künstler verurteilte er ihn[2]. Die gleiche Haltung nahm Goethe gegenüber E. T. A. Hoffmann ein. Auch da erkannte er das «talentreiche Naturell» an[3], fügte aber hinzu: «Welcher treue, für Nationalbildung besorgte Teilnehmer hat nicht mit Trauer gesehen, daß die krankhaften Werke des leidenden Mannes lange Jahre in Deutschland wirksam gewesen und solche Verirrungen als bedeutend-fördernde Neuigkeiten gesunden Gemütern eingeimpft worden.» Der Fall wiederholte sich mit Byron. In der frühen Rezension über *Manfred* (von 1820) bekannte Goethe auch dabei zunächst seinen Verdruß über die Hypochondrie. Aber hier überwog sogleich die Bewunderung und Hochachtung für den großen Dichter[4], den Goe-

---

[1] *Tiecks Dramaturgische Blätter.* In der *Würdigungstabelle poetischer Produktionen der letzten Zeit* (1827), die mit Hilfe der Kategorien Stoff, Gehalt, Behandlung, Form Kunstwerke zu bestimmen sucht, stellt Goethe 14 typische Strukturen auf. Wenn er da in der 4. Struktur die negativen Bestimmungen häuft, gleichwohl aber unter der 1. Rubrik (Naturell) «*wohlbegabt*» verzeichnet, so läßt sich fast vermuten, daß er bei diesem ganzen Typ an Kleist dachte.

[2] Über die drei Arten des Wertens (künstlerisch, geschichtlich, pädagogisch) vgl. oben: *Vom Werten der Dichtung.*

[3] *The Foreign Quarterly Review.*

[4] Gemildert war der Verdruß wohl von Beginn an durch die Tatsache, daß Byron Ausländer war und in Deutschland doch nur einem kleinen Kreis künstlerisch Gebildeter zugänglich werden konnte, so daß der «*für National-*

the schließlich als den einzig ebenbürtigen unter allen Zeitgenossen anerkannte; fast möchte man von dem Gefühl einer Reinkarnation sprechen, das in der Tiefe von Goethes Verhältnis zu Byron mitgespielt habe.

Aber es gab einen Fall, der Goethe noch näher lag und der ihn in der Tat zeit seines Lebens beunruhigt hat: der Fall seines eigenen Werther. Auch da war ja eine Lebensuntüchtigkeit, eine schließliche Todverfallenheit gestaltet, und daß der Werther mit solchem Gehalt recht stark auf die Zeit gewirkt hatte, hatte Goethe nicht nur von Gegnern immer wieder hören müssen. Im 13. Buch von Dichtung und Wahrheit hat Goethe die Rechtfertigung für das Entstehen des Werther zu geben versucht. In einer Ausführlichkeit, die überraschen könnte, schildert er da das Phänomen des Lebensüberdrusses im allgemeinen, die Situation der damaligen Zeit, die Wirkung der englischen, hypochondrischen Literatur, die eigene Situation mit der Nähe des Selbstmordes. Man darf getrost zweifeln, ob sich die Entstehungsgeschichte des Werther so abgespielt hat, wie sie uns schließlich in prägnanter Zusammenfassung gegeben wird: «... so lachte ich mich zuletzt selbst aus, warf alle hypochondrischen Fratzen hinweg und beschloß, zu leben. Um dies aber mit Heiterkeit tun zu können, mußte ich eine dichterische Aufgabe zur Ausführung bringen, wo alles, was ich über diesen wichtigen Punkt empfunden, gedacht und gewähnt, zur Sprache kommen sollte.» Der Werther als Aussprache aller Gedanken über Lebensmüdigkeit, von einem plötzlich Geheilten als Erfüllung einer Aufgabe unternommen: deutlicher kann sich die Bedenklichkeit einer Methode nicht enthüllen, die Goethe als «Verstehen» bezeichnet und in der er neben dem Aneignen und Durchdringen die dritte mögliche Teilnahme des Menschen am Kunstwerk sah. Aber nicht auf die Bedenken, sondern auf die Methode an sich kommt es an, auf das, was Goethe unter Verstehen versteht und wie er es angewendet wissen will.

Geistesgeschichtlich treten wir in jenen Zusammenhang, der mit der kopernikanischen Wendung der Ästhetik im 18. Jahr-

---

bildung besorgte Teilnehmer» sich leichter beschwichtigen konnte. Und mildernd wirkte gewiß auch der Umstand, daß Goethe im Verfasser des Manfred einen Dichter sah, der *»meinen Faust in sich aufgenommen»*.

hundert beginnt, wie sie etwa von Young in England und Herder in Deutschland vollzogen worden ist: das Wesen der Kunst nicht mehr von ihrer gerechtfertigten Funktion für die cultura animorum her zu erfassen, dem prodesse et delectare, der Heiterkeit, dem Geschmack und was man an Bestimmungen aufgestellt hatte, sondern das Wesen der Kunst aus ihrem Ursprung zu erfassen, dem Ursprung in der schaffenden Seele des Künstlers, des Genies, mit allem, was darauf gewirkt hatte. Im Shakespeare-Aufsatz hatte Herder das große Beispiel einer verstehenden Interpretation gegeben, die das Wesen der Shakespeareschen Dramen aus der Riesenseele ihres Schöpfers, zugleich aber aus den anthropologischen, sozialen, literarhistorischen und kulturellen Umständen jener Zeit zu deuten suchte. In Italien, im Umgang mit K. Ph. Moritz, und dann besonders in den Jahren der Freundschaft mit Schiller hatte Goethe eine neue Wendung vollzogen, so gewiß sich schon früh die Ansätze dazu finden. Das Wesen der Kunst, das eine, einige, zeitlose Wesen der Kunst war nicht aus ihrer Funktion, aber auch nicht aus ihrem Urspung zu bestimmen, sondern ganz aus ihr selber. Es geschah mit Hilfe der Einsichten in das Wesen und die Bildungsweisen der Natur, mit Hilfe der angenommenen Struktur-Analogie zwischen Kunstprodukt und Naturprodukt. Es gibt gelegentlich sehr scharfe Abgrenzungen nach beiden Seiten hin. Daß das Kunstwerk zwecklos entstanden und in seinem Wesen frei von aller Bestimmung durch seine Wirkung sei, wird immer wieder verkündet, und mitunter klingt es so, als ob das eigentliche Wesen der Kunst gar nicht in den Kunstwerken, sondern nur in dem Schaffensprozeß des Künstlers zu finden sei[1]. Ebenso gibt es Äußerungen, in denen die Zeitumstände nicht als mitwirkende Kraft, sondern als Hemmnis für das Genie empfunden werden. In ihm liegt ja schon, worauf es zuletzt ankommt: die schaffende Kraft der Form . . .

Aber wie Goethe später sehr wohl auf die Wirkungen und Funktionen der Kunst aufmerksam war und, sobald er vom Standpunkt des Pädagogen auf Zeit, Volk und Völker schaute, recht

---

[1] So in den Teilen aus K. Ph. Moritz' Schrift *Über die bildende Nachahmung des Schönen*, die Goethe später in die Italienische Reise mit dem Bemerken einrückt, sie seien das Ergebnis gemeinsamer Überlegungen.

kräftig wertete und deutliche Forderungen an die Kunst stellte, so
nahm er später auch jenen nie ganz verdrängten Gedanken von
den mitwirkenden und in das Kunstwerk eingehenden Zeitum-
ständen wieder auf[1]. Verstehen nannte er eben diese Betrachtungsweise, das Werk in seiner Gebundenheit an die Individualität des
Verfassers, an dessen Situation und im weiteren an die Lage der
Zeit zu betrachten, «den Dichter aus dem Gedicht, das Gedicht
aus dem Dichter zu entwickeln»[2]. Man kann leicht feststellen,
daß Goethe diese Betrachtungsweise des Verstehens[3] besonders da
anwendet, wo ihn am Kunstwerk etwas befremdet und beunruhigt,
oder wo er, wie bei Kleist und Hoffmann, das Dichtertum aner-
kennen, aber die Werke ablehnen muß. Das Kranke darin sucht
er nun zu verstehen, und zwar als Folge der kranken Natur der
Individualität. Wir hörten es: «die krankhaften Werke des leidenden Mannes», so hieß es von E. T. A. Hoffmann. Und Kleist
erschien ihm als «ein von der Natur schön intentionierter Körper,
der von einer unheilvollen Krankheit ergriffen wäre». War es
hier jedesmal eine dauernde Krankheit im Menschen, die die
Werke des Künstlers vergiftete, so war es bei Byron eine einmalige
Erkrankung, mit der ein «von Unmut und Lebensüberdruß über-
ladener Monolog (im *Manfred*) . . . verständlich» wird: als Folge
eines (angeblichen) doppelten Mordes, an dem Byron teils indirekt,
teils direkt in Florenz schuldig geworden sei[4]. Im Fall des Werther
erfand Goethe selber jene Legende der plötzlichen Heilung von
einer Zeitkrankheit, die das Entstehen der Krankengeschichte
verständlich machen und − entschuldigen sollte.

Wir geben noch einige weitere Beispiele. An Tiecks *Dramaturgischen Blättern* bewundert Goethe vor allem, wie der Verfasser den *Wallenstein* «durchdringt». Er stimmt zu, wenn Tieck,
vom künstlerischen Standpunkt aus, einige Stellen bemängelt.

---

[1] Vgl. schon die Bemerkung vom 4. September 1803 an Zelter: «*Man muß
sie* (die Kunstwerke) *im Entstehen aufsuchen, um sie zu begreifen.*»

[2] So schon 1804 in der Besprechung der Gedichte von Voss.

[3] Sie unterscheidet sich, wie man sieht, in manchem von dem durch und
seit Dilthey entwickelten Begriff des Verstehens.

[4] Die Leichtfertigkeit, mit der Goethe einem völlig unbegründeten Ge-
rücht Glauben schenkte und es zum Verständnis von Dichtungsgehalten verwendete, zeigt wieder die Bedenklichkeit, die der Methode anhaftet.

Aber Goethe kann diese Mängel aus seiner genauen Kenntnis des Menschen Schiller heraus verstehen: «Die meisten Stellen, an welchen Tieck etwas auszusetzen hat, finde ich Ursache als pathologische zu betrachten. Hätte nicht Schiller an einer langsam tötenden Krankheit gelitten, so sähe das alles ganz anders aus.» Goethe verlangt anschließend sogar eine innige Vereinigung der Ästhetik mit Physiologie, Pathologie und Physik, und hier wird doch schon deutlich, daß das «Verstehen» nicht nur zur Erklärung von künstlerischen Mängeln im Werk dienen soll. Vor Dantes Werk hat sich Goethe immer wieder befremdet gefühlt. Wo immer er von ihm spricht, sucht er über das Verstehen der persönlichen Umstände Zugang zu gewinnen: «Bekennen wir nur..., daß wir ein Gedicht wie Dantes Hölle weder denken noch begreifen können, wenn wir nicht stets im Auge behalten, daß ein großer Geist, ein entschiedenes Talent, ein würdiger Bürger, aus einer der bedeutendsten Städte jener Zeit, zusamt mit seinen Gleichgesinnten von der Gegenpartei in den verworrensten Tagen aller Vorzüge und Rechte beraubt, ins Elend getrieben worden[1].» Mit einer Befremdung mußte Goethe auch beim Divan rechnen, und so gab er dem Werk unter dem Motto:

> Wer den Dichter will verstehen,
> Muß in Dichters Lande gehen,

die ausführlichen Noten und Abhandlungen mit. Die Kenntnis der Lande, in die sich der Dichter da spielfreudig auf die Reise begeben hatte, war, als der mitwirkenden Umwelt, notwendig zum Verständnis. Das größte Unternehmen aber, mit dem Goethe Verständnis für Dichtungen zu schaffen suchte, wurde *Dichtung und Wahrheit*. Alle seine Werke wollte Goethe hier verständlich machen als Ausdruck einer ganz bestimmten persönlichen Situation

---

[1] Voran steht das Bekenntnis, daß er sich seit der Jugend mit Theognis *abgequält* und vergeblich versucht habe, diesem *ungriechischen Hypochonder... einigen Vorteil abzugewinnen»: «Nun aber durch treffliche Altertumskenner und durch die neueste Weltgeschichte belehrt, begreifen wir seinen Zustand und wissen den vorzüglichen Mann näher zu kennen und zu beurteilen.» Mit Verstehen hilft sich Goethe auch in *Romeo und Julia* über die beiden ihn störenden *komischen Figuren»* Mercutios und der Amme hinweg: es seien wahrscheinlich Rollen für *zwei beliebte Schauspieler».

inmitten einer ganz bestimmten Zeitlage. Wir sind noch längst nicht mißtrauisch genug gegenüber den Angaben, die Goethe zur Entstehung seiner Werke macht, weil wir noch nicht genug die Einheit und Macht jenes Stilprinzips erkannt haben, mit dem dieses Kunstwerk einer Autobiographie Gestalt gewonnen hat.

Aber wieder geht es nicht um Bedenken im einzelnen, sondern darum, den Goetheschen Begriff des Verstehens in seinem vollen Umfang zu erfassen. Und da hat sich bereits ergeben, daß Verstehen nicht nur zur Erklärung von künstlerischen Schwächen oder angesichts von Befremdendem zu dienen hat, sondern überall am Platze ist: in jedes Kunstwerk ist die Persönlichkeit des Künstlers und die Lage der Zeit eingegangen, so scheint es der Auffassung des nachklassischen Goethe zu entsprechen, jedes Werk kann daraufhin befragt werden.

Wir lassen offen, wieweit der spätere Goethe darin eine Trübung des Kunstcharakters sieht, – er sieht darin auf jeden Fall eine Bedeutung der Kunst. Es ist für ihn nicht nur legitim, sondern erweiternd, ja bildend, wenn wir solchen Bezügen des Werks zu Autor und Zeit nachgehen, vom einen zum andern schauend. Wir kennen Goethes Mißtrauen gegenüber der Geschichte, bei der doch eigentlich nichts herausgekommen sei. Wo Kunstwerke entstanden sind, da ist nun etwas herausgekommen, etwas die Geschichte Überdauerndes sogar. Und so erfährt die Geschichte als die unwegdenkbare Voraussetzung der übergeschichtlichen Kunstwerke hier eine Rechtfertigung. Die Verworrenheit der oberitalienischen Stadtgeschichte im ausgehenden Mittelalter, das an Dante verübte Unrecht, sie sind nicht mehr so absurd, wenn daraus eine Divina Commedia geworden ist. Das Verstehen der Kunstwerke macht aus der Geschichte – über seinen Anteil an der Deutung des Werkes hinaus – bildende Kräfte frei. Gewiß steht dabei für Goethe unter den geschichtlichen Bezügen die Künstlerpersönlichkeit voran, aber in ihr sind nun einmal die Zeitumstände eingeschlossen: «Den echten Dichter wird niemand kennen, als wer dessen Zeit kennt[1].» Daß der alte Goethe seine eigenen Werke in dieser Art, das heißt mit dem Durchblick auf ihn als Menschen und seine wechselnden Umstände gelesen haben

---

[1] *Von Knebels Übersetzung des Lucrez.*

wollte, zeigt jene Bemerkung in der Anzeige der Ausgabe letzter Hand von 1826: «Vollständig nennen wir sie in dem Sinne, daß wir dabei den Wünschen der neuesten Zeit entgegenzukommen getrachtet haben. Die deutsche Kultur steht bereits auf einem sehr hohen Punkte, wo man fast mehr als auf den Genuß eines Werkes auf die Art, wie es entstanden, begierig scheint und daher die eigentlichen Anlässe, woraus sich jenes entwickelt, zu erfahren wünscht; so ward dieser Zweck besonders ins Auge gefaßt, und die Bezeichnung vollständig will sagen, daß teils in der Auswahl der noch unbekannten Arbeiten, teils in Stellung und Anordnung überhaupt vorzüglich darauf gesehen worden, des Verfassers Naturell, Bildung, Fortschreiten und vielfaches Versuchen nach allen Seiten hin klar vors Auge zu bringen[1].» Das Stilgesetz, unter dem Dichtung und Wahrheit stand, gibt auch der Ausgabe letzter Hand ihren besonderen Charakter. So sehr wir es Goethe danken, daß er aus seinem genetischen Denken heraus diese Ausgabe so «vollständig» gemacht hat, – ein Verfahren, bei dem ihm die Editionstechnik mit Recht gefolgt ist, und welcher Interpret hätte nicht schon aus einem unbeachteten Fragment, aus einem abgelegten und abgelegenen Zettel bedeutsame Förderung gewonnen–, so freudig wir auch vielfach dieser verstehenden Betrachtung Goethes folgen – obwohl ein abgewandeltes Goethewort unseren Eifer manchmal hemmen sollte: daß nämlich ein Gegenstand der Geschichte, vom Künstler ergriffen, schon nicht mehr der Geschichte angehöre –, so ist doch nicht zu verkennen, daß wir uns damit von dem Kunstwerk selber um so weiter entfernen, je näher wir dem Dichter und seiner Zeit kommen. Goethe ist sich dieser Gefahr in der Tat bewußt gewesen. Statt vieler Belege und neben

---

[1] Mit gewiß vollster Zustimmung druckte Goethe in *Kunst und Altertum* die Besprechung der französischen Übersetzung seiner dramatischen Werke durch Ampère ab, in der es hieß: «*Alle* (seine Werke) *sind in einem verschiedenen Geist verfaßt. Wenn man von einem zum andern geht, so tritt man jedesmal in eine neue Welt ein... Liest man ihn, so muß man von dem Gedanken ausgehen, daß ein jedes seiner Werke auf einen gewissen Zustand seiner Seele oder seines Geistes Bezug habe: man muß darin die Geschichte der Gefühle suchen, wie der Ereignisse, die sein Dasein ausfüllten.*» Der Verfasser war der gleiche Ampère, den Goethe in jener Typologie der *Teilnahme am Kunstwerk* als Repräsentanten des Verstehens anführte.

dem gewichtigen Argument ex silentio (Goethe pflegt nämlich,
wo er von den größten Werken spricht, das Verstehen kaum an-
zuwenden), sei nur ein Zitat gegeben oder vielmehr vollständig
gegeben; denn jenes Motto zu den Noten des Divan ist ein Vier-
zeiler:
Wer das Dichten will verstehen,
Muß ins Land der Dichtung gehen;
Wer den Dichter will verstehen,
Muß in Dichters Lande gehen.

Das Land der Dichtung ist ein anderes als das Land welches
Dichters auch immer; im Raum und in der Zeit ist es nicht zu
finden[1]. Persönlichkeits- und Zeittendenzen gehen – verwandelt
– in die Dichtung ein, und mit Stoff, Behandlung und Gehalten,
die man sich aneignet, wirkt sie ins Leben. Aber um ihr volles
Wesen zu erfassen, um zu erkennen, was denn das wahre – nun
nicht mehr verstehende *Durch*dringen, sondern Durch*dringen*
und Durchdrungen-werden bedeutet, müssen wir höher steigen.
Wir können dabei gleich vorwegnehmen: was sich als eine dem
Wesen der Kunst entsprechende Wirkung einstellt, das hat
nach Goethescher Auffassung auf der anderen Seite, nämlich im
Schaffensprozeß, seine Entsprechung. Und noch eines ist voraus-
zuschicken, bevor wir den Aufstieg in die «höheren Regionen»
beginnen: Goethes Äußerungen sind hier spärlicher, zurückhaltender und dunkler. Mehrfach bekennt er, daß wir hier an die
Grenzen der Sprache und des Sagbaren geraten: «daß keine Worte
zart und subtil genug sind»[2]. Zugleich sind die Äußerungen sub-
jektiver. Denn hier, wo es um die höchsten Wirkungen der Kunst
geht, hilft keine Beobachtung der Zeitgenossen: zum wahren Erfassen eines Kunstwerkes sind nur wenige fähig, wenige erfahren,

---

[1] Die Notwendigkeit, aber auch die Begrenztheit des Verstehens wird
ebenso aus folgender Bemerkung deutlich, die in den Umkreis der Äußerungen über Weltliteratur gehören: *«Die Besonderheiten einer jeden* (Nation) *muß
man kennen lernen, um sie ihr zu lassen, um gerade dadurch mit ihr zu verkehren:
denn die Eigenheiten einer Nation sind wie ihre Sprache und ihre Münzsorten,
sie erleichtern den Verkehr, ja sie machen ihn erst vollkommen möglich.»* Das war
hier freilich zugunsten des allgemein-menschlichen Gehaltes und seiner Aneignung gesagt.

[2] *Über Wahrheit und Wahrscheinlichkeit der Kunstwerke.*

was Kunst zutiefst bedeuten kann. Die Ansprüche, die Goethe dabei stellt, sind kaum zu erfassen. Mochte es 1789, als der mit Moritz durchdachte Harmonie-Begriff in seinem Denken eine besondere Rolle spielte, geheißen haben: das Kunstwerk «will durch einen Geist, der harmonisch entsprungen und gebildet ist, aufgefaßt sein», so wird die Wendung von dem harmonisch Gebildeten später zu der unbestimmteren, aber vielleicht anspruchsvolleren von dem «höher Gebildeten» umgeformt.

In dem Nachlaß Goethes fand sich ein kleiner Aufsatz, der unter dem Titel *Epoche der forcierten Talente* eine zusammenfassende Deutung seiner Zeit enthielt, und zwar vom Standpunkt der wahren Dichtung aus. Durch Philosophen und philosophierende Dichter sei der Mitwelt die Bedeutung des Gehaltes aufgegangen und seien ihr bedeutende Gehalte zur Verfügung gestellt worden. Durch Voss und die romanisierenden Romantiker habe sich die Technik der Behandlung verfeinert. «Und nun erschien das sonderbare Phänomen, daß jedermann glaubte, diesen Zwischenraum ausfüllen und also Poet sein zu können.» Mit deutlichem Spott spricht Goethe von der «Masse der Dichtenden», das heißt der Dilettanten, und mit spürbarem Groll von der Tendenz, die «große Kluft... zwischen dem gewählten Gegenstande und der letzten technischen Ausführung» durch Gesinnungen auszufüllen: christliche, heidnische, romantische. (Unter den letzten haben wir u. a. patriotische Gesinnungen zu verstehen; daß Dilettanten gerne damit zu wirken pflegen, hat Goethe mehrfach geäußert[1].) Goethe spricht hier nur über das Falsche. Das Richtige müssen wir erschließen und können es. Wahre Dichtung kann nur der Künstler schaffen, nicht der Dilettant. Aus Addition von Stoff, Behandlung und Gehalt ergibt sich niemals ein Kunstwerk; sie müssen sich zur kunsteigenen Gestalt durchdrungen haben, und das kann nur durch jene Kraft geschehen, von der sie alle nichts ahnen: durch die Form[2]. «Was dem Dilettanten eigentlich

---

[1] Zum Beispiel in dem großen Aufsatz über Dilettantismus.

[2] Goethe kann gelegentlich Form und Behandlung gleichsetzen, und so haben wir schon oben bei der Behandlung des Stoffes von der äußeren Form gesprochen. Hier und im folgenden bedeutet Form immer innere Form bzw. Formkraft. – Vgl. Elizabeth M. Wilkinson, *Goethe's Conception of Form*. Proc. of the Brit. Academy 37, 1951, und die Arbeiten Günther Müllers.

abgeht, ist Architektonik im höchsten Sinne, diejenige ausübende Kraft, welche erschafft, bildet, konstituiert[1].» Und an anderer Stelle: «Das wahre dichterische Genie... besitzt die höhere innere Form[2].»

Im Künstler wirkt sie; nicht als dauernde Fähigkeit, die ihm zur beliebigen Verfügung stände. Die höchste Produktivität steht nicht in seiner Gewalt, sie kommt als «Eingebung», als «Genius»[3], als «Anwehen eines befruchtenden göttlichen Odems»[4], als Kraft der Natur, – immer hat Goethe den Augenblick der Konzeption, da dem Künstler plötzlich das Bild der Gestalt aufgeht, in der Stoff und Gehalt von der Form durchdrungen sind, als geheimnisvollen Einbruch eines Überpersönlichen empfunden. Seit seiner Jugend bezeichnet er ihn als «Erfindung»[5], im Alter gern mit dem Zusatz «Erfinden, Entdecken im höheren Sinne»[6]: es ist eine «Offenbarung, die den Menschen seine Gottähnlichkeit vorahnen läßt. Es ist eine Synthese (Durchdringung) von Welt und Geist, welche von der ewigen Harmonie des Daseins die seligste Versicherung gibt.» Der Bedeutungsgehalt der inneren Form, der Einheit, Ganzheit, der Gestalt des Kunstwerks ist – wir dürfen nicht sagen: die Entdeckung der Wahrheit, sondern bescheidener: die Ahnung einer Nähe zum Unerforschlichen, der Gleichnischarakter für das Unbeschreibliche.

Der Künstler ist die Stätte, wo die Konzeption geschieht; seines Amtes ist es, die Behandlung, die Ausformung vorzunehmen, an der, wie wir immer wieder hörten, die Bewußtheit stärksten Anteil haben mag, damit sich in der Ausführung weiterhin alles durchdringe. Er muß auch dabei von aller Eigenwilligkeit absehen, wie sie die forcierten Talente kennzeichnet; er muß in völliger Hingabe an die Konzeption, in Aufgabe seiner Individualität schaffen. Goethe hat das seit je als Spielen bezeichnet, Spielen in

---

[1] *Über den Dilettantismus.*

[2] Rezension des *Wunderhorns.* Vgl. auch *Eingeschaltetes* aus den *Noten zum Divan.*

[3] *Max. und Refl.*, ed. M. Hecker, Nr. 759.

[4] Zu Eckermann, 18. 4. 1827.

[5] Vgl. W. Kayser zur Konzeption der Jugenddramen in: *Hambg. Ausg.* IV, S. 559 f.

[6] *Max. und Refl.*, Nr. 562.

einem sehr ernsten Sinne[1]. Mochte Goethe da, wo Kunst verstanden werden soll, den Anteil von Persönlichkeit und Zeitum-
ständen betonen, mochte er sich den jungen Dichtern darin als
Vorbild empfehlen, daß der Künstler «immer nur sein Individuum
zutage fördern wird», – so galt das alles doch nur in dem Bereich,
wo gedichtet werden soll und wo die Bedeutung der Kunst darin
lag, auf die eigene Zeit zu wirken. Da konnte Goethe im gleichen
Zusammenhang Vorschriften für die Gehalte geben, das heißt
Zwecke setzen: «Man halte sich ans fortschreitende Leben.» Das
war mit dem ganzen Ethos des Pädagogen gesagt, und wir wissen,
ein wie «treuer, für Nationalbildung besorgter Teilnehmer» Goethe sein konnte. Und doch lag in allem ein stiller Vorbehalt, eine
tiefste Ironie. Denn was in diesem Bereich voll und ganz galt, das
galt gar nicht mehr in den «höheren Regionen». Im Schaffen des
wahren Künstlers, das aus Eingebung stammte und sich im Spielen
vollendete, gab es keine Zwecke mehr, da galt vielmehr jene alte
Einsicht, deren Bestätigung durch Kant Goethe als eine der größten Beglückungen seines Lebens empfunden hat: «Natur und
Kunst sind zu groß, um auf Zwecke auszugehen[2].» So steht es in
einem Brief an Zelter, den Goethe stets der höchsten Eröffnun-
gen gewürdigt hat. Da galt auch, daß der wahre Künstler sich aus
allen «Schalen und Schlacken der Zeit und des Individuums...
hindurch und heraus zu arbeiten hat»[3], daß er in der Begegnung
mit dem Höheren sich von seiner Persönlichkeit befreite, – wie
es Hatem vor Suleika geschah. Persönlichkeit war er als in der
Zeit lebender Mensch und sollte es sein. Als Künstler mußte er
seine irdische Existenz aufgeben, um eine höhere zu gewinnen:

---

[1] Vgl. oben, *Goethe und das Spiel*.

[2] An Zelter, 29.1.1830. Ebd. das berühmte Wort über das «*grenzenlose
Verdienst unsres alten Kant*» und den frühen «*Haß gegen die absurden End-
ursachen*». Geradezu emphatisch interpretiert Goethe aus Aristoteles den
Zweckgedanken heraus: «*Wie konnte Aristoteles in seiner jederzeit auf den Gegenstand hinweisenden Art... an die Wirkung, und was mehr ist, an die entfernte Wirkung denken, welche eine Tragödie auf den Zuschauer vielleicht
machen würde? Keineswegs!*» (*Nachlese zu Aristoteles' Poetik.*)

[3] *Zum Andenken Lord Byrons*. Der Stelle kommt als Aussage über Lord
Byron, das Urphänomen des Künstlers in Goethes Auffassung, besondere
Bedeutung zu.

und immer wieder eine andere. Denn jedes konzipierte und spielend geschaffene Werk – wir dürfen an Goethes Zustimmung zu den Sätzen Ampères (s. o.) erinnern – war eine eigene Welt mit eigener Gestalt und eigenem Geist. Der war in seiner Tiefe dem Verstehen und dem Deuten gar nicht mehr zugänglich, sondern blieb ewig, mit einem Lieblingswort des alten Goethe: «inkommensurabel»[1]. Der Künstler soll immer ein anderer sein, seine Werke immer neuartig. Es war ein Zeichen, wie sehr E. T. A. Hoffmann aus seiner (kranken) Individualität heraus schuf, wenn er immer bei der gleichen Manier blieb. Shakespeare, Schiller, Byron waren immer andere, konnten sich stets von sich selber befreien; es ist bekannt, wie Goethe Zacharias Werner, in dem er ein großes dichterisches Naturell witterte, vor dem Festwerden in einer Manier bewahren wollte.

Was aber ist die Bedeutung solcher höchster Kunst, die wir bisher nur in ihr selbst und in ihrem Ursprung betrachtet haben? Was kann sie wirken? Was geschieht in dem Sich-durchdringen mit der Einheit des Kunstwerks? Deuten und Verstehen, in den unteren Bezirken förderlich und bildend, reichen hier nicht mehr heran. Ebenso bleibt das Sich-aneignen unzulänglich, das ja immer nur einzelnes herausgreift, um es zum Verselbsten der Persönlichkeit zu benutzen. In dem Sich-durchdringen geschieht nun gerade, was auch dem schaffenden Künstler geschah: das Freiwerden von sich selber, das Sich-lösen von der eigenen Existenz, das «Entselbstigen», um mit Goethe zu sprechen. So hieß es schon in den *Anmerkungen zu Diderots Versuch über die Malerei* (1789/90) von dem Kunstwerk, daß es, «den Menschen auf die höchsten Stufen seiner Existenz erhöht, ihn dort gleichsam schwebend erhält und um das Gefühl seines Daseins sowie um die verfließende Zeit betrügt». Aber doch war damals etwas anderes gemeint. Der Mensch gelangte auf die höchsten Stufen *seiner* Existenz, er drang für Augenblicke in das Zentrum seiner Persönlichkeit, er wurde gesammelt. Goethe übernahm als Klassiker diesen aus der religiösen Sprache des Pietismus stammenden und von Herder in die Ästhetik gewen-

---

[1] Das Inkommensurable betont Goethe bei Shakespeare, bei Byron, bei Manzoni. Über das Unaussprechliche des Symbols vgl. Max. und Refl., Nr. 1112/13. Vgl. dazu die Bemerkungen über die eigenen Werke.

deten Begriff[1], der auch für die Kunstlehre eines Hölderlin und vor allem eines Grillparzer so wichtig werden sollte. Der Satz aus dem Aufsatz *Über Wahrheit und Wahrscheinlichkeit der Kunstwerke* von 1797 verrät ja deutlich, wie die religiösen Gehalte des Wortes in die Kunstlehre einströmen: «Der wahre Liebhaber... fühlt, daß er sich aus seinem zerstreuten Leben sammeln, mit dem Kunstwerke wohnen, es wiederholt anschauen und sich selbst dadurch eine höhere Existenz geben müsse.»

In den Äußerungen des nachklassischen Goethe über die Kunst findet sich das Wort nicht mehr. Jetzt bewirkt das Kunstwerk die Entrückung, die Erhebung, die Entgrenzung des Ich:

> Denn das ist der Kunst Bestreben,
> Jeden aus sich selbst zu heben,
> Ihn dem Boden zu entführen;
> Link und Recht muß er verlieren
> Ohne zauderndes Entsagen;
> Aufwärts fühlt er sich getragen.

Solche Erfahrung gibt dem Menschen Freiheit, von der Zeit, den Umständen, seinem besorgenden Ich; sie macht ihn zum «höheren Menschen», der sich selber und der Umwelt in Heiterkeit gegenüberzutreten vermag. Wer nicht sich aufzugeben bereit ist, dem ist die letzte Teilnahme am Kunstwerk versagt. Goethe hat sogar an Wieland festgestellt, daß ihn seine «Behutsamkeit» abgehalten habe, sich der antiken Kunst ganz hinzugeben: «Denn die Kunst überhaupt, besonders aber die der Alten, läßt sich ohne Enthusiasmus weder fassen noch begreifen. Wer nicht mit Erstaunen und Bewunderung anfangen will, der findet nicht den Zugang in das innere Heiligtum.» Erstaunen und Bewunderung, – wir begegnen diesen Ausdrücken häufig beim älteren Goethe, wo er von der Haltung gegenüber der Kunst und von ihrer Wirkung spricht[2]. Und wir begegnen vor allem einem Wort: Ehr-

---

[1] Vgl. A. Langen, *Der Wortschatz des deutschen Pietismus*, 1954, Stichwort *Sammlung.*

[2] *Über Byrons «Cain»: «Da es mich denn zum Erstaunen und Bewundern aufregte; eine Wirkung, die alles Gute, Schöne und Große auf den rein empfänglichen Geist ausüben wird.»*

furcht. «Heilige Gnade Gottes und der Natur» nennt er sie und stellt sie der Erbsünde als «Erbtugend»[1] entgegen. Bewunderung und Ehrfurcht überkommen uns, wenn wir uns mit der Einheit des Kunstwerks durchdringen. Denn die Einheit, diese gestalthabende Welt ist ja Gleichnis des Unbeschreiblichen, Ahnung von der Nähe des Unerforschlichen. Das Kunstwerk ragt für Goethe nicht, wie für so manche Romantiker, hinüber; es bleibt, auch als höchstes Werk, diesseits der Grenze, die allem Leben gezogen ist. Hindert uns schon solches Betonen der Grenze, das Goethesche Erfahren der Kunst mit ihrer Entgrenzung als dionysisch zu bezeichnen, in dessen Erlebnis der Mensch ja dem Gott unmittelbar begegnet, so kommt noch ein anderes hinzu. Das dionysische Erleben stößt uns, nachdem die Trunkenheit der Gottbegegnung verrauscht ist, in Mißmut, Leere, Resignation oder eine zehrende Sehnsucht. Die Begegnung mit dem Kunstwerk aber hat uns, wenn wir uns nun in Freiheit und Heiterkeit dem Leben wieder zuwenden, – nun wahrlich nicht belehrt und gebessert und nicht gesagt, was wir tun und denken sollen, aber sie hat uns gesteigert und bereichert. Ja, die Kunst selber, die uns enthebt und entrückt, wendet uns ins Leben zurück. Große Kunstwerke versetzen den Geist, so lesen wir mehrfach, in Unruhe und Spannung Vor allem aber, als Letztes und Höchstes, wenn wir nach der Bedeutung der Kunst fragen: sie machen uns produktiv, machen uns schöpferisch. «Dies ist die Eigenschaft des Geistes, daß er den Geist ewig anregt», so beginnt der Aufsatz über «Shakespeare und kein Ende». «Die höchste Wirkung des Geistes ist, den Geist hervorzurufen»[2], heißt es an anderer Stelle, und damit ist nicht der Geist als Verstand gemeint, sondern als Schöpfer, als creator spiritus. Wir wissen aus Goethes eigenem Schaffen, wie er sich in großen Begegnungen produktiv verhalten mußte.

> Weltseele komm uns zu durchdringen!
> Dann mit dem Weltgeist selbst zu ringen,
> Wird unserer Kräfte Hochberuf.

---

[1] *Don Alonzo ou l'Espagne.*
[2] *Anmerkungen zu Diderots Versuch über die Malerei.*

Das Zitat mahnt uns, bei diesen Betrachtungen nicht außer acht zu lassen, was sich schon auf den niederen Stufen ergeben hatte: für Goethe galt das Entselbstigen und dann wieder Verselbsten, das Entrücktwerden und dann wieder Produktivwerden, galt alles, was vom höchsten Wesen und Wirken der Kunst zu sagen war, so spezifisch es hier in Erscheinung trat, doch nicht nur für die Kunst. Auch das durch Wörter wie Erfindung, Entdeckung, Konzeption bezeichnete Phänomen hat nicht nur im künstlerischen Bereich statt. Uns scheint die Einschränkung, zu der solche Ausweitung führt, ein bemerkenswerter Zug an der Goetheschen Auffassung von der Bedeutung der Kunst zu sein und um so bemerkenswerter, wenn wir an die übersteigerten Auffassungen mancher Romantiker und später der Symbolisten und ihrer Jünger denken. Kunst ist für Goethe nicht die und nicht eine Brücke, die ins Absolute führt; Kunst ist auch nicht das einzige Kulturgebiet, das dem Menschsein noch Sinn gibt, nachdem alle anderen sich als ohnmächtig erwiesen hätten. Die Bedeutung der Kunst liegt auch nicht darin, daß sie uns im Kunstgenuß den Rausch der Entgrenzung und Entrückung verschafft. Jede auf den bloßen ästhetischen Genuß hin vereinseitigte Lebensweise ist für Goethe Zeichen einer Erkrankung. Im Erleben waltet die Polarität, und die Kunst selber ist nur *ein* Bereich, *eine* Weltgegend des Geistes neben anderen. So eigenartig ihr Wesen und ihre Wirkung sind, sie sind nicht einzigartig, und die Ehrfurcht, die uns beim Durchdrungenwerden überkommt, ist die Betätigung einer Tugend, die mehr zu umfassen vermag als die Kunst.

Beobachtungen
zur Verskunst des West-östlichen Divans

Der *West-östliche Divan* ist der dritte und letzte der großen lyrischen Zyklen Goethes. Ausgelöst wird er durch die gewiß nicht unvorbereitete Begegnung mit dem persischen Dichter Hafis, dessen Übersetzung durch von Hammer-Purgstall (1812/13) Goethe 1814 in die Hände kam. Ein solcher Schaffensbeginn, das heißt eigene Produktivität als Antwort auf die Begegnung mit einem dichterischen Phänomen, ist nun gewiß nichts Einmaliges in Goethes Werk. Eigenartig aber war, wie hier das Verhältnis zu Welt und Umwelt, wie jetzt die biographischen Erlebnisse, vor allem auf den beiden Reisen in die Main- und Rheingegenden 1814 und 1815, der entstehenden Dichtung förderlich wurden: selber gewiß als Motive in dem Rahmen der dichterischen Welt vorgegeben und vorbestimmt, aber in der erlebten Aktualität neue, ungeahnte Wucht und Tiefe erfahrend. Eigenartig war auch die Wucht des Schaffensvorgangs. Hatte Goethe als Lyriker jahrelang fast geschwiegen, so drängten sich ihm die Gedichte jetzt in einer auch vorher kaum so erlebten Fülle auf. An jedem Tag der Fahrt des Jahres 1814 entstanden mehrere; zwischen Eisenach und Fulda waren es gar neun. Das stürmische Schaffen wiederholte sich während der Reise im nächsten Jahr; in Eisenach allein diktierte er sechs Gedichte. Besonders fruchtbar waren auch die Wochen des September und Oktober 1815, die Zeit mit Marianne von Willemer und nach dem Abschied. Nach der Heimkehr tritt eine Beruhigung im Schaffen ein, nur Sprüche entstehen noch. Erst 1818, da der Druck beginnen soll, kommt es zu einer neuen Schaffensepoche und 1820 auf der Reise nach Karlsbad; die Redaktion für die Ausgabe letzter Hand im Jahr 1827 führt zu den letzten Einschüben. Aber nicht erst diese späten Zusätze fügen sich in einen Rahmen. Schon nachdem die ersten 30 Gedichte entstanden sind, schon im Juli 1814 weiß Goethe, daß sich ein «Ganzes» bildet, ein zyklisches Werk, und die Hunderte von Gedichten, die noch hinzukommen, entspringen sozusagen einer «geregelten Einbildungskraft.» Als er im Mai 1815 einige Gedichte aus dem *Divan* zur Vertonung an Zelter schicken will, stellt er mit Überraschung fest, daß es nicht geht: «Jedes einzelne Glied ist nämlich so durchdrungen von dem Ganzen . . . und muß von einem vorhergehenden Gedicht erst exponiert sein, wenn es auf Einbildungskraft und Gefühl wirken soll. Ich habe selbst nicht gewußt, welches wunderliche Ganze ich daraus vorbereitet.»

Aber gilt die Wendung von der geregelten Einbildungskraft auch von der Form der Gedichte? Scheint da nicht völlige Freiheit geherrscht und sich jedes Gedicht in seiner ganz ihm eigenen Form aufgedrängt zu haben? Man findet beim ersten Durchblättern einen dauernden Wechsel der Versmaße: bald lange, bald kurze Zeilen, Jamben, Trochäen, freigefüllte Verse, sogar freie Rhythmen, Strophen der verschiedensten Ausdehnung und mit den verschiedensten Reimanordnungen. Dieser Befund ist um so überraschender, wenn man an die einheitliche äußere Form der beiden früheren großen Zyklen denkt: das «elegische» Versmaß dort und die Sonettform hier. Ist der *Divan*, formal gesehen, doch ein zusammengeraffter Strauß aus unzähligen wildgewachsenen Blumen?

Bei genauerem Durchblättern ergibt sich zunächst, daß keineswegs alles im *Divan* möglich ist. Es fehlen nicht nur die beiden Formen der früheren Zyklen, Distichon und Sonett, sondern es fehlen die ganzen Familien, zu denen sie gehören: die antiken Zeilen- und Strophenmaße und die romanischen, das heißt italienischen und französischen Versgebilde wie Stanze, Terzine, Triolett, Rondeau, «ballade» usf. Es fehlt vieles von dem, was Goethe als Lyriker durchaus geläufig war. Eine erste Regelung der Einbildungskraft deutet sich also auch im Formalen an, und wir tun gut, nicht mehr an das Bild vom Strauß aus wildgewachsenen Blumen zu denken.

Aber der Eindruck bunter Fülle bleibt gewiß. Es gibt da eine Entsprechung auf dramatischem Gebiet. Während nahezu alle Dramen bis zur *Natürlichen Tochter* einheitlich im Versmaß sind (wenn wir von den Singspielen und Maskenaufzügen absehen), findet sich im zweiten Teil des *Faust* ein bunter Wechsel der verschiedenartigsten Versmaße. Noch die 1800 entstandenen Teile des Helenaaktes waren einheitlich im jambischen Trimeter geschrieben. Doch nicht erst der vollendete zweite Teil bringt die Auflockerung im Metrischen. Mag man die Vielfalt der Verse in

Des Epimenides Erwachen (1814) und *Paläophron und Neoterpe* (1800) noch mit dem Festspielcharakter erklären, so ist die *Pandora* (1808–1810) doch reines Sprechdrama. Vollends aber die (metrisch bunten) Bruchstücke zum *Trauerspiel in der Christenheit* von 1807 zeigen, daß Goethe hier einen neuen Formtypus der Tragödie zu verwirklichen sucht, zu dem eben der Wechsel der Versmaße gehört. Diese Bruchstücke lenken unsern Blick auf das dichterische Phänomen, dem er begegnet war, das sich als eigener dramatischer Formtyp darstellte und dem gegenüber er sich produktiv zu verhalten suchte: auf Calderón. Goethe hatte an der Entdeckung des Calderón durch die beiden Romantiker Tieck und A. W. Schlegel vor allen anderen Zeitgenossen teilgenommen: als ihm Tieck an den Dezemberabenden des Jahres 1799 die so tönereiche *Genoveva* vorlas, das erste deutsche Drama, das dem Formtyp Calderóns nahezukommen sucht (der Eindruck dieser Vorlesungen klingt bis ins höchste Alter nach), und als ihm A. W. Schlegel die Manuskripte seiner Übersetzungen Calderónscher Dramen vorlegte. Goethe ist dann als Theaterleiter einer der Wegbereiter Calderóns auf der deutschen Bühne geworden, aber wir erkennen vielleicht noch nicht genug, wie stark die Begegnung mit Calderón auf Goethes eigenes dramatisches Schaffen gewirkt hat. Wenn er nach 1800 in seinen Dramen die verschiedensten Versmaße mischt, so war das kein Experimentieren mit der äußeren Form: Goethe hat auf metrischem Gebiet nie experimentiert. Die äußere Form war ihm immer Teil der Gesamtphysiognomie, der «Gestalt»: was war alles gegeben und entschieden, wenn Goethe in Knittelversen oder Blankversen oder Stanzen, Sonetten und Terzinen dichtete!

Der rasche Gang durch Goethes späte Dramatik war ein Umweg, gewiß, aber er führt uns zur Lösung einiger Formprobleme des *Divan*. Auch Hafis stellte sich in einer eigenen Form dar: in der des Ghasels. Daß Goethe bei der Schöpfung seines *West-östlichen Divans* die Frage nach der Form in allem Umfang durchdacht und bewußt entschieden hat, dürften wir annehmen, auch wenn wir im *Divan* und den *Noten* dazu nicht den Niederschalg solcher Erörterungen fänden. *Nachbildung* heißt ein früh (am 7. 12. 1814) entstandenes Gedicht im Buch Hafis, und zu Beginn scheint es, als werde Goethe die Form des Ghasels übernehmen, der sich das Gedicht selbst annähert:

> In deine Reimart hoff ich mich zu finden,
> Das Wiederholen soll auch mir gefallen...,

Aber schon das fast palinodische Gegengedicht weist den Gedanken einer Nachbildung mit überraschender Deutlichkeit ab:

> Zugemeßne Rhythmen reizen freilich,
> Das Talent erfreut sich wohl darin;
> Doch wie schnelle widern sie abscheulich,
> Hohle Masken ohne Blut und Sinn;
> Selbst der Geist erscheint sich nicht erfreulich,
> Wenn er nicht, auf neue Form bedacht,
> Jener toten Form ein Ende macht.

Auf «neue Form» ist Goethe bedacht. Das meint nicht neuartige Form – die Versmaße des *Divan* waren Goethe zum größten Teil geläufig: Es meint eher die für die west-östliche Welt des *Divan* eigene Form. Der «westliche Gehalt» war offensichtlich doch so mächtig, daß sich Goethe eine Übernahme der östlichen Form verbot, wenn er sich auch in einigen wenigen Gedichten dem Ghasel annäherte. In den *Noten* finden sich weitere Erörterungen zu dem Problem. Weil er sich im «Ästhetischen Verständlichkeit zur ersten Pflicht» gemacht habe, befleißige er sich der schlichtesten Sprache «in dem leichtesten, faßlichsten Silbenmaße seiner Mundart.» Das ist wieder nicht ganz wörtlich zu nehmen. Denn so gewiß nicht überall Verständlichkeit erstrebt, sondern auch in den *Divan* vieles hineingeheimnißt wurde, so gewiß handelt es sich im Metrischen nicht um ein Silbenmaß, sondern um eine bunte Fülle davon. Aber bevor wir sie näher betrachten, halten wir uns noch bei einem Abschnitt der *Noten* auf. Er ist für Goethes Poetik überhaupt von der höchsten Bedeutung: schon der Titel *Eingeschaltetes* besagt es: Goethe zerreißt mit ihm in der Tat die Zusammenhänge der kulturhistorischen Darstellung. «Die Besonnenheit des Dichters», so heißt es ganz allgemein, «bezieht sich eigentlich auf die Form, den Stoff gibt ihm die Welt nur allzu freigebig, der Gehalt entspringt freiwillig aus der Fülle seines Innern;

bewußtlos begegnen beide einander, und zuletzt weiß man nicht, wem eigentlich der Reichtum angehöre. Aber die Form, ob sie schon vorzüglich im Genie liegt, will erkannt, will bedacht sein, und hier wird Besonnenheit gefordert, daß Form, Stoff und Gehalt sich zueinander schicken, sich ineinander fügen, sich einander durchdringen». Wir müssen hier auf eine Erörterung der Begriffe Stoff und Gehalt verzichten, die in Goethes Poetik eine wichtige Rolle spielen. Uns genügt an dieser Stelle das Bekenntnis, daß der Dichter des *Divan* die Form (und damit auch die Versmaße) wohl bedacht habe. Damit haben auch wir die Pflicht, diesen Fragen eine besondere Aufmerksamkeit zu schenken und den Anteil zu ermitteln, den die Versmaße an dem Gesamtgefüge des *Divan* besitzen.

Wir fragen zunächst, was sich bei einer Bestandesaufnahme der Versmaße im *Divan* ergibt[1]. Von den 256 Divangedichten[2] mit ihren 3396 Versen sind 1838 Verse trochäisch; das sind 54%. 77% der Divanverse sind kurzzeilig (bis zu 4 Hebungen); die vierhebigen Zeilen sind selber mit 49% vertreten, und rund 42% aller Divanverse sind vierhebige Trochäen. In diesem Versmaß nimmt uns der *Divan* auf:

> Nord und West und Süd zersplittern,
> Throne bersten, Reiche zittern,
> Flüchte du, im reinen Osten
> Patriarchenluft zu kosten,
> Unter Lieben, Trinken, Singen
> Soll dich Chisers Quell verjüngen.

Und mit vierhebigen Trochäen entläßt uns der *Divan*:

> Wo das Schöne, stets das Neue,
> Immer wächst nach allen Seiten,
> Daß die Unzahl sich erfreue.
> Ja, das Hündlein gar, das treue,
> Darf die Herren hinbegleiten.

[1] Ich benutze bei den Zahlenangaben dankbar die Untersuchungen, die Frl. Karin Helm angestellt hat. Auch bei der Behandlung der einzelnen Strophenformen (s. u.) verwende ich manche Beobachtungen aus ihrer Arbeit (*Goethes Verskunst im «West-östlichen Divan»*, Diss. Göttingen 1955).

[2] Einschließlich der Gedichte aus dem Nachlaß.

Mit einem Anteil von 42% stellt sich der vierhebige Trochäus als der beherrschende Vers des *Divan* dar: die anderen Zeilen folgen in weitem Abstand (vierhebig freigefüllte Verse 7%, fünfhebige Trochäen 5%, jambische Zeilen wechselnder Länge 5% usf.) Er gibt dem *Divan* eine gewisse Einheitlichkeit, obwohl wir nicht überhören können, wie verschieden er schon in den beiden zitierten Proben klingt. Und wieder ganz anders in der Siebenschläferlegende:

> Ephesus, gar manches Jahr schon
> Ehrt die Lehre des Propheten
> Jesus. (Friede sei dem Guten!)
> Und er lief, da war der Tore
> Wart' und Turn und alles anders.
> Doch zum nächsten Bäckerladen
> Wandt' er sich nach Brot in Eile.
> «Schelm»! so rief der Bäcker, «hast du,
> Jüngling, einen Schatz gefunden!
> Gib mir, dich verrät das Goldstück,
> Mir die Hälfte zum Versöhnen!»

Kein Reim markiert hier das Zeilenende, und auch die Syntax schlägt ihre Bögen gern über die Zeilen hinweg: die Vierhebigkeit der Zeile bedeutet für den Rhythmus wenig. Es fehlt ebenso die metrische Gleichstrophigkeit und damit eine weitere Ordnungskraft für den Rhythmus. Reimlose und unstrophische Trochäen sind im *Divan* selten (vgl. noch *Kenne wohl der Männer Blicke* und *Der Winter und Timur*), überwiegend sind sie gereimt und in feste Strophen angeordnet. Unter den Strophen überhaupt hält die vierzeilige Strophe die Führung (52% aller Gedichte), und immerhin 27% aller Divanverse stehen als vierhebig gereimte Trochäen in vierzeiligen Strophen. Ein solches Vorwalten einer bestimmten metrischen Form bedeutet nun allerdings – unbeschadet aller Variationsmöglichkeiten – ein durchgehendes, einigendes Band, und es lohnt sich, diese Form und den vierhebigen Trochäus überhaupt näher zu betrachten und sie auf ihren möglichen Gehalt zu befragen.

Die vierzeilige Strophe aus vierhebigen Trochäen war im 18. Jahrhundert – gereimt und auch ungereimt – die herrschende

Form der anakreontischen Lyrik. Damit war ihr ein bestimmtes Ethos eigen geworden: das Leichte, Tändelnde, Witzige. Unter den lyrischen Formen des 18. Jahrhunderts war sie zugleich eine der liedhaftesten, der Vertonung zugänglichsten. Goethe selber hatte sie nicht nur in seiner anakreontischen Lyrik häufig verwendet *(Kleine Blumen, kleine Blätter)*, sondern auch in Singspielen benutzt. Er wurde darin durch das Studium der italienischen Singspiele bestärkt. Aus Rom schrieb er am 10. 1. 1788 über die Umarbeitung von *Erwin und Elmire* (es gilt auch für die neue Fassung der *Claudine*): «Du wirst das trochäische Silbenmaß, besonders im zweiten Akt, öfter finden. Es ist nicht Zufall oder Gewohnheit, sondern aus italienischen Beispielen genommen. Dieses Silbenmaß ist zur Musik vorzüglich glücklich, und der Komponist kann es durch mehrere Takte und Bewegungsarten dergestalt variieren, daß es der Zuhörer nie wiedererkennt; wie überhaupt die Italiener auf glatte, einfache Silbenmaße und Rhythmen ausschließlich halten.» Die Schlußwendung von dem glatten, einfachen Silbenmaße klingt unüberhörbar in jener Wendung der *Noten zum Divan* wieder: der Dichter habe sich der «schlichtesten Sprache in dem leichtesten, faßlichsten Silbenmaße» befleißigt. Spätestens seit der italienischen Reise gilt Goethe die trochäische Zeile (und zwar gerade, wie seine Dichtung zeigt, die vierhebige) als ausgesprochen leichtes, faßliches und der Musik entgegenstrebendes Versmaß.

Aber der vierhebige Trochäus war noch in einem anderen Zusammenhang bedeutungsvoll geworden. Herder hatte bei seiner Übersetzung der spanischen Romanzen für die Volkslieder den spanischen Achtsilber als vierhebigen Trochäus aufgefaßt und so wiedergegeben; es war ihm als Zeichen des spanischen Geistes erschienen, daß die Dichter – obwohl ursprünglich beeinflußt durch «gotische Volkslieder», wie er meinte – den «wilden, männlichen Jambus» aufgegeben hatten zugunsten der «langsamen Trochäen und weiblichen Ausgänge». Wenn Hölty und Bürger die Kunstballade in dem Formtypus der «wilden und männlichen», wir dürfen auch sagen: der nordischen Geisterballade ausgeprägt hatten, so trug das den Spaniern neu abgelauschte Versmaß zur Erweiterung der Formtypen innerhalb der Ballade bei. Goethes Balladen des «klassischen» Jahres 1797 (*Schatzgräber, Zauberlehrling, Gott und Bajadere, Die Braut von Corinth;* er selber nannte sie «Romanzen») verwenden alle den Trochäus, drei davon (und dazu noch *Ritter Kurts Brautfahrt* von 1802) den vierhebigen. Goethe hatte ihn freilich durch den Reim und die kunstvolle Strophik seinem klassischen Formwillen angeeignet; eher spürt man in dem unstrophigen, reimlosen Sprechton der Siebenschläfer-Legende (und *Winter und Timur*) den Zusammenhang mit Herders Nachdichtungen, vor allem seinem *Cid*.

Und noch einmal war es Spanien, das dem vierhebigen Trochäus besondere Bedeutung zuzusprechen schien. Er stellte sich den Deutschen als der bevorzugte Vers Calderóns dar. So zurückhaltend Tieck und die Schlegel in ihren eigenen Dramen ihm gegenüber noch gewesen waren, in den formgetreuen Übersetzungen A. W. Schlegels mußte er sich vordrängen, und offensichtlich wäre er in Goethes *Trauerspiel in der Christenheit* zum herrschenden Versmaß geworden. In der *Pandora* (1808–10) ließ Goethe die weiblichen Figuren (Elpore, Epimeleia, Eos) in verschiedenartigen Trochäen sprechen, auf die sich schließlich auch Prometheus einstimmte.

Wie genau Goethe diese äußerste Formschicht des Calderónschen Dramas beobachtete[1], zeigt sein Wunsch, den er – wie manchen anderen – dem Calderón-Übersetzer Gries mitteilen ließ: «Es wäre ein großer Gewinn, wenn er die ganze Einsiedelsche Vorarbeit gleichmäßig beobachten und sie dem herrlichen Rhythmus des Originals ... näher führen wollte». Dieser Brief stammt vom Anfang des Jahres, in dem Goethe Hafis begegnete (20. 1. 1813). Und drei Jahre später schreibt Goethe dem Übersetzer Gries selber: «Noch eins füge ich hinzu, daß mein Aufenthalt im Osten mir den trefflichen Calderón, der seine arabische Bildung nicht verleugnet, noch werter macht.» Im *Divan* selber aber lesen wir:

---

[1] Vgl. auch A. W. Schlegels Brief an Goethe vom 11.9.1802, mit dem er die Übersendung des «Andacht zum Kreuze» begleitet: «... daß die ganze Ausführung bis in die Feinheiten der Form mit der bestimmtesten Notwendigkeit besteht.»

> Herrlich ist der Orient
> Übers Mittelmeer gedrungen;
> Nur wer Hafis liebt und kennt,
> Weiß, was Calderón gesungen.

Calderón hat die östliche Bildung in sich aufgenommen und ist, er, der Westliche, zum Dichter geworden, in dessen Werk sich Östliches und Westliches begegnen. Es ist wohl kaum zuviel gesagt, wenn wir behaupten, daß die Formensprache des großen Spaniers, d. h. grob gesagt: seine Mischung der verschiedenartigsten Versmaße unter Vorwalten des (angeblich) trochäischen Versmaßes, Goethe als die organische Formensprache einer west-östlichen Dichtung erschien, als die Formensprache, die sich zu Stoff und Gehalt seines Werkes am *besten zu fügen* schien.

Mehr als ein Viertel aller Divanverse sind vierhebige Trochäen, die in einer vierzeiligen Strophe stehen, so hatten wir gesagt. Wenn wir uns im folgenden dieser Strophe, die als typische Divanstrophe gelten muß, zuwenden, so stellen wir noch eine kurze Überlegung voran, welche Variationen in ihr möglich sind. Metrisch können sich die Zeilen unterscheiden durch den Ausgang: sei er durchgehend weiblich, durchgehend männlich oder gemischt (Goethe macht bis auf eine Ausnahme nur von dem ersten und dritten Formtyp Gebrauch). Eng damit verbunden sind die Variationsschemata des Reims. Vom umarmenden Reim (abba) macht Goethe im *Divan* keinen Gebrauch, selten auch nur vom Paarreim (aa bb); fast immer verwendet er den Kreuzreim, sei es in der vollen Form (abab) oder in der reduzierten (xaya). Goethe nutzt also nicht einmal alle Möglichkeiten zur Variation. Wenn sich trotzdem, wie wir meinen, einige charakteristische Strophentypen innerhalb der vierzeiligen Strophe (aus vierhebigen Trochäen) beobachten lassen, so liegt das vor allem an der rhythmischen Gestaltung. Auch dazu seien noch einige allgemeine Überlegungen vorangeschickt.

In den ersten Versen des *Divan* drängt sich die Vierhebigkeit der Zeile deutlich auf: jede metrische Anweisung auf eine Hebung wird kräftig erfüllt. In der Zeile des Schlußgedichtes dagegen:

> An den Busen meinem Volke.

sind nur noch zwei Anweisungen erfüllt, es waltet ein völlig anderer Rhythmus. Er prägt sich nicht nur in der Zahl und dem Verhältnis der Haupt- und Nebenhebungen aus, sondern auch in der Art, wie er die Zeile selbst behandelt. Sie kann als Ganzes eine rhythmische Einheit bilden, ein Kolon, sie kann sich aber auch durch einen merklichen Einschnitt nach der zweiten Hebung in zwei gleiche Hälften gliedern, also dipodisch werden. Aber auch an anderer Stelle können sich Einschnitte finden und die Zeile unregelmäßig aufgliedern. Schließlich wird bei einer rhythmischen Untersuchung zu beobachten sein, ob und wie sich die Strophe gliedert, das heißt ob und wie sich die Kola als kleinste rhythmische Einheiten in höhere Ordnungen fügen. Zuletzt aber werden wir der Frage nicht ausweichen können, so schwierig dabei auch sichere Feststellungen sind, welchen Anteil der Rhythmus an der Gesamtgestalt hat: ob er, den Meinungen der Sätze sich anschmiegend, sie mit seinen Kräften steigert, oder ob er eigenwertig wird und aus eigener Kraft Gehalte schafft, oder ob er gar in Widerspruch zu den Bedeutungen tritt. Erleben wir es doch zum Beispiel an Brentanos Gedicht *Fremd komm ich einhergezogen*, daß der Wanderer zwar bekennt, eine Heimstätte gefunden zu haben («und so bin ich hier zu Haus», so schließt das Gedicht), daß der unruhige Rhythmus des Gedichtes aber (vgl. auch die eigenartige Fahlheit jener Schlußzeile) besagt, daß es für ihn nirgends eine Heimat geben kann. Während andererseits in Eichendorffs Gedicht *Komm, Trost der Welt, du stille Nacht* der Rhythmus besagt, daß der Einsiedler, der sich den Worten nach aus der verwirrenden Welt in die ewige Ruhe hinübersehnt, die Ruhe und Geborgenheit längst besitzt. (Dem Leser von Cleanth Brooks sind solche Paradoxien um so anregender.)

Wir beginnen mit einem Gedicht aus dem Schenkenbuch, das jetzt die Überschrift trägt *Schenke;* es war in einer Abschrift vom 1. 1. 1815 überschrieben: *Der gute Schenke spricht*.

> Heute hast du gut gegessen,
> Doch du hast noch mehr getrunken;
> Was du bei dem Mahl vergessen,
> Ist in diesen Napf gesunken.

Sieh, das nennen wir ein Schwänchen,
Wie's dem satten Gast gelüstet,
Dieses bring ich meinem Schwane,
Der sich auf den Wellen brüstet.

Doch vom Singschwan will man wissen,
Daß er sich zu Grabe läutet;
Laß mich jedes Lied vermissen,
Wenn es auf dein Ende deutet.

Bei der Interpretation des Gedichtes, das während Goethes Aufenthalt im Hause Paulus (Oktober 1814) entstand und wohl auf einem Vorfall beim Mahle beruht, sind sich die Kommentatoren einig: Dreifach würde hier mit der Bedeutung von Schwan gespielt. «Schwänchen» als Bezeichnung für übrigbleibende Früchte und Süßigkeiten, die dem Gaste mitgegeben (oder einem Abwesenden geschickt) werden, ist aus Goethes Sprache geläufig. Aber der Schenke will die Gabe nicht dem Gast, sondern seinem Schwane bringen (II, 3); in der dritten Strophe spielt das Gedicht dann mit der Vorstellung vom sterbenden Singschwan auf den anwesenden Dichter an. Gegen diese einhellige Deutung hat sich M. Mommsen in einer Miscelle (Ztschr. *Goethe*, 1951) gewendet. Er möchte das Spiel mit dem Wort auf die beiden Bedeutungen Schwänchen und Singschwan einschränken und meint, daß schon in II, 3 der Singschwan, also der anwesende Hatem gemeint sei. Nur so füge sich die 3. Strophe glatt dem Zusammenhang ein (manche Kommentatoren hatten, und bei ihrer Deutung zu Recht, den Übergang von Strophe 2 zu Strophe 3 als gewaltsam empfunden), und nur so verliere der Schenke den Zug des «Mechanten»; tatsächlich paßt es ja zu seiner Zärtlichkeit recht wenig (vgl. auch den früheren Titel *Der gute Schenke spricht*), wenn er dem gelüstenden Gast das Schwänchen zeige, aber dann gerade vorenthalte. In der neuen Deutung bringt er es ihm als seinem Schwane und bewährt sich so als der gute Schenke. Mommsen sucht durch zahlreiche Beispiele nachzuweisen, daß die Bezeichnung Schwan für den verehrten Dichtergast als «orientalisierende Matapher» echter Divanstil sei.

Kann eine rhythmische Untersuchung noch neue Argumente liefern und, in den Streit der Meinungen eingreifend, eine Entscheidung bringen? Offensichtlich muß die Zeile III, 1 verschieden gelesen werden, je nach der Deutung, die man zugrunde legt. Erscheint hier nach früherer Meinung «Singschwan» in völlig neuer Bedeutung, so muß es eine starke Betonung bekommen. Die Zeile wird dann dipodisch:

$$\times \; \times \; \overset{''}{\times} \; \times \, ' \; \times \; \times \; \overset{''}{\times} \; \times$$

Nimmt man mit Mommsen an, daß schon in II, 3 der Singschwan gemeint sei und der Schenke jetzt beim Gedanken an die antike Sage erschrecke, so ergäbe sich eine Lesung, die nach «doch» (und zwar einem betonten «doch») kurz verhält, um dann mit aller Energie dem Zeilenende und der nächsten Zeile zuzudrängen:

$$\overset{'}{\times} \, ' \; \overline{\times \; \times \; \times \; \times \; \overset{'}{\times} \; \times}$$

Läßt sich vom Rhythmus her eine Lesung als die wahrscheinliche nachweisen? In jeder Strophe ist die Pause hinter Zeile 2 merklicher als die nach der 1. und 3. Zeile, das heißt je zwei Reihen bilden eine Einheit. Deutlich ist aber auch, daß die Einheit aus der 3. und 4. Zeile in allen drei Strophen von gleichem Rhythmus ist: immer drängt die Bewegung in den Zeilen auf das Ende hin, so daß die metrischen Anweisungen für die beiden ersten Akzente kaum erfüllt werden; man beachte besonders in den vierten Zeilen die völlig unbetonten Einsätze (Ist, Der, Wenn) und die gleiche Füllung des Zeilenendes (Substantiv und Verbform):

$$\times \; \times \; \times \; \times \; \overset{'}{\times} \; \times \; \overset{'}{\times} \; \times$$

Wir wenden uns den ersten Zeilen zu. Zwischen Strophe 1 und 2 besteht da ebenfalls Übereinstimmung: in I, 1 liegt nach dem ersten Wort (heute) eine leichte Pause, in II, 1 ist sie noch ausgeprägter; jeweils drängt die Bewegung danach, die zweiten und dritten Hebungen unterdrückend, dem Ende zu:

$$\overset{'}{\times} \, ' \; \overline{\times \; \times \; \times \; \times \; \times \; \overset{'}{\times}} \; \times$$

Sieh, das nennen wir ein Schwänchen

Wenn man erkannt hat, in welcher Symmetrie die drei Strophen anlaufen, dann kann man der Feststellung nicht mehr ausweichen, daß vom Rhythmus her die letzte Zeile gelesen werden muß:

Doch vom Singschwan will man wissen

Die Deutung Mommsens erweist sich vom Rhythmus her als die richtige. Auch das negative Argument gilt: eine dipodische Lesung von III, 1 wäre in dem Ganzen des Gedichtes völlig vereinzelt und würde in das so feste rhythmische Gefüge nicht passen.

Wir erweitern die Betrachtung über unser Gedicht hinaus. Es wird vom Schenken gesprochen. Zum vierten Male hören wir ihn sprechen. Er trat in Erscheinung, nachdem Hatem den groben Kellner verabschiedet und ihn, den zierlichen Knaben, zum Schenken gemacht hatte. Seine ersten Worte nun lauten:

> Du, mit deinen braunen Locken,
> Geh mir weg! verschmitzte Dirne!
> Schenk ich meinem Herrn zu Danke,
> Nun, so küßt er mir die Stirne.

Es ist ein markanter Einsatz. Dem Kenner des *Divan* wird die erste Zeile im Ohr klingen, sobald er des Schenken gedenkt. Ihr Rhythmus gehört zu dieser Gestalt: die Gestalt des Schenken wird von Goethe auch vom Rhythmus her aufgebaut. Immer wieder hören wir dieses rhythmische Leitmotiv aus den Worten des Schenken:

> Nun, so küßt er mir die Stirne...
> Hier! genieß die frischen Mandeln...
> Schau! Die Welt ist keine Höhle...
> Sieh, das nennen wir ein Schwänchen...

Der Rhythmus in den ersten Zeilen unseres Gedichtes gehört, wie man sieht, in größere Zusammenhänge, nämlich zur Gestalt des Schenken überhaupt, und es ist wohl nicht zuviel hineingehört, wenn man in dieser charakteristischen Zeile schon etwas von dem Kindlich-Kecken, Munteren, Sprudelnden im Wesen des Knaben empfindet.

Aber noch weitere Feststellungen lassen sich an den ersten Worten des Schenken treffen. Zum erstenmal nämlich erklingt die von ihm verwendete Strophe im Schenkenbuch: die vierzeilige Strophe aus vierhebigen Trochäen, die hier durchweg weiblich endigen. Und sie wird immer dann erklingen, wenn der Schenke spricht[1]. Karin Helm hat sie mit Recht als Schenkenstrophe bezeichnet und noch festgestellt, daß ihr eine Lässigkeit im Reimen eigen ist, indem nämlich der Reim zwischen den Zeilen 1 und 3 ausbleiben kann[2]. Geht man der Frage der Entstehungsdaten der Gedichte nach, so ergibt sich, daß alle Gedichte des Schenken in seiner so charakteristischen Strophe in den Oktober- und Dezemberwochen des Jahres 1814 entstanden sind: als Goethe im Hause des Professors Paulus in Heidelberg weilte und kurz danach. Die beiden Gedichte, in denen der Schenke in einem anderen Versmaß spricht, sind 1827 eingefügt worden. Wirkte an der Formung der Schenkenstrophe der Tonfall mit, in dem der dreizehnjährige Paulus sprach? Lag er Goethe 1827 nicht mehr im Ohr? Wer solchen Fragen nachgeht, der wird immerhin – vom rhythmischen Befund her – zu Zweifeln an der von M. Rychner mit zarter Eindringlichkeit vorgetragenen Behauptung kommen, daß Sulpiz Boisserée das lebende Urbild des Schenken gewesen sei.

Aber wir müssen, wollen wir treue Dolmetscher der Formensprache des *Divans* bleiben, unsere Ergebnisse wieder etwas einschränken. Schon die Tatsache, daß Goethe dem Schenken Knittelverse in den Mund legen konnte, weiterhin die Beobachtung, daß die Schenkenstrophe nicht nur vom Schenken gebraucht wird (außerhalb des Schenkenbuches findet sie sich zehnmal), stellen wichtige Hinweise dar. Die Gestalt des Schenken sollte so wenig wie die Suleikas oder Hatems oder der Huri ganz feste Konturen gewinnen. Sie alle sollten ebensowenig scharfe, individuelle Ausprägung erfahren, wie die Beziehungen zwischen ihnen den Cha-

---

[1] Mit zwei Ausnahmen: den vier Zeilen des schläfrigen Schenken am Ende des Buches (Knittelverse) und dem *Saki* überschriebenen Gedicht «Denk, o Herr! wenn Du getrunken.» Die Abweichung besteht hier in dem männlichen Ausgang der Zeilen 2 u. 4. War sie der Grund, weshalb Goethe nicht – wie sonst durchweg in dem Buch – die Überschrift *Schenke*, sondern den Eigennamen *Saki* setzte?

[2] Das findet sich schon in der ersten vom Schenken gesprochenen Strophe.

rakter einmaliger, in einer einsträhnig verlaufenden Zeit sich ausbildender Begebenheiten und Geschehnisse annehmen sollten. Die Welt des *Divan* ist nicht dramatisch geordnet. So ist auch die Sprache des Schenken nicht so fest umrissen, daß er immer im gleichen Rhythmus spräche. Wir hören noch das Gedicht ab, das er nach dem «Schwan-Gedicht» spricht.

> Nennen dich den großen Dichter,
> Wenn dich auf dem Markte zeigest;
> Gerne hör' ich, wenn du singest,
> Und ich horche, wenn du schweigest.
>
> Doch ich liebe dich noch lieber,
> Wenn du küssest zum Erinnern;
> Denn die Worte gehn vorüber,
> Und der Kuß der bleibt im Innern.
>
> Reim auf Reim will was bedeuten,
> Besser ist es viel zu denken.
> Singe du den andern Leuten
> Und verstumme mit dem Schenken.

Es ist eins der schönsten Gedichte des *Divan*. Beglückend in dem schwingenden Spiel der Antithesen, bestrickend in dem Zauber des Klangs, rührend in der Unmittelbarkeit, mit der das Empfinden sich ausspricht, das dennoch unermeßlich tiefer ist, als der Sprecher weiß. Und auch der nachzeichnenden Beobachtung drängt sich das Gefühl auf, daß alles, was sie an Fügung und Formung erfassen kann, weit hinter dem eigentlichen Gehalt zurückbleibt.

In zwei gegensätzlichen Verspaaren ist die erste Strophe angeordnet: die andern in ihrem Verhältnis zum großen Dichter – das eigene Verhalten. Dabei sind die beiden letzten Zeilen bei aller Parallelität noch einmal von leichtem Gegensatz (singest – schweigest).

Der gleiche Gegensatz scheint sich in den beiden letzten Zeilen der 2. Strophe zu wiederholen, aber die vierte Zeile liegt noch höher, in einem Bezirk inniger Gemeinsamkeit zischen dem Sprechenden und seinem Dichter. In der dritten Strophe sind schon die beiden ersten Zeilen antithetisch gefügt; die gleiche Antithese – nun aus der Allgemeinheit in das persönliche Verhältnis gewendet – stellt auch die beiden letzten Zeilen gegenüber. Scheinbar kehren sie auf die Ebene der ersten Strophe zurück; unüberhörbar sind die Anklänge an die entsprechenden Zeilen der ersten Strophe. Aber das «schweigest» dort ist hier durch «verstumme» ersetzt. Und darin liegt nicht nur zarte Bitte und Werbung, sondern ist der ganze Gehalt an Innigkeit aus der zweiten Strophe eingegangen. In dem «verstumme» liegt – die gleiche Stelle, der gleiche Klang und der gleiche Rhythmus leisten das – der «Kuß» aus der entsprechenden Zeile der zweiten Strophe mit allem, was er an Ausdruck barg.

Zu diesem Schwingen der Antithesen tritt nun gleichzeitig die Macht des Rhythmus. Er steigert die Antithese der ersten Strophe. Während die beiden Anfangszeilen jeweils nur ein Kolon bilden, sind die beiden folgenden Zeilen deutlich dipodisch gebildet. Das zarte Verhältnis zwischen dem Sprecher und seinem Dichter wird im Rhythmischen sinnfällig. Die zweite Strophe verläuft rhythmisch genau gleichartig (hier im Widerspiel zu der Aussage der 3. Zeile). Auch die dritte Strophe beginnt wieder mit den Zeilenkola. Aber nun vollzieht sich eine echt Goethesche Gestaltbildung. Statt der erwarteten Dipodie stellt sich auch die dritte Zeile als einheitliches Kolon dar, und durch diese Verzögerung steigert sich nun und vertieft sich in ihrem Bedeutungsgehalt die Dipodie der abschließenden Zeile (deren Vertiefung von Struktur und Klang her wir bereits beobachtet hatten).

Und wieder können wir feststellen, daß diese so charakteristische rhythmische Form nicht erst in diesem Gedicht ihren Bedeutungsgehalt bekommt. In doppelzeiliger Dipodie rundete sich bereits das erste Gedicht, das der Schenke spricht, und trug schon dabei den Ausdrucksgehalt tiefer Neigung und zarter Fürsorge:

> Auf der Schwelle will ich liegen
> Und erwachen, wenn du schleichest.

Wir wenden uns noch einer zweiten Form zu, die als charakteristische Ausprägung der vierzeiligen Strophe aus vierhebigen Trochäen im *Divan* begegnet. Das *Buch Suleika* beginnt mit der Na-

mengebung. Wenn dann Hatem zum erstenmal spricht, geschieht es in der bekannten vierzeiligen Strophe. Sie unterscheidet
sich von der Schenkenstrophe durch den stets vollständigen Kreuzreim und durch den männlichen Ausgang der Zeilen 2 und 4.
Durch solchen katalektischen Ausgang wird das Strophenende
stärker markiert, zugleich aber gliedert sich die Strophe merklich
in zwei Hälften: das Metrum begünstigt die rhythmische Verbindung von je zwei Zeilen.

Hatems Gedicht *(Nicht Gelegenheit macht Diebe)* beginnt
rhythmisch recht unruhig – sinnfälliger Ausdruck der Verworrenheit, in der er sich befindet. Erst in der dritten, abschließenden
Strophe, da er von der Zukunft und dem Vorgefühl einer Beglük-
kung spricht, wird nun auch der Rhythmus gleichmäßiger. Die
ersten und dritten Hebungen werden nur schwach verwirklicht,
so daß die Zeilen in merklicher Dipodie zu schwingen beginnen;
zugleich wird hier endlich die metrische Anlage zur Zweiglied-
rigkeit der Strophe rhythmisch erfüllt:

> Doch ich fühle schon Erbarmen
> Im Karfunkel deines Blicks
> Und erfreu in deinen Armen
> Mich erneuerten Geschicks.

Um es vorwegzunehmen: immer wieder wird sich in den Gedichten über diesem Metrum an bedeutsamer Stelle die (meist zweizeilige) Dipodie als ein rhythmisches Leitmotiv einstellen. Und
immer liegt dann in ihm die Beglückung durch die Liebe. Durch
die Wiederholung wird ein solcher Ausdrucksgehalt schließlich
aus dem Rhythmus allein, unabhängig von dem Bedeutungsgehalt der Worte, lebendig. Wenn man die Strophe als Suleikastrophe bezeichnet, so muß dabei angemerkt werden, daß sie meist
von Hatem gebraucht wird und daß die zweizeiligen Dipodien
eben *seine* Bindung und seine Beglückung ausdrücken.

Die Suleikastrophe findet sich im *Divan* 15 mal. Nur drei davon stehen nicht im Buch Suleika – und sind doch mehr oder minder deutlich auf Suleika bezogen: *Bedenklich (Buch der Liebe)*,
An Suleika (Buch Timur; es «exponiert» das folgende *Buch Suleika)*
und *Einlaß (Buch des Paradieses)*. Die anderen 12 Gedichte ste-

hen neben 34 andersartigen im *Buch Suleika*, umfassen aber ein gutes Drittel seiner Verse: vielfach, wie wir bereits sagten, als Gedichte Hatems *(Gingo biloba; Nicht Gelegenheit macht Diebe; Hätt ich irgend wohl Bedenken; Locken, haltet mich gefangen)*, oft aber auch als Dialog.

Besonders kennzeichnend ist der Dialog, in dem Suleika in einer sechszeiligen trochäischen Strophe beginnt *(An des lust'gen Brunnens Rand)*. Hatems Antwort erfolgt in einer Suleikastrophe; die beiden letzten Zeilen sind vielleicht die reinste und gehaltvollste Ausprägung des rhythmischen Leitmotivs:

> Möge Wasser, springend, wallend,
> Die Zypressen dir gestehn:
> Von Suleika zu Suleika
> Ist mein Kommen und mein Gehn[1].

Einen zarten Hinweis hat Goethe dem Metrum im Gespräch Hatems mit den Mädchen anvertraut. Eine doppelte Wechselrede wird zunächst in einer vierzeiligen Strophe geführt, deren vierhebige Trochäen durchweg weiblich endigen. Eine kleine Verschiebung tritt ein, als Hatem auf die Frage der Mädchen antwortet:

> Ist sie denn des Liedes mächtig,
> Wie's auf unsern Lippen waltet?
> Denn es macht sie gar verdächtig,
> Daß sie im Verborgnen schaltet.

> Hatem

> Nun, wer weiß, was sie erfüllet!
> Kennt ihr solcher Tiefe Grund?
> Selbstgefühltes Lied entquillet,
> Selbstgedichtetes dem Mund.

> Von euch Dichterinnen allen
> Ist ihr eben keine gleich:

---

[1] Es ist des Hinweises wert, daß C. Becker in seiner ausgezeichneten Strukturanalyse des *Buches Suleika* («*Das Buch Suleika*» *als Zyklus*, in der *Festschrift für K. Reinhardt*) sie vom Inhaltlichen her als «Leitmotiv» der zweiten Hälfte des Buches bezeichnet.

> Denn sie singt, mir zu gefallen;
> Und ihr singt und liebt nur euch.

Eine kleine Verschiebung: Hatem antwortet in seiner Suleikastrophe, und deutlich schwingt der Schluß dieser Gegenrede in
Dipodien ein. Es ist für den aufmerksamen Leser eine reizvolle
Vertiefung der Aussage. Die Mädchen spüren davon nichts, sie
antworten in der alten Strophenform:

> Merke wohl, du hast uns eine
> Jener Huris vorgeheuchelt!
> Mag schon sein! wenn es nur keine
> Sich auf dieser Erde schmeichelt.

Aber wieder hat Goethe in den scheinbar so oberflächlichen Worten einen geheimen Bezug angeknüpft, wie er im *Divan* so oft
unter den Worten liegt. Im Buch des Paradieses hören wir nun
tatsächlich eine Huri sprechen; sie hält Wache am Tor *(Einlaß)*
und spricht den Einlaß begehrenden Hatem an:

> Heute steh ich meine Wache
> Vor des Paradieses Tor,
> Weiß nicht grade, wie ich's mache,
> Kommst mir so verdächtig vor!

Sie spricht Hatem in derselben Strophe an, in der er so manchen Dialog mit Suleika geführt hatte. Durch den Gebrauch dieser Strophe,
und allein dadurch, stellt sich für den aufmerksamen Leser jener Bezug zwischen Suleika und der Huri her, der dann im zweiten Teil
der folgenden Trilogie *(Anklang)* ausdrücklich ausgesprochen wird

> Ich wollt es beschwören, ich wollt es beweisen,
> Du hast einmal Suleika geheißen.

Die Huri erwidert mit jener Erzählung vom Himmelsritt des
Propheten, die, heiter vorgetragen, wie so oft die Mythen im
Divan, die eigentliche Antwort in der Schwebe läßt. Und wieder
spielt der Rhythmus mit und beteuert ihre Aussage, daß die Huris
sich den irdischen Umständen der Paradieseshelden anzupassen
hätten. Hatem hört es sofort heraus:

> Du blendest mich mit Himmelsklarheit,
> Es sei nun Täuschung oder Wahrheit,
> Genug, ich bewundre dich vor allen.
> Um ihre Pflicht nicht zu versäumen,
> Um einem Deutschen zu gefallen,
> Spricht eine Huri in Knittelreimen.

Wir müssen im übrigen feststellen, daß in jenen acht Suleika-strophen des Einlaß-Dialogs das uns vertraute rhythmische Leitmotiv (die zweizeilige Dipodie) nicht auftritt[1].

Während die anderen Gedichte in Suleikastrophen in den September- und Oktoberwochen des Jahres 1815 entstanden, in der hohen Zeit des Zusammenseins und noch kurz danach, ist das Gedicht *Einlaß* erst 1820 gedichtet worden. War es wieder so, daß Goethe der eigentlichste Suleikarhythmus nicht mehr im Blut lag? War es eine instinktsichere Aussparung, die trotz aller neuen Ergriffenheit des paradiesischen Dichters den innersten Bezirk seiner irdischen Liebe nicht anzutasten wagte?

> Sing mir die Lieder an Suleika vor:
> Denn weiter wirst du's doch im Paradies nicht bringen.

Wir kommen an die Grenze eines Bereichs, in dem wir keine klaren Antworten mehr geben können und geben mögen. Aber unsere Beobachtungen zur Verskunst des *Divan*, soviel darf im Rückblick gesagt werden, deuten an, wieviel Verständnis von der rhythmischen Untersuchung noch für die bedeutungsvolle, wenn auch stillere Sprache der Versformen in diesem unerschöpflichen Werk zu erwarten ist.

---

[1] Isolierte Verse sind wohl dipodisch, aber ohne besonderen Ausdrucksgehalt: II, 3; VI, 3.

Kleist als Erzähler

Kleists Erzählungen sind in zwei Bänden in den Jahren 1810-1811 von ihm selber veröffentlicht worden. Nur wenige wurden hier zum ersten Male gedruckt, aber auch bei den andern liegen die früheren Veröffentlichungen nur kurze Zeit vorher. Als erste Kleistsche Erzählung war das *Erdbeben in Chili* im *Morgenblatt für gebildete Stände* von 1807 erschienen. Die Forschung setzt den *Findling* und den *Zweikampf* als noch früher an, muß aber zugestehen, daß auch sie von neuem überarbeitet wurden, bevor Kleist sie drucken ließ.

Jede Lektüre nun bestätigt, daß die Erzählungen gleicher Art sind. Zwar liegen die Stoffe weit auseinander: neben zeitgenössischen finden wir historische, neben legendären sogar eine Schauergeschichte, dem Stoff nach. Und doch drängt sich der Eindruck einer Gemeinsamkeit auf: sie alle werden auf ähnliche Art erzählt. Auch die Legende und die Schauergeschichte verlieren ihren eigenen Gattungscharakter und werden zu einer Kleistischen Erzählung. Vom Erzählen, von diesem besonderen Erzählen her bekommen sie auch erst ihren Sinn, und so scheint es aufschlußreich, dieses Erzählen selber zum Gegenstand einer Betrachtung zu machen. Wir wollen deshalb auch die Quellenfragen fortschieben oder die Frage, woran sich Kleist geschult hat und welche Stelle seine Erzählungen innerhalb der damals in Deutschland so reich aufblühenden Erzählkunst einnehmen. Wir brauchen als Ansatz nur die Erinnerung an die Grundsituation aller Erzählkunst, daß einer da ist, der einem wie auch immer gearteten Publikum etwas erzählt. Der Erzähler ist selbst ein Teil des Werkes, ist nicht etwa der Dichter, sondern eine erdichtete Gestalt, die mit und in dem Werk ihr unvergängliches Leben hat.

Wie deutlich der Erzähler hervortritt, ist nun schon eine Stilfrage. In den Romanen des 18. Jahrhunderts ist er meist sehr spürbar; im 19. Jahrhundert hat Spielhagen die Forderung erhoben, daß er nicht mehr persönlich mit eigenen Meinungen und Erklärungen den Fluß des Erzählers unterbrechen dürfe; aber natürlich ist er auch dann noch spürbar, im Wortschatz, im Tonfall, Satzbau usf. Wirklich verschwunden ist er erst in Erzählungen, die sich ganz als innerlicher Monolog einer Gestalt geben. Am greifbarsten ist er da, wo der Erzähler eine der auftretenden Gestalten zum Erzähler der eingelegten Geschichte macht.

Das Verhältnis zum Leser beziehungsweise Hörer ist gleichfalls der verschiedensten Abwandlungen fähig. Im 18. Jahhundert gibt es oft ganze Romankapitel, in denen sich der Erzähler ans Publikum wendet. Sterne läßt es sogar Stimme gewinnen und Fragen und Einwürfe äußern. Der moderne Roman ist da wieder zurückhaltender, und im inneren Monolog ist mit dem Erzähler auch der Hörer – scheinbar – verschwunden.

Ähnliches gilt von der Stellung des Erzählers zum Erzählten. Er kann aus weitem Abstand sprechen und allwissend sein, das heißt auch das Innenleben seiner Gestalten kennend beschreiben, vielleicht sogar Regungen, die ihnen selber unbewußt bleiben; er kann aber auch ganz aus der Nähe sprechen und vielleicht nur das Äußere erkennen.

Versuchen wir zunächst den Kleistischen Erzähler zu bestimmen, so stellen wir fest, daß er wohl da ist, aber nur ganz selten hervortritt. Es gibt in den Erzählungen rund ein Dutzend, und zwar nur kurze Stellen, an denen er von seinem Ich spricht: «Ich weiß nicht, aus welchem Grunde», meist noch in der unbestimmteren Form des Wir: «Wie wir nicht zweifeln» heißt es einmal im Kohlhaas und gleich darauf: «Gründe anderer Art..., die wir jedem, der in seiner Brust Bescheid weiß, zu erraten überlassen wollen.»

Auffällig ist geradezu die Bemerkung in der *Verlobung:* «Was weiter erfolgte, brauchen wir nicht zu melden, weil es jeder, der an diese Stelle kommt, von selbst liest.» Auffällig ist die Bemerkung, weil sie eine der ganz wenigen Stellen ist, an denen der Erzähler überhaupt mit einem Leser rechnet. Sonst spricht er nie zum Publikum, erklärt ihm nichts, reflektiert nicht mit ihm, kümmert sich nicht darum. Um die Stellung des Erzählers zum Publikum zu bestimmen, darf man sagen: er steht mit dem Rücken zum Publikum und beachtet es nicht.

Dem entspricht es, daß er an den wenigen Stellen, da er selber hervortritt, niemals das Bewußtsein verrät, eine «Geschichte» zu erzählen oder überhaupt etwas Literarisches zu unternehmen (man denke dagegen an Fieldings Erörterungen über die Technik des Erzählens!). Die zitierten Bemerkungen erlauben uns vielmehr den Schluß, daß er sich als «Vermelder» von wirklich Vorgefallenem empfindet («die Chroniken melden darüber nichts» heißt es einmal im *Kohlhaas*), als Berichterstatter, dem es ganz auf die Übermittlung des Vorgefallenen ankommt. Das Vorgefallene wird nicht von ihm erschaffen, es ist Wirklichkeit, und so beginnen denn seine Erzählungen mit genauer zeitlicher und räumlicher Festlegung und unter genauer Angabe der Namen:

«An den Ufern der Havel lebte, um die Mitte des 16. Jahrhunderts, ein Roßhändler namens Michael Kohlhaas..., einer der rechtschaffensten zugleich und entsetzlichsten Menschen seiner Zeit.» «In St. Jago, der Hauptstadt des Königsreichs Chili, stand gerade in dem Augenblick der großen Erderschütterung vom Jahre 1647... ein junger Spanier, namens Jeronimo Rugera...» «Zu Port-au-Prince, auf dem französischen Anteil der Insel St. Domingo, lebte zu Anfange dieses Jahrhunderts, als die Schwarzen die Weißen ermordeten, auf der Pflanzung des Herrn Guillaume von Villeneuve, ein fürchterlicher alter Neger, namens Congo Hoango.»

Aber man hört es schon aus diesen Anfängen: der Erzähler tritt zwar nicht als solcher hervor und spricht nicht von sich, aber er beschränkt sich auch nicht wie ein Polizeibericht auf das rein Faktische, vielmehr begleitet er das zu Erzählende mit seiner Stellungnahme: er wertet.

Damit hebt er sich nun aber doch, wie es scheint, recht deutlich heraus, und vor allem: damit erwirbt er unser Vertrauen: denn nun haben wir die Gewißheit, daß er das Ganze überschaut, daß er den Sinn davon erfaßt hat und uns übermitteln wird, daß wir uns ihm anvertrauen können. Aber es ist etwas Eigenes um die keineswegs seltenen Wertungen dieses Erzählers.

Wenn es von Jeronimo (im *Erdbeben*) heißt, daß er die Besinnung verlieren wollte, «als er diese ungeheure Wendung der Dinge erfuhr» (daß nämlich seine Geliebte enthauptet werden soll), so ist das weder für den Erzähler noch für uns eine «ungeheure» Wendung, da wir die Entwicklung der Dinge zuvor genau erfahren haben. Der Erzähler hat sich mit der Wendung ganz auf

die Gestalt, von der er spricht, eingestellt, er wertet aus ihrer Perspektive, es ist fast ein Fall von erlebter Rede! So ist es auch, wenn
die Freunde in der *Verlobung* sich Gustav, dem «unbegreiflich
gräßlichen Mörder» zuwenden; das ist er nur für sie, keineswegs
aber für uns oder für den Erzähler, der sich wieder ganz auf die
Gestalten eingestellt hat oder auf jemanden, der nur die gegenwärtige Situation sieht, aber das Vorhergehende nicht kennt oder
vergessen hat. Auch wo es sich eindeutig um eine Stellungnahme
des Erzählers handelt, erfolgt sie meist nicht aus der Gesamtschau,
sondern unter dem Eindruck der jeweiligen Situation, die den
Erzähler gefangennimmt, so sehr, daß er den Überblick vergißt.
Zu den seltsamen Unterschriften des Kohlhaas unter seine Man-
date, der sich als Statthalter St. Michaels bezeichnet, bemerkt der
Erzähler, daß es sich um eine «Schwärmerei» krankhafter und
mißgeschaffener Art handele, oder um eine «Art von Verrückung».
Aber es wäre völlig verfehlt, wollte man meinen, Kleist habe die
Geschichte eines religiösen Schwärmers oder eines Verrückten
erzählen wollen. Er wertet hier – soll man sagen: wie einer oder
als einer, der das Vorhergehende nicht kennt und nun vor den
Mandaten steht. In der gleichen Haltung kann Kohlhaas darauf
«der Arme» genannt werden (oder Gustav «der Ärmste»): es ist
ganz unter dem Eindruck der jeweiligen Situation gesagt, von
außen schauend. So sind wir auch mißtrauisch, wenn Korff die
Wendung aus dem *Erdbeben*: «D. Fernando, dieser göttliche Held,
stand jetzt, den Rücken an die Kirche gelehnt... mit jedem
Hiebe wetterstrahlte er einen zu Boden...» zur Sinndeutung der
ganzen Geschichte benützt, als sei es Kleist im Grunde auf diesen
Menschen und sein Verhalten angekommen. D. Fernando ist
lediglich Nebenfigur, und der Erzähler ist nur in diesem Augenblick von seinem Verhalten beeindruckt.

Die Wertungen, diese scheinbar Subjektivität enthüllenden
Sprachgebärden, führen uns in Kleists Erzählungen auf keinen sicheren Standpunkt außerhalb der Geschichte, und keineswegs zu einer festen Beurteilung durch den Erzähler, die sein
ganzes Erzählen trüge. Sie sind oft aus der Perspektive einer
Gestalt und immer unter dem Eindruck der jeweiligen Situation
gesprochen.

Aber es gibt auch Fälle, da sie aus weitem Überblick geäußert werden. Wir haben es am markantesten erlebt, wenn es im ersten Satz vom Kohlhaas hieß: «einer der rechtschaffensten zugleich und entsetzlichsten Menschen seiner Zeit». Aus weitem Überblick, gewiß; aber gewinnen wir festen Boden? Er wird uns gerade durch diese schneidende Paradoxie fortgezogen. Das ist echter Kleist: ein Mensch verdient diese Beurteilung und zugleich die genau entgegengesetzte. Das sind die Phänomene, die diesen Erzähler reizen: wo wir vor dem Doppelantlitz der Wirklichkeit in Verwirrung geraten. Die paradoxe Wertung ist ein typischer Stilzug dieses Erzählens. So heißt es am Ende der *Heiligen Cäcilie*, daß die Heilige «dieses zu gleicher Zeit schreckliche und herrliche Wunder vollbracht habe». Wir begegnen solcher Paradoxie als einem Wesenszug der erzählten Welt immer wieder (der Gräf in der *Marquise von O*. Engel und Teufel; das Erdbeben in Chili von den einen als himmlische Strafe, von den andern als himmlische Errettung gedeutet); hier begnügen wir uns mit der Betonung, daß solche Doppelgesichtigkeit nicht das Werten entwerten, jede beurteilende Stellungnahme zur Welt unmöglich machen soll. Eher im Gegenteil: dieser Erzähler wertet dauernd, er kann gar nicht anders, und wir sollen es mit ihm tun.

Wohl aber ist richtig, daß wir uns angesichts solcher mit aller Schärfe empfundenen und ausgesprochenen Paradoxien der Unheimlichkeit, der verwirrenden Eigenart der Welt bewußt werden und werden sollen. Der Erzähler besitzt, so hat sich bisher ergeben, keinen sicheren Standpunkt, von dem aus eine endgültige Sinngebung und Wertung möglich wäre.

Zu einem ähnlichen Ergebnis führt die Untersuchung der Vorausdeutungen. Sie spielen in aller Epik eine große Rolle, als Ausdruck der weiten, ja der totalen Überschau, die der Erzähler über das Erzählte besitzt. Er weiß am Beginn schon das Ende: «dar umbe muosen degene vil verliesen den lip.» Auch unser Erzähler deutet voraus. «Zum völligen Verderben des armen Kohlhaas», so lesen wir, «mußte der Großkanzler selbst beitragen, diese Stimmung zu befestigen». Aber wer darin einen Hinweis auf den Ausgang des Ganzen sehen wollte, muß bald darauf überrascht sein, wenn er liest: «So standen die Sachen für den armen Kohlhaas in Dresden, als der Kufürst von Brandenburg zu seiner Rettung auftrat.» Jeder Leser weiß, daß auch diese Vorausdeutung nicht auf den Ausgang zielt. Die Vorausdeutungen erstrecken sich bei diesem Erzähler nur auf die nächste Zukunft, auf den Anschein, den ein neu eintretendes Ereignis erweckt. Der Erzähler hat im Erzählen keinen vollen Überblick, sondern erlebt den Ablauf aus bald größerer, bald kleinerer Entfernung mit. Am Anfang eines Abschnitts ist die Entfernung gewöhnlich größer oder vielmehr: der Erzähler beginnt einen neuen Abschnitt, wenn er sich von dem Geschehen ein wenig distanciert. Typisch sind Abschnitts- anfänge wie:

> «So lagen die Dinge, als . . .»
> «Inzwischen war . . .»

Sehr schnell ist aber der Erzähler dann wieder Zuschauer einer Szene, die er berichtet. Das genau Entsprechende findet beim Blick auf die Vorgeschichte statt. Der Anfang der *Marquise von O.* oder des *Erdbebens* führt uns in die erzählte Gegenwart. Im Folgenden berichtet der Erzähler, was vorangegangen ist, das heißt er setzt mit dem Plusquamperfekt fort. Nach kurzer Zeit aber ist er von dem Vor-Geschehen so gefesselt, rückt ihm so nahe, daß er die zeitliche Einordnung gleichsam vergißt und in das Imperfekt hinüberwechselt.

Sein Standpunkt beim Erzählen liegt auch nicht fest, wenn wir die Frage stellen, was er eigentlich weiß. Manchmal schaut er nur von außen und weiß nicht mehr, als jeder andere Zuschauer auch erfassen könnte:

«Donna Elisabeth näherte sich ihm hierauf, obschon, wie es schien, mit Widerwillen, und raunte ihm, doch so, daß Josephe es nicht hören konnte, einige Worte ins Ohr. 'Nun?' fragte Don Fernando, 'und das Unglück, das daraus entstehen kann?' Donna Elisabeth fuhr fort, ihm mit verstörtem Gesicht ins Ohr zu zischeln. D. Fernando stieg eine Röte des Unwillens ins Gesicht; er antwortete: es wäre gut! . . .»

An anderen Stellen weiß er aber, was in der Brust seiner Figuren vor sich geht:

«Dagegen sagte ihm ein ebenso vortreffliches (!) Gefühl, und dies Gefühl faßte tiefere und tiefere Wurzeln in dem Maße, als er weiterritt..., daß...»

Immerhin sind solche Stellen, deren Aussagen übrigens in vollster Sicherheit gemacht werden, nicht sehr häufig. Wohl achtet der Erzähler dauernd auf die seelische Verfassung der Gestalten, aber doch eben als von außen blickender Zuschauer: er nimmt sie in den Gebärden wahr, und die ständigen Angaben über Minenspiel, Tonfall, begleitende Gebärden sind ein Stilkennzeichen seines Erzählens. Am bekanntesten ist solche Darstellungsweise aus der «Anekdote aus dem letzten preußischen Kriege», sie findet sich aber auch bei fast jedem Dialog der Erzählungen. Fast immer begleitet sie direkte oder indirekte Rede, nur ganz selten übernimmt die Gebärdensprache die Rolle der Worte, (so einmal in der Lutherszene des *Kohlhaas*, als Ausdruck der Verdrossenheit: Luther «warf die Papiere, die auf seinem Tisch lagen, übereinander und schwieg».)

Indem aber jedes gesprochene Wort so von unwillkürlichen Gesten begleitet erscheint, wirkt es als Teil einer leibseelischen Einheit. Die Dialoge werden immer aus der Ganzheit der Person heraus geführt. Hier gibt nicht – wie etwa im Dialog der Lessingschen Dramen – ein Wort das andere, so daß eine fest in sich beschlossene Welt der Sprache entsteht, an der die Personen mehr oder weniger teilhaben.

Wir kommen mit solchen Betrachtungen zu Aussagen über die Art des Erzählens und seinen Bedeutungsgehalt, nachdem wir bisher den Erzähler als Figur und seinen Standpunkt zu bestimmen suchten.

Das Ergebnis war: hier spricht kein Literat, der einem Publikum eine Geschichte erzählt. Dem Publikum dreht er den Rücken zu; er schafft keine Gemeinsamkeit mit ihm, es gibt keine Anspielungen, die einen Kreis gleichgebildeter Leser abgrenzten, für die erzählt würde (die einzige literarische Anspielung im *Erdbeben:* «Inzwischen war die schönste Nacht herabgestiegen... so silberglänzend und still, wie nur ein Dichter davon träumen mag» wirkt als glatter Stilbruch). Der Erzähler steht ganz im Banne des Geschehenen, das er erzählt und das Wirklichkeit ist. Er steht im

Banne: er besitzt keine Überlegenheit über die Figuren, wie wir es von Fielding und Wieland her kennen. Er überschaut nicht einmal das Ganze des Geschehens; seine Voraussagen sind nur partiell, und seine Wertungen – an sich Symptome seiner inneren Teilnahme, Symptome eines Sprechens aus der ganzen Person heraus, aus der auch die Gestalten sprechen – gelten fast immer der jeweiligen Situation. Von ihm dürfen wir keine Sinngebungen des Ganzen erwarten – und sind doch zunächst ganz auf ihn als Vermittler dieser Wirklichkeit angewiesen. Daß er diese Aufgabe getreu erfüllen will, hat er uns versichert und spüren wir von dem ersten Worte an: er wird nichts verfälschen, nichts färben und von sich aus arrangieren. Als Berichterstatter gibt er sich. Aber wenn auch seine persönliche Ergriffenheit gelegentlich aufflackert und sich in Wertungen äußert, so ist doch im Ganzen sein Bemühen um Sachlichkeit, ja um Kälte unverkennbar.

Kleist als Erzähler ordnet sich dem Erzählten unter, er läßt sich von daher bestimmen, und so wird, die Untersuchung des Erzählens um so wichtiger, da offenbar in den Kategorien des Erzählens zugleich die Kategorien der erzählten Welt spürbar sind. Was am Erzählen zunächst auffällt, ist die Abwesenheit nicht nur von Wendungen ans Publikum oder von Erörterungen und Reflexionen, sondern auch von einer Sprechweise wie dem Beschreiben, ohne die doch kaum ein Erzähler auskommt. Sich rundende Beschreibungen fehlen fast völlig; die aus dem *Erdbeben* herangezogene Stelle über die Nacht weist sich wiederum als vereinzelt aus. Beherrschend ist der Bericht, das heißt die sachliche Angabe des in der Zeit verlaufenden Geschehens. Die Welt ist für diesen Erzähler im wesentlichen die Aufeinanderfolge von Begebenheiten, in der es keine Ruhe gibt.

Der Erzähler drängt zusammen, um dieser steten Folge nachkommen zu können. Im Wortschatz schon sind die komprimierenden Nominalbildungen auf -*ung* kennzeichnend, die oft an die gedrängte Amtssprache erinnern:

«Der Fall verhinderte die gänzliche Zubodenstreckung» (des Gebäudes). Er hatte «Bedenken, die Staatsgewalt zur Durchsetzung dieser Maßgabe in Anspruch zu nehmen». Die Rappen sollen «zur Durchfütterung» heimgeritten werden.

Eine Auswirkung solcher Tendenz nach Konzentration ist auch der Ersatz der direkten durch die indirekte Rede. Die Häufigkeit der direkten Rede bei Kleist ist ja auffällig. Daß die Zusammendrängung bei der indirekten Halt macht und nicht etwa zu einer zusammenfassenden Wendung durch den Erzähler führt, beruht einmal auf der Nähe zum Vorgang und zugleich auf der Treue des Vermittlers, der, statt selber zu sprechen, lieber den Gestalten das zumindest indirekte Wort läßt. Endlich aber handelt es sich noch um eine besondere Treue zur Wirklichkeit: es läßt sich darstellen, wie den Gestalten erst beim Sprechen die Gedanken kommen (ein Phänomen, dem Kleist einen eigenen Aufsatz gewidmet hat). Als ein Beispiel dafür geben wir eine Stelle aus dem *Erdbeben:*

«Josepha antwortete, daß ähnliche Gedanken in ihr aufgestiegen wären; daß auch sie nicht mehr, falls ihr Vater nur noch am Leben sei, ihn zu versöhnen zweifle; daß sie aber statt des Fußfalles lieber nach La Conception zu gehen, und von dort aus schriftlich das Versöhnungsgeschäft mit dem Vizekönig zu betreiben rate, wo man auf jeden Fall in der Nähe des Hafens wäre, und für den besten, wenn das Geschäft die erwünschte Wendung nähme, ja leicht wieder nach St. Jago zurückkehren könnte.»

Eine zusammenfassende Bemerkung des Erzählers hätte nicht mehr erkennen lassen, was die indirekte Rede durch die Wortstellung noch tut: wie sich die Gedanken Josephas beim Sprechen erst bilden.

Ein ertragreiches Feld der Beobachtung stellt die Syntax dar – der Kleistische Satzbau hat ein gewisse Berühmtheit erlangt. Wir dürfen hoffen, in ihm wesentliche Züge des Erzählens – und damit der erzählten Welt – zu erfassen. Der Erzähler steht im Banne der aufeinanderfolgenden Geschehnisse, so hatte sich uns ergeben. Das müßte als beherrschende Form parataktischen Satzbau ergeben. Derartiges findet sich nun in der Tat – freilich in einer besonderen Art, die doch zu einer gewissen Modifizierung jener Feststellung zwingt. Ein für Kleist typischer Satzbau – wir nennen ihn Typus I – ist die Reihung von Aoristen unter dem gleichen Subjekt: «Dabei faßte er des Alten Hand, drückte und küßte sie und weinte darauf nieder. (Piachi wollte in der ersten

Regung des Entsetzens den Jungen weit von sich schleudern; doch
da dieser, in eben diesem Augenblick, seine Farbe veränderte und
ohnmächtig auf den Boden niedersank, regte sich des guten Alten
Mitleid): er stieg mit seinem Sohn aus, legte den Jungen in den
Wagen und fuhr mit ihm fort...»

Solche Aoristreihen zeigen also, daß der Erzähler an dem Satz-
gegenstand, dem Täter des Tuns, haften bleibt und sein Wirken
verfolgt. Der Sachverhalt oder vielmehr die Sachverhalte gliedern
sich merklich in den Bewirker und sein Wirken auf.

Aber so einfach ist der Satzbau doch nicht oft. Wir geben ein
zweites Beispiel, das für den Erzähler kennzeichnender ist. Die
Aoristreihen sind hier in bemerkenswerter Weise unterbrochen
(Typus II): «Und damit, während Toni aufstand und sich Rock
und Strümpfe anzog, zündete sie die große Laterne an, die in dem
Winkel des Zimmers stand, band dem Mädchen geschwind das
Haar, nach der Landesart, über dem Kopf zusammen, bedeckte
sie, nachdem sie ihr den Latz zugeschnürt hatte, mit einem Hut,
gab ihr die Laterne in die Hand und befahl ihr, auf den Hof hinab-
zugehen und den Fremden hereinzuholen.»

Der Fortgang des Geschehens wird auf jeder Stufe unterbrochen. Die erste Unterbrechung, als Temporalsatz mit «während»
eingeleitet, erfaßt einen gleichzeitigen Vorgang im Zimmer: das
Aufstehen des Mädchens; die zweite, als Relativsatz, macht die
Lampe zum Träger eines eigenen Sachverhaltes; die dritte, als adverbiale Bestimmung, macht die Haartracht gewissermaßen selbständig und stellt sie in ihr Bezugssystem. Die vierte, wieder als
Temporalsatz, dient offenbar dazu, die neue Phase des Geschehens
als Stufe zu markieren, auf der die Bewegung einen Augenblick
verharrt und Umschau erlaubt, und erst dann kann das von dem
einen Täter bewirkte Geschehen mit zwei weiteren Phasen an
sein Ende kommen.

Die Geschehensfolge hat ihr Gesetz enthüllt: es ist keine gleitende Folge, kein einfacher Verlauf, sondern vollzieht sich stoß-
weise, wobei nach jedem Stück eine kurze Pause eintritt. In dieser
Pause wird Gleichzeitiges wahrgenommen oder Gegenständliches
aus dem Zusammenhang gelöst und in seiner eigenen Sphäre erfaßt.

Auf jeder Stufe des Geschehens werden die Umstände wahrgenommen; der Satzbau wird im genauen Sinne des Wortes «umständlich». Wir geben noch eine Probe aus dem Kohlhaas, aus der die Bedeutung der Umstände hervorgeht, die der Erzähler ihnen beimißt. Der Brief des räubernden Nagelschmieds an Kohlhaas ist abgefangen; die Behörden wollen ihn als Falle benutzen, indem sie ihn Kohlhaas durch den Boten zustellen lassen:

«Zu welcher List schlechter (!) Art sich dieser Kerl (!) auch ohne weiteres gebrauchen ließ und auf scheinbar geheimnisvolle Weise, unter dem Vorwand, daß er Krebse zu verkaufen habe, womit ihn der Gubernialoffiziant, auf dem Markte, versorgt hatte, zu Kohlhaas ins Zimmer trat.»

Vom Ganzen her gesehen bleibt diese Episode blind. Obwohl Kohlhaas auf den Brief eingeht und sich belastet, erkennt die Gegenseite, daß dieses Argument zu schwach ist und läßt es völlig fallen. Der Erzähler scheint von der Ergebnislosigkeit noch nichts zu wissen und erzählt das Geschehen – wie er von aller Wirklichkeit erzählt. Für das Geschehen selbst, käme es ihm nur darauf an, hätte es durchaus genügt, wenn er den Boten hätte zu Kohlhaas ins Zimmer treten lassen. Aber nein, er muß genau die Umstände angeben: er tritt unter dem Vorwand ins Zimmer, daß er Krebse zu verkaufen habe. Das hätte nun vollauf genügt; der Erzähler aber bleibt bei dem neu eingeführten, für das Ganze völlig bedeutungslosen Gegenstand stehen. Er muß erst genau angeben, wie diese Krebse in den gegenwärtigen Zusammenhang gekommen sind (genau wie in dem obigen Beispiel die Lampe und die Haartracht in ihrer Geschichte verfolgt werden): der Gubernialoffiziant hat sie gekauft und dem Boten gegeben. Und auch damit nicht genug: Der Umstand, wo es geschah, muß mit hereingenommen werden: auf dem Markte ist es geschehen. In der Welt, von der hier erzählt wird, hat alles seine Eigenständigkeit und seinen eigenen «wirklichen» Zusammenhang. In jedem Geschehen kreuzen sich solche Linien, die in ihrer selbständigen Herkunft gezeigt werden müssen, in ihrer Herkunft und ihrem Fortgang. Denn die Geschichte der Krebse ist noch nicht zu Ende, sie sind nun als Umstand dabei und gehören als Gleichzeitigkeit dazu. Und so setzt der Erzähler fort:

«Kohlhaas, der den Brief, während die Kinder mit den Krebsen spielten, las, würde... unter anderen Umständen...»

(Die Umstände, die der Erzähler hier meint, sind freilich nicht die Krebse, sondern die Umstände, die in diesem Augenblick die Gemütsverfassung des Kohlhaas bedingen!) Und nun überrascht es uns nicht mehr, daß inmitten des, wie es noch immer scheint, so entscheidenden Geschehens: geht Kohlhaas in die Falle oder nicht? – er dem Knecht, «der im Zimmer war, etliche Krebse» abkauft. Diese Reihe der «Wirklichkeit», die die Bahn des Roßhändlers trifft, wird fortgesetzt, solange sie neben ihm herläuft.

Und nun sind wir wohl in der Lage, auch die umständlichsten Sätze Kleists in ihrem Bau und in ihrem Weltgehalt zu erkennen. Wir geben ein letztes Beispiel aus dem *Kohlhaas*. Der Stadthauptmann von Brandenburg hat eine Heilquelle einfassen lassen; Kohlhaas hat seinen siechen Knecht dorthin gebracht. Nun treffen die beiden Reihen zusammen, der erste Satz beginnt mit der für solches Zusammentreffen typischen Wendung «es traf sich, daß»:

«Es traf sich, daß der Stadthauptmann eben am Rande des Kessels, in welchen Kohlhaas den Herse gelegt hatte, gegenwärtig war, um einige Anordnungen zu treffen, als jener durch einen Boten, den ihm seine Frau nachschickte, den niederschlagenden Brief seines Rechtsgehilfen aus Dresden empfing. Der Stadthauptmann, der, während er mit dem Arzte sprach, bemerkte, daß Kohlhaas eine Träne auf den Brief, den er bekommen und eröffnet hatte, fallen ließ, näherte sich ihm auf eine freundliche und herzliche Weise und fragte ihn, was für ein Unfall ihn betroffen; und da der Roßhändler ihm, ohne ihm zu antworten, den Brief überreichte, so klopfte ihm dieser würdige Mann, dem die abscheuliche Ungerechtigkeit, die man auf der Tronkenburg an ihm verübt hatte und an deren Folgen Herse eben, vielleicht auf die Lebenszeit, krank daniederlag, bekannt war, auf die Schulter und sagte ihm: er solle nicht mutlos sein, er werde ihm zu seiner Genugtuung verhelfen!»

Es bedarf keiner exakten Analyse mehr. Man erkennt, wie genau die einzelnen Linien gezogen sind, wie jede Gleichzeitigkeit und die Geschichte jeder Wirkungsreihe angegeben wird, – am auffälligsten bei Herse (der «eben, vielleicht auf Lebenszeit,

krank daniederlag») und bei der «Umständlichkeit» des Briefes –
wie das alles an seiner Stelle im Satz gegeben wird, dessen Skelett
eine Aoristreihe bildet (näherte sich ihm, fragte ihn, klopfte ihm
auf die Schulter, sagte ihm), von der der Täter, der Stadthauptmann, am Beginn des Satzes isoliert wird. Der ruckweise Fortgang des Geschehens bildet die Leitlinie, auf jeder Stufe treffen
selbständige Nebenlinien ein.

Deutlich ordnen sich die zahlreichen Nebensätze der Kleistischen Syntax in zwei Gruppen, einmal in die der Folge, in denen
die Bewegung weitergeht. Dazu gehören die sogenannten Folge-
sätze («so daß»; «dergestalt daß») und die Objektssätze (deren
Konjunktion «daß» bei den indirekten Reden fehlen kann). Zum
andern in die des Verharrens, der Umsicht, der Umständlichkeit:
dahin gehören die Relativ- und die Temporalsätze (während, indem, da).

Wir verharren noch einen Augenblick bei der auffälligen Iso-
liertheit des an die Spitze gestellten Satzgegenstandes, die ja schon
beim ersten Typ spürbar geworden war. Im Grunde kann sie nicht
mehr auffällig sein, da bei Kleist ja alle Satzteile (und das heißt:
Gegenstände und Sachverhalte der Wirklichkeit) eine merkliche
Selbständigkeit besitzen. Es braucht sich auch nicht immer um das
Subjekt zu handeln, das an der Spitze derart isoliert wird: «Un-
schlüssig, einen Augenblick, was unter solchen Umständen (!) zu
tun sein...» «Nachher, da von der Abforderung (!) der Kinder
die Rede war...» So scheint es uns verfehlt, die Isolierung des
Subjekts als Einwirkung französischen Satzbaus zu verstehen.
Gewiß folgt eine Konstruktion wie: «Piachi, als ihm der Stab ge-
brochen war, verweigerte sich der Absolution», die ja typisch für
Kleist ist, nicht den Schulregeln des deutschen Satzbaus. Aber
solche Isolierung begreift sich so vollständig aus dem Gesamt der
Kleistischen Tendenzen, daß der Hinweis auf ähnliche Konstruktionen im Französischen als Einflußquelle für das Verständnis un-
nötig erscheint. Ganz abgesehen davon, daß es innerhalb dieser
Satzanordnung oft genug völlig unfranzösische Gebilde gibt («das
Bild, in der Tat, je länger sie es ansah, hatte eine auffallende Ähnlichkeit mit ihm.»). Beides nun, der Blick auf die Geschehnisfolge
und der auf die Umständlichkeit, gehören zusammen und bilden

die Einheit des Kleistischen Erzählens und der Kleistischen Wel-
ten. Jede Bewegung kommt aus Umständen und trifft auf Umstände; der Raum ist erfüllt mit Wirkungsreihen. Alles Handeln
der Menschen ist daran gebunden und davon abhängig. Was so
die Struktur des einzelnen Satzes und also des jeweiligen Augen-
blickes ist, ist die Struktur der Welt überhaupt.

Dieses stete Weiterdrängen und -gedrängtwerden liest sich auch
aus der Art ab, wie der Erzähler die Absätze fügt. Ein Absatz, so
ist uns aus der Erzählliteratur des 19. Jahrhunderts geläufig, bildet
eine Einheit. Nicht selten rundet sich eine besondere Redeweise
im Abschnitt zur Form aus: Das Beschreiben zum geschlossenen
Bild, das Reflektieren zur geschlossenen Erörterung, das Darstellen zur geschlossenen Szene. Wir sahen schon, daß bei Kleist
die anderen Redeformen von dem Berichten völlig verdrängt werden. Er rundet aber auch die Geschehnisbewegung nicht zu in
sich geschlossenen Szenen ab, zwischen denen er mehr oder weniger größere Zeitabschnitte summarisch zusammenfaßt. Der
summarische Bericht findet sich hier kaum; die Bewegung des
Geschehens wird in nahezu gleichmäßiger Dichte erzählt. Schon
die zeitliche Ausdehnung der Geschichten ist meist gering: Das
Erdbeben in Chili, die *Verlobung* verlaufen innerhalb weniger
Stunden, das Geschehen in der *Marquise von O.* innerhalb weniger
Tage, und selbst im *Kohlhaas* beansprucht es nur wenige Monate.
So schließen die Absätze bei Kleist unmittelbar an das Vorhergehende an; die Anfänge der Absätze im *Kohlhaas* zum Beispiel
ordnen sich in drei Typen. Die einen beginnen mit einer Ortsan-
gabe, wobei der Ort am Ende des vorigen Abschnitts erstrebt oder
erreicht wurde («In Dresden begab er sich»; «Sobald er bei seiner
Ankunft»; «Hier verfaßte er»). Der zweite Typus beginnt mit
der folgenden Tageszeit, so daß auch dabei eine enge Verbindung
gewahrt und sprachlich meist ausdrücklich gegeben wird («Gegen
Mittag»; «Am andern Morgen»; «Der Tag brach eben an»; «Er
kehrte, da die Nacht einbrach»). Solche Verknüpfungen finden
sich aber auch innerhalb der Absätze, so daß deren Funktion damit nahezu aufgehoben ist. Der dritte Typ verknüpft gleichzeitiges Geschehen in einem anderen Raum («Inzwischen war auch»;
«Unter diesen Umständen übernahm der Doktor Martin Luther»;

«So standen die Sachen in Dresden, als»): Die Syndese wird hier immer auch sprachlich ausgedrückt (inzwischen; so). Ein neuer Absatz unterbricht also den Zusammenhang der Geschehnisfolge nicht; der Ruck ist nicht größer als innerhalb der Absätze. Die äußere Markierung ist bedeutungslos, und tatsächlich strebt das Erzählen der Absatzlosigkeit zu: in den 103 Seiten des *Kohlhaas* gibt es nur 25 Absätze (in Kellers *Romeo und Julia* finden sich auf 80 Druckseiten mehr als 60 Abschnitte!), und dabei manche von 6, 7, 13, sogar von 18 Seiten Länge! So wird noch das äußere Druckbild zur Aussage über die Art des Erzählens.

L. Uhland: Die Jagd von Winchester

C. F. Meyer: Jung Tirel

Uhland: König Wilhelm hatt' einen schweren Traum,
Vom Lager sprang er auf,
Wollt' jagen dort in Winchesters Wald,
Rief seine Herrn zuhauf.

Und als sie kamen vor den Wald,
Da hält der König still,
Gibt jedem einen guten Pfeil,
Wer jagen und birschen will.

Der König kommt zur hohen Eich',
Da springt ein Hirsch vorbei,
Der König spannt den Bogen schnell,
Doch die Sehne reißt entzwei.

Herr Titan besser treffen will,
Herr Titan drückt wohl ab,
Er schießt dem König mitten ins Herz
Den Pfeil, den der ihm gab.

Herr Titan fliehet durch den Wald,
Flieht über Land und Meer,
Er flieht wie ein gescheuchtes Wild,
Find't nirgends Ruhe mehr.

Prinz Heinrich ritt im Wald umher,
Viel Reh' und Hasen er fand:
«Wohl träf' ich gern ein edles Wild
Mit dem Pfeil von Königs Hand.»

Da reiten schon in ernstem Zug
Die hohen Lords heran,
Sie melden ihm des Königs Tod,
Sie tragen die Kron' ihm an.

«Auf dieser trauervollen Jagd
Euch reiche Beute ward,
Ihr habt erjagt, gewalt'ger Herr!
Den edeln Leopard.»

Uhland behandelt den gleichen Stoff, der auch einer Ballade C. F. Meyers zugrunde liegt, nämlich den Tod des englischen Königs Wilhelm II. (des Roten) während einer Jagd im Forst von Winchester im Jahre 1100.

Uhlands Gedicht entstand 1810 bei seinem Pariser Aufenthalt, gleichzeitig mit den Balladen von Roland und anderen Balladen aus der französischen Sage und Geschichte; nach der Heimkehr wandte er sich dann schwäbischen Stoffen zu (*Graf Eberhard, Schwäbische Kunde, Graf Eberstein, Der Schenk von Limburg*). Unser Gedicht steht also am Anfang der Uhlandschen historischen Ballade und damit weiter Bereiche der historischen Ballade im 19. Jahrhundert.

Quelle war der mittelalterliche französische Versroman des R. Wace *Roman de Rou et des ducs de Normandie*, der ungefähr folgendes erzählte:

«König Wilhelm wollte in dem neuen (von Wilhelm dem Eroberer angelegten) Forste jagen. Eines Morgens erhob er sich und ließ seine Gefolgsleute kommen. Allen, die vor ihn traten, gab er Jagdpfeile. Gaultier Tirel, ein am Hofe geschätzter Ritter, empfing vom König einen Pfeil, mit dem er ihn tötete, wie es heißt. Sie gingen in den neuen Forst und wollten Hirsche und Rehe jagen. Sie zogen durch den Wald, aber zu großem Unglück trennten sie sich. Ich weiß nicht, wer schoß noch wer verwundete, wer traf oder wer jagte. Aber wie man sagt, – ich weiß nicht, ob es so geschah, – schoß Tirel und starb der König... Einige sagen, daß Tirel einen Hirsch treffen wollte, der vorübereilte, zwischen ihm und dem König flog der Schuß, den er abgegeben hatte. Aber der Pfeil fehlte, streifte einen Baum, und durchdrang den König und streckte ihn tot nieder. Tirel eilte sofort zu der Stelle, wo der König lag und tot war.»

R. Wace erzählte dann von Heinrich, dem Bruder des Königs, der auch in den Wald gezogen war. Aber beim Spannen des Bogens riß die Sehne. Heinrich kehrte um und ließ im Hause eines Bauern seinen Bogen ausbessern. Eine Alte aus dem Hause fragte einen der Vasallen, wer der Herr mit dem Bogen wäre. Auf die Antwort: es sei Heinrich, der Bruder des Königs, erwiderte sie: Ich werde dir eine Neuigkeit sagen, Heinrich wird sehr bald König werden, wenn meine Vorzeichen nicht lügen. Als Heinrich sich wieder dem Walde näherte, kam ihm erst ein Mann, dann zwei Männer, dann drei, dann neun entgegen, die ihm den Tod des Königs meldeten. Der Erzähler schiebt dann noch zwei Zeilen ein: Tirel sei nach Frankreich geflohen und habe lange in Chamond gelebt.

Uhland folgt, wie man sieht, der Quelle recht getreu. Er beseitigt einige ihrer Wiederholungen und Umständlichkeiten, streicht die mehrfache Vorausdeutung, die alle Spannung zerstören würde, und schafft dafür am Anfang eine Unheilserwartung, indem er die der Alten zuteilgewordene Vorankündigung als schweren Traum auf den König selbst überträgt. Auffällig ist die Änderung des Namens Tirel in Titan. Es scheint, daß Titan ein sprechender Name sein soll. Dann käme in die bisher so objektive Redeweise mit der vierten Strophe ein ironisch-lehrhafter Ton, der dem Geschehen etwas von seinem Ernst nimmt: so geht es einem, der zu hoch hinaus will.

Man spürt noch an einer anderen Stelle den lächelnden Erzähler: wenn Prinz Heinrich nur Rehe und Hasen findet. Sonst aber hält sich der Erzähler zurück und spricht in einem gleichsam anonymen, formelhaft-volkstümlichen Ton. Schon die erste Zeile klingt an herkömmliche Stropheneingänge an, und volkstümliche Wörter, Wendungen und Konstruktionen, die gelegentlich archaisieren (zuhauf, birschen, ward u. a. m.), kennzeichnen den Sprecher immer wieder als den schlichten, treulichen Übermittler des Geschehens. Die erste Strophe schlägt den Ton für das Ganze an. Das Versmaß ist das der englischen Chevy-Chase-Ballade, das Klopstock und der einfache Sänger der *Kriegslieder eines preußischen Grenadiers* bei uns eingebürgert hatten und das auch hier mit den so freien Füllungen und dem Reim nur am Ende der zweiten und vierten Zeilen sehr volkstümlich verwendet wird. Die Reime sind völlig kunstlos. Einmal findet sich ein rührender Reim (Strophe 5; 2, 4). Nur die letzte Zeile setzt ein klangvolles Wort an das Ende des Verses und damit des Gedichts. Jede Zeile bildet rhythmisch eine Einheit; sprachlich stellt sie also als selbständiger Satz einen neuen Sachverhalt dar. Nur an vier mithin auffallenden Stellen findet sich Zeilensprung: in den beiden ersten Fällen

(4, 3 und 6, 3) bekommt jedesmal das Wort «Pfeil» besonderen Nachdruck; der Sprecher steigert das, indem er nochmals an die Herkunft dieses besonderen Gegenstandes erinnert. Die beiden anderen Fälle liegen in der Schlußstrophe. Hier steigert der Rhythmus die Paradoxie der «reichen Beute» und betont wiederum das Schlußwort, auf das die angehaltene Spannung aus der vorletzten Zeile hindrängt. Trotz aller Schlichtheit werden also mit künstlerischer Sicherheit einige bedeutsame Akzente gesetzt.

Die genaue Erfüllung des Metrums erzeugt, syntaktisch gesehen, Nebenordnung der Sätze. Es sind fast alles Hauptsätze, und sie folgen sich fast ohne logische Verbindung. Aber es waltet eine anaphorische Verknüpfung, die freilich vielfach auch unterdrückt werden kann: in ganzen Strophen ist die gleiche Person der Täter des Satzgeschehens, also der drei oder vier Geschehnisse, die die Strophe berichtet: 1, 4, 5, 6, 7. Aber auch in den anderen Strophen ist immer eine Person das Subjekt der Sätze. Das ganze füllige Geschehen hat jeweils in einem Menschen den Täter: wir sind in einer sehr besonderen, sehr menschlichen Welt. Eine einzige Ausnahme gibt es (neben zwei Sätzen in Strophe 2), und wieder in der letzten Strophe: da ist die «reiche Beute» zum Gegenstand der Aussage geworden.

Reihung, das Prinzip der Satzfolge, stellt auch das Prinzip des Aufbaus dar. Jede Strophe bildet eine Einheit, gibt eine Situation, und die Situationen reihen sich im planen Nacheinander auf: am Morgen, vor dem Walde, der Schuß des Königs, der Schuß Titans, die Flucht. Aber nach dem Ausblick auf eine sehr weite Zukunft am Ende der fünften Strophe wendet sich der Erzähler noch einmal zurück, etwa auf die Zeitstufe der Strophen 3 und 4. Diese Rückwendung ist eine offensichtliche Schwäche des Gedichts. Sie verursacht einen Bruch. Wohl versucht der Sprecher, mit der auch rhythmisch unterstützten Betonung des Pfeils eine Verbindung zu schaffen. Aber er hat die Strophen 1 bis 4 zu stark als einheitliches, chronologisch geordnetes Geschehen dargestellt. Vor allem der Anfang von Strophe 3: «Der König kommt...» hat strikte Folge bewirkt und den Aufbau verhindert, den der Sprecher sich jetzt wünscht: er möchte Strophe 1 und 2 als umfassende Basis gedeutet wissen, auf der in zwei (jeweils dreistrophigen) Reihen erzählt wird, was der eine mit seinem Pfeil erjagt und was der andere. Aus dieser Sicht heraus ist auch der Titel gegeben: nicht auf Herrn Titans Geschick kam es an und auch nicht auf das Geschick des Königs, sondern von der Jagd von Winchester sollte erzählt werden, von dieser denkwürdigen Jagd, oder noch genauer: von dem seltsamen, Paradoxien schaffenden Geschick zweier Pfeile, von denen der eine den König trifft, der den Pfeil gegeben hat, und der andere gar nichts, aber in der Untätigkeit den edlen Leoparden erjagt.

Aber wir müssen das Wort «Geschick» für die Pfeile schnell wieder zurücknehmen. Diese Pfeile sind nicht schicksalhaft. Man könnte sie gewiß so darstellen: die Ballade kennt die Gestaltung todbringender Waffen in solcher Sicht. Wir denken etwa an C. F. Meyers Ballade *Etzels Schwert*, und in der *Rose von Newport* wird sogar eine Blume zum schicksalschaffenden Gegenstand. Aber hier sind wir in einer Welt, in der alles Geschehen Tat des Menschen ist. Und in beiden Fällen ironisiert der Sprecher die pfeilbewaffneten Menschen, einmal mit einem etwas spitzen, das andere Mal mit sehr humorvollem Lächeln. Das Paradoxe, das die Pfeile verursachen, reißt keine Abgründe auf und wird nicht zur Rätselfrage an ein Schicksal. In völliger Ruhe und mit Lächeln wird es als etwas Seltsames dargestellt, das sich wirklich ereignet hat. Die Geschichtsauffassung in dieser historischen Ballade Uhlands ist die des Kurios-Anekdotischen. Sie spricht am klarsten aus der kleinen Zutat, die Uhland eingeschoben hat; daß der jagende Prinz Heinrich nur auf Rehe und Hasen stößt. Auf dem Boden einer derart humorvollen anekdotischen Geschichtsauffassung kann nun die Schlußwendung erwachsen. Statt eine plumpe direkte Aussage zu machen, spielt der Sprecher und verlangt vom Leser, den er bisher nur angeblinzelt hatte, den Vollzug des eigentlich Gemeinten. Der muß dazu einige heraldische Bildung mitbringen und wissen, daß mit dem Leoparden das Wappentier der englischen Könige gemeint ist. Es ist eigentlich kein Spiel mit einem Wort, sondern mit der ganzen Wendung «den Leopard erjagen», das hier in witziger Verhüllung die Ballade abschließt.

Uhland hat später seine schwäbischen Balladen gern auf die gleiche Art geschlossen: «Man nennt sie halt nur Schwabenstreiche»; «Heut nacht wird ein Schlößlein gefährdet sein». Er hat damit wie mit der ganzen anekdotischen Geschichtsauffassung, in der solche bildliche Spiele wurzeln, zahlreiche Nachfolger gefunden. Es genügt, auf J. N. Vogl und seine Ballade von Heinrich dem Vogler zu weisen, die sich peinlich nah an unser Gedicht stellt.

Meyer: «Jung Tirel, fuhrest über See?
Jung Tirel mir willkommen hie!
Sahst du so dunkle Forste je?
So stolze Forste sahst du nie!

Ein englisch Wild erst umgebracht!
Dann geb' ich dir ein englisch Lehn!»
Jung Tirel, dem das Herze lacht,
Läßt seine blanken Zähne sehn.

«Wer heut den besten Schuß mir tut,
Den Achtzehnender mir erlegt,
Der nehme sich als Lehensgut
Den Königsforst, der ihn gehegt!

Zuschwör' ich dir's auf diesen Bart,
Der feuerrot die Brust mir deckt!
Zu Wald! Zu Wald! Der Rappe scharrt!
Die Bracke spürt! Der Rüde bleckt!»

Herr Wilhelm stößt ins Jägerhorn,
Ein Geier krächzt in seinem Horst,
Die Wipfel peitscht ein dunkler Zorn,
Es braust und tost. Dann schweigt der Forst.

Herr Wilhelm schlägt mit Tirel Rat:
«Ich links, du rechts! Fort! Gute Birsch!»
Es knirscht das Laub, darauf er trat.
In heller Lichtung äst ein Hirsch:

Ein Rothirsch, der vier Ellen mißt,
Daß sich ein Jägerherze freut,
Der dieses Forstes König ist,
Mit weit verästetem Gestäud.

> Herraunt's aus Waldesfinsternis
> Zu Tirel, der sich duckt ins Moos:
> «Verdammt, daß mir die Sehne riß!
> Drück' du in Teufels Namen los!»
>
> Herr Tirel lauscht. «Wer sprach das Wort?»
> Ein Weilchen schweigt's im Laubesdach.
> «Schieß, Tirel!» raunt's vom andern Ort.
> Er schießt. Genüber stöhnt ein Ach.
>
> Herr Tirel, das war schlimme Birsch!
> Im Dickicht rinnt ein Bächlein rot.
> Ihr fehltet Englands größten Hirsch
> Und schosset Englands König tot.

Überschrift, Versmaß, Sprache, Aufbau, – von welcher Seite man sich auch dem C. F. Meyerschen Gedicht nähert, Unterschiede drängen sich sofort auf. Selbst der Inhalt ist stark verändert, zumindest verkürzt. Was Uhland so reizte: zu erzählen, auf welch seltsame Weise ein Wechsel auf dem englischen Thron erfolgte, bleibt hier völlig unbeachtet. Die Gestalt des Thronfolgers, der bei der Jagd zugegen war, ist weggeblieben. Ebenso fehlt auch die weitere Geschichte Tirels. Nach dem Titel könnten wir vielleicht noch erwarten, daß uns gesagt würde, wie er die Tat trägt und wie er sein Leben führen wird. Die Ballade endet mit dem Tod des Königs. Auch das trifft nicht ganz zu. Nicht der Tod des Königs wird dargestellt: ein Ach stöhnt. Es wird sich noch fragen, ob wir ein Recht haben, dieses Ach als den Todesseufzer des Königs zu deuten. Auf die Personen ist das Gedicht jedenfalls nicht ausgerichtet. Sie schwinden am Ende. Auch die Schlußwendung des Sprechers ist wohl kaum, trotz der Anrede, zu Tirel gesprochen. Mag der Sprecher bei den letzten Zeilen noch am Ort des Geschehens stehen: er nimmt ihn nicht mehr wahr, sein Blick ist in die Weite des Raums und der Zeit gerichtet. Das Präteritum überspannt alle Zeit und kann aus jeder Gegenwart gültig sein.

Aber auch die Zeit bis zur Tat ist bei C. F. Meyer anders gegliedert. Er gibt zwei zusammenhängende, jeweils vier Strophen

umfassende Szenen. Die fünfte Strophe, in der sich die Selbständigkeit der Schlußstrophe vorbereitet, bildet eine Art Überleitung
von der Szene vor dem Walde (Strophe 1 bis 4) zu der Szene im
Walde (6 bis 9).

Die erste Szene ist bis auf zwei Zeilen als Rede des Königs gegeben. Einige Worte drängen sich durch Wiederholung und Betonung auf und stellen sich damit zugleich in eine geheime Verbindung. Es entsteht eine zweite hintergründige Schicht, zu der zunächst die Wörter «Tirel», «Forst» und «englisch» beitragen.
Aber auch einzelne Wendungen können in diese Tiefe hinein-
ragen. Wenn Jung Tirel die blanken Zähne sehen läßt, dann bekommt er etwas Unheimlich-Tierhaftes. Es drängt sich uns wieder auf, wenn in Strophe 4 der Rappe scharrt, die Bracke spürt
und der Rüde bleckt. Gerade das Blecken des Rüden steht in einem
gleichsam inneren Reim zu den blanken Zähnen, die Tirel sehen
läßt. Ebenso steigert sich mit der neuen Wendung «Königsforst»
(Strophe 3) die bereits wache Unheimlichkeit der Forsten aus
Strophe 1.

Wir nannten die fünfte Strophe eine Art Überleitung von der
ersten zur zweiten Szene. Das ist sehr äußerlich gesehen. Ihre
eigentliche Funktion ist es, die bisher noch vage Hintergründigkeit zu einer festen Atmosphäre zu verdichten, zur Atmosphäre
gerade dieses Forstes. Die erste Zeile hätte noch bei Uhland stehen
können. Wenn in Zeile 2 ein Geier in seinem Horste krächzt,
dann steigert sich bei diesem Tun eines Tieres die Unheimlichkeit von Strophe 3; 3 bis 4 und kommt zugleich etwas Neues,
Spannungerregendes in die Atmosphäre. Der krächzende Geier
bedeutet nahendes Unheil, bedeutet Tod. Mit Zeile 3 tritt etwas
nun ganz in der Atmosphäre Liegendes als Täter hervor: ein
dunkler Zorn peitscht die Wipfel. Wenn darauf dann «Es» als
Subjekt erscheint, dann ist das nicht bloßes grammatisches Subjekt,
sondern die sehr bedeutungsvolle, umfassende Bezeichnung für das
Hintergründige. Und wieder ordnet sich der Forst dem zu als die
Räumlichkeit, in der das «Es» waltet.

Das «Es» offenbart sich in der zweiten Szene immer deutlicher
und greift nach der Vorbereitung in 6, 3 unmittelbar handelnd
ein. Man mag die Worte in 8; 3 bis 4 als Worte des Königs auf-

fassen; die Ausdrücke «verdammt» und «in Teufels Namen» verraten dann freilich, daß er von Zorn ergriffen (dem dunklen Zorn aus 5, 3?), daß er außer sich ist: in der Gestaltung der Ballade ist es das Es, das aus ihm spricht, das dann schweigt und das dann den unheilvollen Schuß befiehlt.

Die Schlußstrophe gibt eine zusammenfassende Deutung. «Schlimme Birsch» – das steht in schroffer Antithese zu dem Wunsch des Königs nach guter Birsch. Eine schroffe Antithese findet sich auch in den Schlußzeilen, die das in Strophe 2 betonte «englisch» bedeutungsvoll aufnehmen und dadurch in knappster Form ausdrücken, daß sich ein Geschehen der großen Geschichte vollzogen hat. Ist die schroffe Antithese als letztes Wort der deutenden Schlußstrophe also die Deutung des geschichtlichen Geschehens? Dann würde sich hier, in dieser Paradoxie, der Abgrund der Sinnlosigkeit auftun. Aber das ist nicht die Deutung der Ballade. In diesen Schlußworten, deren antithetische Feststellung an sich gilt, schwingt wieder etwas Hintergründiges mit. Nicht etwas Sinnloses ist geschehen mit der Untat, sondern es hat sich etwas erfüllt, das sehr früh angekündigt worden war. Wir müssen noch einmal zurückschauen. Es hat sich erfüllt, was zunächst in 2, 3 aufblitzte: Tirel ist wirklich das jagende, tötende Unmenschliche geworden. Noch deutlicher hatte sich in dem Krächzen des Geiers das Unheil angekündigt. Er krächzte Antwort, als der König ins Horn stieß. Wer ist der König? Im Rückblick zeigt sich, daß er in der Gestaltung der Ballade zugleich etwas anderes ist oder wird: er ist zugleich der Hirsch, wie der Hirsch zugleich der König ist. Der König ist der Herr des Königsforstes (3, 4); des Forstes König aber ist der Hirsch (7, 3). Feuerrot ist der Bart des Königs (4, 2); der Hirsch ist ein Rothirsch (7, 1); im Rot des Bächleins, das im Dickicht des Forstes rinnt, sind beide symbolisch verschmolzen. Hinter der schneidenden Antithese der Schlußzeilen liegt als letzte Tiefe ihre Aufhebung: die heimliche Identität des Königs mit dem Hirschen. Nicht Sinnlosigkeit im geschichtlichen Raum ist geschehen, sondern im Forst hat sich vollzogen, was angekündigt war und was sich vollziehen mußte. Die Ballade versucht jedenfalls, eine tiefere Notwendigkeit ahnbar werden zu lassen.

Der dunkle, stolze Forst ist schicksalvoller Raum, ist Stätte eines waltenden Es. Der zu laute Stolz des Königs auf solchen Besitz ebenso wie sein lauter Stolz auf die Herrschaft in England (2) sollen als eine Art von Hybris aufgefaßt werden, als eine Maßlosigkeit und somit Herausforderung eines «Frechen» an das Schicksal. (So wie die Königskinder in *La Blanche Nef* freche Herausforderer sind oder der Mönch von Bonifazio oder Karl der Stuart in der *Rose von Newport*. *Frech und Fromm* heißt der Abschnitt der Gedichte, in den C. F. Meyer unsere Ballade eingeordnet hat.) Indem nun die beiden Frechen, der herausfordernde König und der die Herausforderung teilende Tirel, sich dem Forste nähern, ergreift das waltende Es von ihnen Besitz; enthüllt es in dem einen das Reißende des jagenden Tieres, in dem andern die heimliche Identität mit dem zu jagenden Tier. Ihre vermessene Absicht erfüllt sich an ihnen selber. Das gleiche geschichtliche Geschehen stellt sich in Meyers Ballade anders dar als in der Uhlandschen. Mächte walten über den Menschen, ballen sich an bestimmter Räumlichkeit zusammen zum dunklen Es und antworten auf die Herausforderung der Frechen, wo immer sie, und sei es unbewußt, als Wort und Gebärde in die Erscheinung tritt. Bezeichneten wir die Geschichtsauffassung der Uhlandschen Ballade als humorvoll-anekdotisch, so müssen wir die der Meyerschen Ballade als magische Nemesis bezeichnen.

Wenn man von Uhlands Ballade zu der C. F. Meyers kommt, dann hat man zunächst das gleiche Gefühl, wie man es – früher – empfand, wenn man in Nürnberg von St. Lorenz und St. Sebald mit ihrer Fülle an braver, biederer, handwerklicher Kunst hinüberging in die St.-Ägidien-Kirche und plötzlich vor dem Altargemälde eines der großen Meister aus der Renaissance stand. Gerade bei dem unmittelbaren Nebeneinander ist man von C. F. Meyers Ballade zunächst fasziniert: von der Hintergründigkeit der Worte, den geheimen, durch das ganze Gedicht schwingenden Bezüglichkeiten, der Tiefe und Geschlossenheit dieser Welt. Aber allmählich werden Zweifel wach, ob die größeren Spannungen, die hier offensichtlich walten, wirklich schlüssig zusammengebracht sind. Ist das Aufgebot der schicksalhaften Macht nicht etwas groß? Ist es eigentlich gerechtfertigt? Ist der Wunsch des

Königs, um es schlicht auszudrücken, in seinem Forste zu jagen, auch wenn er etwas laut ausgesprochen wird, wirklich eine so freche Herausforderung an das dunkle Es? Und sind die Bezüglichkeiten, wenn man erst auf sie aufmerksam geworden ist, nicht ein wenig zu dick und zu drückend und stellenweise etwas klappernd? Es ist eine Ironie, daß eine der störendsten Stellen, der feuerrote Bart des Königs – das innere Reimwort zum Rothirsch und zum roten Bächlein – sozusagen historisch beglaubigt ist: Wilhelm II. hatte den Beinamen der Rote. Aber das Dicke des Unterstreichens kommt doch auf Meyers Kosten. Uhland hat weniger versucht. So gewiß auch dabei ein Mangel in der Gestaltung spürbar wurde, – je öfter man die Gedichte nebeneinander liest, desto freudiger ist man bereit, auch die gemütvolle liebenswürdige Bescheidenheit der Uhlandschen Balladenkunst gelten zu lassen.

Formtypen des deutschen Dramas um 1800

Ein Beitrag zu dem Gespräch von Literarhistorikern, die verschiedene Sprachen sprechen, verlangt Aufmerksamkeit im Gebrauch der Termini. Sie wäre nicht nötig, teilten wir uns auf unseren Kongressen lediglich neuentdeckte Fakten mit oder schrieben wir die Literaturgeschichte als Abfolge von Tatsachen. Literaturgeschichte läßt sich nur schreiben – ich glaube, das ist eine oppinio communis –, wenn wir unsere Gegenstände adäquat zu deuten vermögen. Zu dieser adäquaten Deutung gehört – auch damit glaube ich jetzt eine gemeinsame Ansicht auszusprechen – der Einblick in die der Dichtung als Dichtung eigenen Züge. Damit aber geraten wir in die Schwierigkeiten der Verständigung; denn die Begriffe, mit denen wir das Eigene der Dichtung zu erfassen suchen, sind seit 400 Jahren nationalsprachlich und zumindest seit 200 Jahren dem bis dahin noch gemeinsamen Boden der Rhetorik entwachsen. Man hört in David Hume's Satz: "For this reason, a greater simplicity is required in all compositions, where man, and actions, and passions are painted" noch deutlich den Nachklang rhetorischer Begriffe, ja noch der griechischen Ursprünge: ethe, praxeis, pathe[1]. Aber wie anders klingt es schon bei Wordsworth, wenn er von "human passions", "human characters", "human incidents" spricht, und wie verschieden wiederum bei Schiller, wenn er am Beginn der *Egmont*-Rezension eine Gattungslehre der Tragödie hinwirft: «Entweder es sind außerordentliche Handlungen und Situationen, oder es sind Leidenschaften, oder es sind Charaktere, die dem tragischen Dichter zum Stoff dienen.» Wordsworths "human passions" sind etwas anderes als Schillers «Leidenschaften», ein Wort, das im 18. Jahrhundert durch Hamann, Herder und den Sturm und Drang eine Bedeutungsverschiebung erfahren hatte. Die Mißverständlichkeit droht oft bei den gleichen Wörtern: Form, Struktur, Stil bedeuten im Deutschen etwas anderes als form, structure, style im Englischen. Man sollte die Dinge nicht dramatisieren; die Verständigung

---

[1] Klaus Dockhorn, *Die Rhetorik als Quelle des vorromantischen Irrationalismus in der Literatur- und Geistesgeschichte*. Nachr. d. Akademie d. Wissenschaften, Göttingen 1949, S. 140.

zwischen uns ist nicht ernsthaft bedroht, und Mißverständnisse können als persönliches Mißgeschick gelten. Wir leiten nur daraus die Aufforderung ab, die gebrauchten Termini jederzeit vor sich und den anderen zu verantworten.

Wenn wir hier nach den Formtypen des deutschen Dramas um 1800 fragen, also versuchen, einen Querschnitt zu geben zu einem bestimmten historischen Augenblick, dann sei das Wort Formtyp zunächst in einem vagen Sinn gebraucht. Es wird erst während der Betrachtung festere Konturen bekommen. Das heißt aber zugleich: wir verzichten darauf, das Gehäuse von Formtypen heranzutragen, wie es von den Gattungslehren des Dramas konstruiert worden ist, und unser historisches Material darin einzuordnen. Wir müßten sogar im Plural sprechen: «die Gehäuse»; denn wir sehen uns einer Vielzahl von Konstruktionen der dramatischen Gattungslehre gegenüber. Wir erwähnten Schillers drei Typen des Handlungs-, Leidenschafts- und Charakterdramas; aus der deutschen Poetik der letzten Zeit nenne ich nur zwei Namen: P. Kluckhohn[1], der sieben «Arten des Dramas» unterschied, und R. Petsch[2], der nach den «Sichtformen» die drei Arten des «naturalistisch-mimischen», des «realistisch-klassischen» und des «phantastisch-romantischen» Dramas abgrenzte. Die Diskussion solcher und anderer Systembildungen[3] hat uns zur Bescheidung geführt, in der gleichwohl eine Erkenntnis grundsätzlicher Art liegt: die Poetik darf nicht versuchen, eine bestimmte Zahl von Formtypen deduzierend aufzustellen, in die dann die Dramen aller Zeiten einzuordnen sind. Sie vermag es nicht. Gewiß braucht die Poetik des Dramas nicht bei der Erörterung «des Dramatischen» als ihres Grundbegriffes stehenzubleiben; sie darf und soll das Wesen und die Arten des Dialogs, der Szene, der Figur, der Raum- und Zeitgestaltung, der Handlung und Handlungsführung usf. erörtern. Aber sie kann nicht die Formtypen aufstellen, in denen die Geschichte der Dramatik zu verlaufen habe, schon weil das Drama, um mit M. Wehrli zu sprechen, «sich weniger als Lyrik

---

[1] Dt. Vj. 19; 1941.

[2] R. Petsch, «Wesen und Formen des Dramas». Ein Bericht von F. Martini, Dt. Vj. 27; 1953.

[3] Vgl. vor allem M. Wehrli, Allgem. Literaturwissenschaft, Bern 1951.

oder Epos von der sozialen, politischen, magischen, religiösen Funktion gelöst» hat und ihm wesensgemäß die Beziehung zum Theater zukommt.

Die Poetik muß es aufgeben, feste Formtypen zu konstruieren. Ihr wird neuerdings sogar ein Begriffsbereich bestritten, der für sie selbstverständlicher Besitz war – und an dieser Linie verläuft heute der Kampf zwischen der «reinen» Poetik und einer strikt historischen Betrachtung: der Bereich der Gattung. Um es ganz klar zu formulieren: kann die Poetik die Gattungen entwerfen, oder sind die Gattungen erst in der Geschichte zu erfassen, das heißt sind sie geschichtliche Phänomene? Sind sie – etwas zugespitzt gefragt – apriori oder a posteriori? (Wobei apriori natürlich nicht: unabhängig von aller Erfahrung aus der reinen Vernunft, sondern: aus der Sprache zu entwerfen meint.) Unter Gattung verstehen wir dabei nicht Lyrik, Epik und Dramatik oder das Lyrische, das Epische, das Dramatische (das mögen wir mit Goethe als Naturformen der Poesie oder mit Staiger als poetische Grundbegriffe bezeichnen), sondern Begriffe wie Epos, Roman, Lied, Spruch, Tragödie oder sogar, um noch einmal mit Schiller zu sprechen: Handlungsdrama, Charakterdrama. Im Sinne einer recht verstandenen Poetik bezeichnen diese Begriffe keine Gebilde und auch keine Schemata, sondern Bereiche, Kraftfelder, Spielräume mit strukturierbaren Potenzen, auf denen die verschiedenartigsten Konkretisierungen erwachsen. Was dagegen aus historischer Sicht Gattung genannt wird, liegt gar nicht auf jener Ebene. In den Kampf um den Gattungsbegriff mischt sich bei genauerem Zusehen ein Streit um Worte.

Herder hatte in seinem Shakespeare-Aufsatz über jeden Versuch gespottet, Shakespeares Dramen in Gruppen zu ordnen, und statt dessen die Einzelinterpretation jedes Werkes verlangt, da es eine eigene, organisierende Weltseele besitze. Es klingt wie ein Echo, wenn ein heutiger Forscher bekennt, daß er «von den Grundbegriffen (das heißt dem Lyrischen, Epischen, Dramatischen) lieber gleich zur Interpretation des einzelnen Kunstwerks übergehe». Die Einzelinterpretation ist als legitime Aufgabe unserer Wissenschaft anerkannt. Um sie als Interpretation eines Kunstwerks durchführen zu können, war es geboten, das Werk

in einer gewissen Weise zu isolieren und vor allem jene traditionellen historischen Fragestellungen fernzuhalten, die sich als
wenig förderlich für jene Aufgabe, ja als hemmend erwiesen. Aber
jede Beschäftigung und besonders mit einem Werk vor 1750, das
heißt vor der Zeit, da Originalität und Einmaligkeit als Wesenszüge des künstlerischen Gebildes und damit als Wertmaßstäbe verkündet wurden, drängt mit sanfter Notwendigkeit über das einzelne Werk hinaus. Ein Gedicht des hohen Minnesangs, ein
petrarkistisches Sonett des 17. Jahrhunderts verlangt von dem
Interpreten die Kenntnis übergreifender Formtendenzen. Mit
den Begriffen der «reinen» Poetik sind sie nicht zu erfassen und
nur zum Teil zu verstehen, weil ja auch da wieder etwas von der
historischen, der sozialen Situation hereinspielt, in der solche Gedichte leben. Eine Mehrzahl von Werken jedenfalls stellt sich zusammen und bildet eine Gruppe, die wir als hohen Minnesang
oder petrarkistische Lyrik bezeichnen. Wenn wir dabei von Formtypus sprechen, so läßt sich dieser Begriff nun deutlicher bestimmen. Formtypus besagt, daß die – an sich komplexe – Form der
Einzelgebilde auf einen übergreifenden idealen Formplan weist,
der als solcher neben anderen steht, und zwar in jenem Spielraum,
den die Poetik als Gattung bezeichnet. Er bekundet zugleich die
geschichtliche Situation, das heißt er ist erst vollständig beschrieben,
wenn wir die Fragen nach der Lebensweise der ihm zugehörigen
Gebilde beantworten: vor wem und wie sie aufgenommen werden
und welche Funktion ihnen zukommt oder zugedacht ist.

Unsere Aufgabe ist es, die um 1800 wahrnehmbaren Formtypen des deutschen Dramas skizzenhaft zu beschreiben. Wir streben dabei nach keiner Vollständigkeit und werden uns, um wenigstens an einigen Stellen genauer sein zu können, auf das ernste
Drama beschränken. Manches, was zu der Komplexität eines
Formtypus gehört[1], läßt sich dank der Arbeit der Poetik gleich
nennen: die Beschreibung wird sich auf das Spezifische der Sprache
(von der äußeren Formfrage: ob Vers oder Prosa- bis zur Artung
des Dialogs), auf das Spezifische der dramatischen Figuren, des
Szenenbaus und der Szenenfügung, der Handlungs- und Vor-

---

[1] Vgl. Klaus Ziegler, *Zur Raum- und Bühnengestaltung des klassischen Dra-
mentypus*, Wirkendes Wort, 2. Sonderheft. September 1954.

gangsgestaltung, der Motive und Inhalte, der Gestaltung von
Raum und Zeit beziehen und bei dem allen den strukturellen Zusammenhang zu erfassen suchen, um so eben ein Bild von der Einheit des Formtypus zu geben. Als auf eine Hilfe, die damaligen
Formtypen wahrzunehmen, lauschen wir zunächst auf einige
Äußerungen der Zeitgenossen. Wir tun es um so aufmerksamer,
als wir darunter Denker finden, die wir als Begründer der modernen Literarwissenschaft ansehen und deren Gedanken wir gern
von neuem durchdenken.

> Die neue Ära, die der Kunst Thaliens
> Auf dieser Bühne heut beginnt, macht auch
> Den Dichter kühn, die alte Bahn verlassend,
> Euch aus des Bürgerlebens engem Kreis
> Auf einen höhern Schauplatz zu versetzen,
> Nicht unwert des erhabenen Moments
> Der Zeit, in dem wir strebend uns bewegen.

Das sind Verse aus dem Prolog, den Schiller *Zur Wiedereröff-
nung der Schaubühne in Weimar im Oktober 1798* schrieb; aufgeführt wurde der erste Teil seines Wallensteindramas. «Die alte
Bahn verlassend», – zur Eröffnung des Weimarer Hoftheaters im
Jahre 1791 hatte Goethe Ifflands *Jäger* gewählt; in Fülle waren
seitdem bürgerliche Dramen gespielt worden. Aber ihre Zeit war
nicht vorüber, auch nachdem Schiller eine neue Dramatik mit
einem «höheren Schauplatz» eröffnet hatte, die hohe Tragödie.
Als A. W. Schlegel in seinen Vorlesungen über dramatische
Kunst und Literatur, die er 1808 in Wien hielt und die 1809 bis
1811 gedruckt wurden, die zeitgenössische Dramatik behandelte,
nannte er noch eine dritte Art: das Ritterstück. «Das Repertorium
unsrer Schaubühne bietet ... in seinem armseligen Reichtum
ein buntes Allerlei dar, von Ritterstücken, Familien-Gemälden
und rührenden Dramen, welche nur selten mit Werken in größe-
rem und gebildeterem Stil von Shakespeare oder Schiller abwech-
seln.»

Ritterstück, Familiengemälde, hohe Tragödie, – in der «Beurteilung der (Schlegelschen) Vorlesungen», die der tiefsinnigere
Solger zehn Jahre danach verfaßte, wurde der Schlegelschen Typo-

logie zugestimmt, nur daß Solger jetzt noch einen weiteren Typus aufstellte, ein «neues Unheil» benennen konnte, das in dem letzten Jahrzehnt hereingebrochen sei: das Schicksalsdrama. Wir lassen es hier beiseite, obwohl wir uns nicht auf die drei genannten Formtypen beschränken dürfen. Denn es wird sich zeigen, daß schon zur Zeit der Wiener Vorlesungen ein ganz eigener Formtyp mehrfache Erfüllung gefunden hatte. Es bleibt seltsam, daß Schlegel, der indirekt starken Anteil an seiner Ausprägung hatte, ihn nicht wahrnahm.

Es wäre vermessen, hier in wenigen Sätzen den Formtypus der hohen Tragödie Schillers bestimmen zu wollen. Zumal Schiller der Dichter immer noch der große Unbekannte der deutschen Literatur ist und wir erst dabei sind, einzusehen, daß die bisherige Betrachtungsweise sein Bild notwendigerweise verkleinern, ja verzerren mußte. Denn sie neigte dazu (und drängt es als Vorurteil immer wieder auf), Schillers Dramatik von seiner Philosophie her zu sehen, das Wesen jedes Dramas in seinem Ideengehalt zu suchen und damit seinen Rang zu begründen. Sie neigte weiterhin dazu, auf das Ende der Dramen zu schauen. Während das Theaterpublikum – und noch heute – von der ersten Szene an gepackt ist, warteten jene Deuter auf den Schluß, ob der Held gerichtet, geläutert oder erlöst wird. Sie entdeckten dabei – und durchaus richtig – die Verschiedenheit, ja Gegensätzlichkeit im Ideengehalt der einzelnen Dramen und kamen in Gefahr, jedes einzelne Werk zum Vertreter eines Typus zu machen (der nun freilich kein Formtypus in unserem Sinne ist.) Sie gerieten überhaupt in Schwierigkeiten, da der reflektierende Schiller immer dazu neigte, aus einer Maxime für die jeweilige Entscheidung das Prinzip einer ästhetischen oder ideologischen Gesetzgebung zu machen. Immerhin gibt es wertvolle Ansätze (wir denken an Bücher wie das von Wilhelm Spengler[1]), um den Formtypus des Schillerschen Dramas zu bestimmen. Zunächst: Schiller schwebte ein einheitlicher Formtypus vor; es gibt für ihn einen «strengen Begriff der Tragödie». Kunst ist nicht mehr wesenmäßig Ausdruck, sondern Erfüllung der Form. «Ehe ich meine dunklen Ahnungen von Regel und Kunst in klare Begriffe verwandelt habe, lasse ich

[1] *Das Drama Schillers, Seine Genesis,* 1932.

mich auf keine dramatische Ausarbeitung ein», äußerte er in der
Pause nach dem *Don Carlos*. «Hauptsache» für die Tragödie ist
die «tragische Fabel» oder, noch genauer, die «dramatische Handlung». Dramatisch meint dabei das Unwiderrufliche jedes Schritts,
das Immer-weiter-drängen des Geschehens, das «Immer tiefer
und tiefer in Lagen setzen». «Die» Handlung aber meint die Einheitlichkeit des ganzen Verlaufs, so daß jedes Moment seinen Beitrag leistet und jedes Einzelne, das heißt vor allem: jede Szene
funktional bestimmt ist. W. Spengler hat beobachtet, daß Schiller
bei der Verwandlung eines anscheinend dramatischen Stoffes in
eine dramatische Handlung immer wieder die Fragen nach der
«aufbrechenden Knospe», dem «prägnanten Moment», dem
«punctum saliens» stellt. Diese Begriffe sind durchweg Struktur-
begriffe, und zwar für eine Struktur, die sich aus der Handlung or-
ganisiert. «Alles, was sich ereignet, liegt schon darin» heißt es von
der aufbrechenden Knospe, das heißt einer sich im Anfang des
Dramas entfaltenden Situation. Das punctum saliens ist diejenige «dramatische Tat, auf welche die Handlung zuielt und
durch die sie gelöst wird». Wenn Schiller auf die Gefangennahme des Unterhändlers als das punctum im *Wallenstein* weist,
so zeigt sich, daß die «Tat» keineswegs die Tat eines Helden
sein muß.

Schiller dichtet jetzt nicht mehr von der großen Gestalt aus; sie
ist vielmehr nur ein Teil der übergreifenden Handlungsstruktur.
Von ihr braucht nur ein kleiner Anstoß zu kommen, – die latenten,
widersetzlich gerichteten Kräfte des Lebens werden wach und
treiben die Handlung weiter. «Das eigentliche Schicksal tut noch
zu wenig und der eigene Fehler des Helden noch zuviel zu seinem
Unglück», äußert er während der Arbeit am *Wallenstein*. Wir
müssen das Wort Schicksal richtig nehmen, nämlich nicht in der
Kraft seiner Bezeichnung, sondern als ein großes Wort, das auf
die Größe der widersetzlichen Kräfte weisen soll. Und damit erst
kommen wir in das Zentrum des Schillerschen Formbegriffs und
zugleich an jene Stelle, da sich das Gehaltliche der Form unmittelbar kundgibt: die Handlung der Tragödie muß Größe haben. Das
klingt wie Aristoteles, bedeutet aber etwas anderes. Gefördert
wird die Größe bereits durch den Stoff; trotz mancher Bedenken

hat Schiller immer wieder historische Stoffe bearbeitet, denen gegenüber er sich freilich das Recht des Eingriffs im Sinne der Formerfüllung wahrte. «Überhaupt glaube ich, daß man wohltun würde, immer nur die allgemeine Situation, die Zeit und die Personen aus der Geschichte zu nehmen und alles übrige poetisch frei zu erfinden, wodurch eine mittlere Gattung von Stoffen entstünde, welche die Vorteile des historischen Dramas mit dem erdichteten Drama vereinigte». Die Vorteile des historischen Dramas: das war ihm wohl die beglaubigte Größe, sobald es sich um eine Handlung um Herrschende handelte. Die Gefahr, daß der Stoff Einwirkungen ausübte, suchte er zu bannen, indem er politische oder überhaupt ideologische Konzeptionen der Herrschenden nur ganz schwach aufklingen ließ. Es kam ja auf die Handlung an, auf das immer stärkere Verstricktwerden des Helden in die Lebensmächte, das «Schicksal».

Größe besitzen die beiden Strukturelemente der Handlung: der Komplex der Lebensmächte und die eine hervorragende Figur, der Held des Schillerschen Dramas. «Es ist mir aufgefallen, daß die Charaktere des griechischen Trauerspiels mehr oder weniger idealische Masken und keine eigentlichen Individuen sind, wie ich sie in Shakespeares und auch in Ihren Stücken finde», schreibt er an Goethe (4. IV. 97); er selber steht dabei den Griechen näher als dem Zeitgenossen. Denn wenn auch zunächst der Abstand von zwei Jahrtausenden in der Menschengestaltung unverkennbar ist, der sich gerade im 18. Jahrhundert mit der Entdeckung der Innerlichkeit sprunghaft erweitert hatte (Shakespeare schien sie genial vorweggenommen zu haben), so kam es Schiller, der in Nebenrollen glänzend charakterisieren konnte, in den Hauptgestalten nicht auf psychologische Naturtreue an. Es gehört zur Schillerschen Anthropologie – und hier stimmen Denken und Dichten überein –, daß das eigentliche Wesen des Menschen erst jenseits der alltäglichen Menschlichkeit offenbar wird, erst hinter dem durch Anlagen, Erfahrungen, Gewohnheiten, eigene Geschichtlichkeit und umgebenden Lebenskreis geprägten Habitus. Schillers Helden haben wohl Charakter, aber ihre Größe liegt darin, daß sie sich über ihren Charakter zu erheben vermögen. Nicht vorsätzlich, sondern bei der Verstrickung in die großen Lebensmächte, in das «große, gigantische Schicksal / Welches den Menschen erhebt, wenn es den Menschen zermalmt.»

Bei der Raumgestaltung erscheinen solche Formungstendenzen als Entkonkretisierung und Entdinglichung[1], und entsprechende Kräfte beherrschen auch die Sprachgebung, in der sich die Einheit der Schillerschen Dramatik am unmittelbarsten kundgibt. Für beides, die Raum- und Sprachgestaltung, genüge ein prägnantes Beispiel. Wir wählen es aus dem Schluß jenes großen Monologs Wallensteins (Tod, I, 4), da er den schwedischen Unterhändler erwartet. «Wallenstein hat den Blick nachdenkend auf die Türe geheftet» heißt es als Regieanmerkung. Und dann die letzten drei Zeilen des Monologs:

> Noch ist sie rein – noch! Das Verbrechen kam
> Nicht über diese Schwelle noch – So schmal ist
> Die Grenze, die zwei Lebenspfade scheidet!

Die Schwelle wird entindividualisiert; sie wird mit Bedeutung aufgeladen und zu der Grenze zwischen zwei Pfaden. Und nun überhöht die Sprache noch einmal: Reinheit hier und Verbrechen dort. Mit aller Kraft der Suggestion zwingt uns Schiller diesen Blick auf: Den Blick auf die Schwelle als schmalen Grenzstrich zwischen zwei Extremen der Moralität, die als Wesenheiten gegenwärtig im Spiele sind. Zugleich wird, in dreifacher Wiederholung des Wörtchens «noch» die zeitliche Gespanntheit, die Unwiderruflichkeit einer Tat in die Prägnanz eines Augenblicks gebannt. Es ist eine typische, in ihrer Dichte freilich hervorragende Stelle Schillerscher Dramatik. Typisch wohl auch in der Momentaneität ihrer Überhöhungen. Denn am Ende des Gesprächs mit dem Unterhändler erfahren wir, daß sich die Verhandlungen schon zwei Jahre hinziehen und es unsicher ist, ob «diesmal» etwas erfolgt. Den Freunden versichert Wallenstein gleich darauf:

> Noch ist nichts geschehn, und – wohl erwogen,
> Ich will es lieber doch nicht tun.

---

[1] Vgl. Klaus Ziegler, a. a. O. und ders., *Schiller u. das Drama*, Wirk. Wort, 1955, Heft 4.

Unüberhörbar drängt sich, sobald wir uns einzelnen Stellen zuwenden, das spezifisch Schillersche der Gestaltung auf. Und doch
würden wir die Frage bejahen, ob die Skizzierung des Schillerschen Formtypus weitere Geltung beanspruchen darf. Wir stimmen den Bemühungen, wie sie etwa F. Sengle[1] unternommen hat,
durchaus zu, der von einem Formtypus der klassischen hohen
Tragödie in Deutschland spricht, zu dem Dramen Goethes, Schillers, Kleists und Grillparzers gehören. Sie verbindet schon das
Streben nach Formerfüllung und die Vorstellung von der «hohen
Tragödie», die sie im Hinblick auf die Griechen, auf Shakespeare,
auf die Franzosen und schließlich auch auf die vorangehenden
Zeitgenossen zu konkretisieren trachten.

Demgegenüber fehlt es um 1800 an einer Poetik des Familien-
gemäldes. Bei der Bestimmung des Formtypus kommt uns keine
Hilfe von theoretischen Erwägungen. Man könnte zwar sagen,
daß Lessing, der Initiator des bürgerlichen Dramas in Deutschland, sie in der *Hamburgischen Dramaturgie* gegeben habe. Und
gewiß sind seine Lehren: daß der Held mit uns von gleichem
Schrot und Korn sein müsse, daß der Zuschauer sich und seine
Welt auf den Brettern wiedererkennen solle, daß von dem Drama
eine kräftigende und bessernde Wirkung auf seine Menschlichkeit im täglichen Miteinander auszugehen habe, für das bürgerliche
Drama bestimmend geworden. Aber Lessing meinte, mit seinen
Thesen den eigentlichen Sinn des Aristoteles zu verdeutlichen,
meinte, mit seiner Vorstellung des Trauerspiels die Idee der reinen
Tragödie zu treffen. Das bürgerliche Drama um 1800 gibt sich
nicht mehr als Trauerspiel, sondern als Schauspiel oder als «Familiengemälde», das zum Schluß in hellen Farben aufleuchtet. Wohl
hatte Lessing Nachfolge gefunden. Goethes *Clavigo* und seine
Stella, Klingers *Leidendes Weib* und andere Dramen des Sturms
und Drangs, Schillers *Kabale und Liebe* wären zu nennen. Aber
es entstand kein Formtyp des bürgerlichen Trauerspiels. Wo wir
in der *Emilia Galotti*, im *Clavigo*, in *Kabale und Liebe* den Hauch
des Tragischen verspüren, da weht er herein, weil die Wände um
den sozialen Raum des bürgerlichen Dramas Risse bekommen

---

[1] *Klassik im deutschen Drama*, Der Deutschunterricht, 1952, Heft 5 (Schil-
lerheft).

oder ganz niederbrechen. Wir können die Frage hier offen lassen, ob – wie Hofmannsthal es einmal formulierte – das bürgerliche Trauerspiel überhaupt ein Unding sei: um 1800 sind die Bemühungen darum in Deutschland zunächst aufgegeben. Auf den Dramentyp, der sich da bildete, wirkten neben Lessing Diderot (mit seinem *Père de famille*) und das «rührende Lustspiel», wie es etwa Chr. F. Weiße gepflegt hatte.

> «Was? Es dürfte kein Cäsar auf euren Bühnen sich zeigen,
>   Kein Achill, kein Orest, keine Andromache mehr?»
> Nichts! Man siehet bei uns nur Pfarrer, Kommerzienräte,
>   Fähndriche, Sekretärs oder Husarenmajors.
> «Aber ich bitte dich, Freund, was kann denn dieser Misere
>   Großes begegnen, was kann Großes denn durch sie geschehn?
> Was? Sie machen Kabale, sie leihen auf Pfänder, sie stecken
>   Silberne Löffel ein, wagen den Pranger und mehr.
> «Woher nehmt ihr denn aber das große, gigantische Schicksal,
>   Welches den Menschen erhebt, wenn es den Menschen
>   zermalmt?»
> Das sind Grillen! Uns selbst und unsre guten Bekannten,
>   Unsern Jammer und Not suchen und finden wir hier.

Das sind Zeilen aus Schillers Gedicht *Shakespeares Schatten*. Man spürt die Kritik dessen, für den es nur eine Kunst gibt und der so, wie er die volkstümliche Dichtung eines Bürgers verurteilte, nun diese niedere Dramatik verurteilt. Goethe, der während seiner Theaterleitung Dutzende solcher Stücke hatte spielen lassen, war toleranter. Er hatte wohl Schillers Verse im Sinn, als er beim Gespräch mit Eckermann über Iffland und Kotzebue (am 30.III. 1824) äußerte: «Eben aus dem gedachten Fehler, daß niemand die Gattungen gehörig unterscheidet, sind die Stücke jener Männer oft ungerechterweise getadelt worden.» Wenn wir indes aus Schillers Versen das Kritische abstreifen, so geben sie uns die Mittel zur Beschreibung des Formtypus an die Hand. Als Figuren erscheinen die bürgerlichen Gestalten der Gegenwart. Im Gegensatz zu den bürgerlichen Trauerspielen Lessings spielen nahezu alle Stücke der Gemmingen, Großmann, Brandes, Möller, Schröder, Iffland usf. in Deutschland, und zwar immer in der Gegenwart. Diese

Figuren nun sind volle Charaktere in jenem erwähnten Sinne, und wo ein Könner am Werke ist, da entstehen plastische Gestalten, wie sie vorher nur bei Goethe zu finden sind. (Dessen Nachwirkungen sind übrigens überall spürbar.) Die Sprache, nicht mehr im Dienste der Stilisierung und Überhöhung (und daher stets prosaisch), wird zum Ausdruck reicher, oft sogar unbewußter Innerlichkeit und deshalb ergänzt oder selbst überspielt durch Mimik und Gestik. Der erste Akt von Ifflands *Jägern* stellt wohl das Beste dar, was damals an charakterisierender Menschendarstellung geleistet worden ist und besteht neben den Leistungen des späteren Naturalismus[1].

Die Begeisterung legt sich freilich, wenn man umherschaut und immer wieder die gleichen Charaktere findet. Lessings *Emilia* und vor allem *Kabale und Liebe* bieten die Vorbilder: den ehrlichen, etwas polternden Hausvater, die geschwätzige und für ihre Kinder obenhinaus wollende Mutter, die edlen, noch ungestümen Söhne, die seelenvollen Mädchen, die schurkischen Bedienten und Sekretäre, die gewissenlosen Amtmänner und Hofleute, und häufig rauscht noch eine freilich verbürgerlichte Nachfahrin der Millwoods oder Orsinis herein. Die Begeisterung legt sich auch, wenn man in den Jägern weiterliest. Denn nach der trefflichen Exposition beginnen nun die Verwicklungen. Sie sind in diesen Dramen so füllig und stürmisch, daß die Figuren nur noch ihnen zugekehrt sind und mit der Selbständigkeit ihre Tiefe verlieren. Schiller hatte in jenen Versen das eine große gigantische Schicksal in der hohen Tragödie einer Reihe von einzelnen Verschuldungen im bürgerlichen Drama gegenübergestellt. Wieder überrascht, wenn man mehrere solcher Dramen liest, wie stereotyp die gleichen Verwicklungen auftauchen: durch den Leichtsinn der wilden Jünglinge und der liebevollen Mädchen verursacht, also als Gefährdungen des guten Rufes durch eigene Schuld – und als Bedrohungen durch Intriganten, Ehrgeizige, Machtlüsterne,

---

[1] Die Technik der ausführlichen Charakterisierung im Personenverzeichnis, wie sie manchen naturalistischen Dramen eigen ist, findet sich schon in Gemmingens *Deutschem Hausvater*. Wenn es bei den unedlen Gestalten jeweils heißt: «ja keine Karikatur», so erhellt sich daraus, wie lebendig um 1780 noch der Stil der «commedia dell'arte» war.

verursacht also durch die Bösen. Es endet alles in den Charakteren. Dort kann geheilt werden, und hier, so wollen es die Dramen, kann abgewehrt werden. Die Moral der Hof- und Adels-
kreise ist nicht so unbedingt, daß nicht der (unsichtbar bleibende)
Fürst helfend eingreifen könnte. Oft übernimmt ein reicher,
aus der Fremde heimkehrender Verwandter diese Funktion.
Denn die Verwicklungen stehen in keiner universalen oder auch
nur durchgehaltenen charakterologischen, sondern in der mora-
lischen Perspektive. Da gehört es zu diesem Formtyp, daß der
Dichter Gerechtigkeit übt und zum Schluß das Gute über das
Böse siegen läßt.

Man kann nicht gut von einem Helden sprechen; Held ist die
redliche Familie. Man kann auch nicht gut von einer Handlung
sprechen. Es findet sich vielmehr eine Vielzahl von Handlungssträngen, die alle die Ordnung stören. Das Schema ist überall das
gleiche: der erste Akt der durchweg fünfaktigen Stücke zeigt,
daß die Ruhe der Redlichkeit bedroht ist. Akt zwei bis vier entfalten die Verwicklungen, und zum Schluß wird dann die Ordnung zur «Freude» und «Glückseligkeit» wiederhergestellt.
(Wenn Iffland in *Elise von Vohberg* einen der Emilia Galotti ähnlichen Stoff behandelt, so wendet er den Ausgang natürlich ins
Versöhnliche.) «Das Geschick, das ist blind, und der Poet ist gerecht», so läßt Schiller den Erklärer des bürgerlichen Dramas auf
die Frage antworten, warum die Leute denn solche Dramen an-
schauten, da sie ja «alles bequemer und besser zu Hause hätten».
Sarkastisch fügt der Kritiker hinzu:

> Der Poet ist der Wirt und der letzte Aktus die Zeche;
> Wenn sich das Laster erbricht, setzt sich die Tugend zu Tisch.

Statt eines Geschicks poetische Gerechtigkeit, damit – und
hier weist die Form unmittelbar auf die Funktion – die erzieheri-
sche Wirkung stattfinden kann. Das Familiengemälde ist exem-
plarisch; eine «wahre Schule der Sitten» nannte es Dalberg, auf
dessen Mannheimer Theater es recht eigentlich groß geworden
war.

Es hatte dort das Ritterdrama in der Herrschaft abgelöst. Das
Ritterdrama war aus der Nachfolge des Götz entstanden, hatte

dabei aber zunächst alles Geschichtliche verloren[1]. So unklar die Struktur ausgeprägt blieb: eigentlicher Gegenspieler gegen Götz war die Geschichte, war eine neue Epoche, die über ihn, Vertreter der vorangehenden, triumphierte. An den Ritterstücken war indes, um A. W. Schlegel zu zitieren, «nichts historisch als die Namen und andere Äußerlichkeiten, nichts ritterlich als die Helme, Schilder und Schwerter, nichts altdeutsch als vermeintlich die Rohheit, sonst die Gesinnungen ebenso modern als gemein.»

Aber Schlegels Überblick war nicht vollständig. Es hatte sich ein Typus patriotischer Ritterdramen ausgebildet – Namen wie J. Maier, Babo mit seinem *Otto von Wittelsbach* und vor allem Törring mit seiner *Agnes Bernauer* sind hier zu nennen –, in denen geschichtliche Stoffe bedichtet wurden. Es gab Geschichtliches, freilich in der Form der eigenen, hehren, vaterländischen Vergangenheit, und die Funktion der Stücke als patriotische Erbauungsliteratur erlaubte großzügige Freiheiten. In Österreich, der Schweiz, in Preußen fand das zunächst bayrische Vorbild reiche Nachfolge. Die Dinge waren im Fluß, und sein Gefälle steigerte sich durch die Verkündigung, mit der Schlegel seine Vorlesungen schloß: «Die würdigste Gattung des romantischen Schauspiels ist aber die historische. Auf diesem Felde sind die herrlichsten Lorbeern für die dramatischen Dichter zu pflücken.»

Im Fluß war auch das Ritterstück mit frei erfundenen, unhistorischen Inhalten. Hier ist noch Einzelforschung nötig, die den Trivialroman einbeziehen müßte. Denn die Grenzen zwischen Ritterdrama und Ritterroman verschwammen. Wir werden schon aufmerksam, wenn wir von einem bevorzugten Motiv hören: ein totgesagter Kreuzfahrer kehrt heim und zerstört dadurch die Familie. Ein anderes häufiges Motiv sind Geistererscheinungen. Als Kleist sich während seines Würzburger Aufenthaltes nach Lektüre umtat, da fand er in einer Leihbibliothek auf der einen Seite die Ritterromane ohne Gespenster, auf der anderen Seite die mit Gespenstern (ähnlich wie sich heute die Presse unterscheidet in Periodika mit Horoskop und solche ohne Horoskop). «Mit Gespenstern», das bedeutet wie das Horoskop: mit «Schicksal». Aber es bedeutet zugleich: mit Vergangenheit. In der Vergangenheit

---

[1] Vgl. zum Folgenden vor allem F. Sengle, *Das deutsche Geschichtsdrama*, 1952

ist, durch ein Verbrechen, das moralische Fatum aufgeweckt wor-
den, das nun in der Gegenwart den Untergang im Umkreis einer
Familie bestimmt. Die Dinge sind, wie wir jetzt erkennen, im
Fluß auf das Schicksalsdrama hin.

Von den verschiedensten Seiten kamen die Zuflüsse. Es bleibt
überhaupt auffällig, welche Bedeutung um 1800 der Begriff des
Schicksals bekam. Wenn Klinger 1792 in der Bearbeitung seiner
Zwillinge den Gebrauch des Wortes gegenüber der Fassung von
1776 um das Dreifache steigerte, so ist das symptomatisch. (Seine
Medea in Korinth eröffnete er mit einem Prolog des Schicksals.
Die Erörterungen über das Wesen der griechischen Tragödie
kreisten damals um den Begriff des Schicksals bzw. des Fatums.)
Und doch scheint es einseitig, wenn Solger in seiner *Beurteilung*
der Schlegelschen Vorlesungen «die nun in Schwung gekommene
Idee des sogenannten Schicksals» einzig aus der antiken Tragödie
ableitet. Die Schauerliteratur steckte voll davon. Der Zusammenhang wird bei Schiller greifbar. Es ist bezeichnend, daß er in dem
einen Fall, da er, seinen Skrupeln vor der Einwirkung historischer
Stoffe nachgebend, die tragische Fabel selbst bildete, dem Schicksalsdrama am nächsten kam. Aber er bildete die Fabel gar nicht
selbst, sondern übernahm sie weithin, wie jüngste Forschung beobachten konnte[1], aus einem englischen Drama, das er mit Goethe eingehend «studiert» hatte: aus der *Mysterious Mother* jenes
Horace Walpole, der mit seinem *Castle of Otranto* das Muster für
den Schauerroman gegeben hatte und sich hier in einer hohen Schau-
ertragödie versuchte. (In diesem Drama, das auch den deutschen
Romantikern bekannt war, taucht zum ersten Male die Fatalität der
Daten auf.) Um die Richtung auf das Schicksalsdrama zu verstehen, darf man auch auf das neue Gefühl der geschichtlichen Ab-
hängigkeit verweisen, wie es ebenso die Erzählkunst der Zeit bestimmt. Dem erhebenden Empfinden, Erbe großer Vorzeit zu sein,
steht polar das bedrückende Gefühl gegenüber, unentrinnbar
einem in der Geschichte Angelegten ausgeliefert zu sein.

Aber noch von einer anderen Seite kam ein Zustrom. Indem
wir uns ihr überhaupt zuwenden, geraten wir in Zusammenhänge,
die noch wenig erforscht sind. Wir meinen Calderón und seine

[1] Thiergart, *Das Schicksalsdrama als Schauerliteratur*, Diss. Göttingen 1957.

Aufnahme in Deutschland. Es entstand aus der Begegnung eine Dramatik, die, wie wir meinen, ein eigenes Gepräge hat, einen eigenen Formtypus darstellt. Ihn zu skizzieren war ein Grund für die Wahl unseres Themas. An Dramen gehören dazu Tiecks *Genoveva*, Dramen von Z. Werner, wie *Das Kreuz an der Ostsee* oder *Wanda, die Königin der Sarmaten*, Brentanos *Gründung Prags*, W. v. Schütz' *Lacrimas* u. a.; wenn wir recht sehen, so führen die Linien zum zweiten Teil des *Faust*. Wir raffen einige Fakten zusammen.[1] Tieck entdeckt als erster die Bedeutung Calderóns; er weist die Schlegels auf den Spanier; 1802 erscheint der erste der beiden Bände mit Calderón-Übersetzungen durch A. W. Schlegel. Als Goethe 1804 aus dem Manuskript die Übersetzung des *Standhaften Prinzen* kennen lernt, schreibt er an Schiller: «Wenn die Poesie von der ganzen Welt verlorenginge, so könnte man sie aus diesem Stück wiederherstellen.» Ähnlich äußert sich nach dem Erscheinen des Drucks (1809) Clemens Brentano: «Ich weiß nur seit etwa zwei Jahren erst, was dichten heißt, und habe an Calderóns Standhaftem Prinzen zuerst einen deutlichen materiellen Begriff erhalten, was ein Kunstwerk ist.» Spätestens 1808 wurde Z. Werner während seines Weimarer Aufenthaltes genauer mit dem Spanier bekannt. 1811 begann mit den Weimarer Aufführungen Goethes der Siegeszug Calderóns über die deutschen Bühnen. Die Schlegels, Goethe, Solger u. a. widmeten dem Spanier Abhandlungen und Deutungen, und um 1810 war es üblich, Calderón mit Shakespeare als den hervorragenden Doppelgipfel aller nachantiken Dramatik zusammenzusehen. Seit 1815 erschien, von Goethe angeregt, die achtbändige Übersetzung durch Gries. Diese erste Welle der Calderón-Aufnahme endete mit den Aufführungen auf Immermanns Düsseldorfer Musterbühne.

So unverkennbar die Gruppe von deutschen Dramen, die wir zusammenfassen können, von Calderón angeregt ist, so unverkennbar sind, schaut man nach beiden Seiten, die Unterschiede. Wir können hier das Verhältnis zu Calderón nur gelegentlich streifen[2].

---

[1] Vgl. unten: *Zur Struktur des «Standhaften Prinzen.»*

[2] Das Folgende verwertet Ergebnisse aus einem Oberseminar über das romantische Drama. Vgl. auch Hugo Friedrich, *Der fremde Calderón*. Freiburger Universitätsreden, Heft 20, 1955.

Welche deutschen Dramen dazugehören, nimmt man gewöhnlich schon am Druckbild wahr. Die hohe Tragödie brauchte den einheitlich stilisierenden Vers, sie wählte den Blankvers. Die Familiengemälde verlangten die Prosa, und in Prosa waren auch meist die Ritterstücke und zunächst auch die patriotischen Dramen geschrieben. In unseren Dramen findet sich – und das ist Calderón abgesehen – ein dauernder Wechsel der Versmaße. Kürzere und längere Verse der verschiedensten Art lösen sich ab, strophische Anordnungen begegnen, aber auch eigenbündige Formen erklingen, Lieder und Gedichte, – an markanten Stellen, wie bei Calderón, das Sonett. Ein Kosmos rhythmischer Sprache bildet sich, ein Fest des Verses hebt an, rauschhafter und tönereicher als bei dem Spanier. Es ist, als ob die romantische Sehnsucht nach einem Werk, das alle Töne dichterischer Sprache vereinte, in dieser Art Drama seine Erfüllung finden wollte (Fr. Schlegel hatte an den Roman als geeignete Form gedacht). Denn zu dem Reichtum gehörte auch die Mischung des dramatischen Dialogs und der gespannten Szene mit dem epischen Bericht oder verkündender Lehre und wiederum mit rein lyrischen Partien.

Wir rühren damit schon an die Struktur des Ganzen, setzen aber noch einmal beim Äußeren an, bei der Frage nach den Inhalten. Immer werden wir in Frühzeiten geführt, in Frühzeiten der eigenen Geschichte, und zwar in Epochen, da sich das Christentum zum Sieg über eine vorangehende urtümliche Kultur anschickt. Denn der Epochenübergang ist zugleich ein Kulturübergang. In voller Breite wird uns das Bild der Kulturen gegeben, mit einer Fülle von Schauplätzen und einer Fülle von Figuren. Überquellend besonders bei Brentano, während Z. Werner stärkere Konzentration erreicht, indem er jeweils eine Hauptfigur zum Repräsentanten der Kulturen bzw. Epochen macht und sie dann durch die Magie seiner Liebesmystik zusammenführt. (Es gehört zur Wernerschen Liebesmystik, daß die Vereinigung auf Erden nicht vollzogen werden darf; aber etwas Entsprechendes, nämlich die Repräsentation in einem Paar, das nicht zueinander finden darf, läßt sich auch bei Calderón beobachten, in der *Andacht zum Kreuz* wie im *Standhaften Prinzen*, im *Wundertätigen Zauberer* wie in *Der Traum ein Leben*.)

Es gibt in unseren Dramen nicht die eine Haupthandlung als führendes Strukturelement, sondern eine Fülle von Handlungssträngen, die aufeinander bezogen sind und sich vielfach spiegeln. Christliche Kultur lagert sich über eine urtümliche, – wir müssen hier jeden Gedanken an Grillparzersche oder Hebbelsche Strukturen oder an Hegelsche Geschichtsphilosophie fernhalten. Wollten wir einen Geschichtsdenker der Romantiker nennen, zu dem die geschichtliche Sicht unserer Dramen paßt, so müßte es Görres sein. Geschichte ist nicht Abfolge gegensätzlicher Epochen, sondern «Wachstum», dauernde Erneuerung. «Auf dem Grabeshügel der Vergangenheit werden wir geboren.» Die christliche Kultur, die sich überlagert, kommt nicht als etwas völlig Fremdes und Neues, sondern als eine Phase im Wachstum, sie ist angelegt. So gibt es in diesen Dramen dauernd Entsprechungen und verhüllte Bezüge. Aber die Übereinstimmung mit Görres reicht tiefer. Geschichte ist nicht das Wachstum eines autonomen irdischen Lebens, sondern Erfüllung einer «Himmelskonstellation». «Alles, was selbst bei einem einzelnen Volk durch seine ganze Geschichte sich entfalten soll, alles das ist auch wieder symbolisch schon in seiner Mythe angedeutet», heißt es bei Görres. Die Dramatiker stellen den Sinneszusammenhang ihrer Frühkulturen in den Mythen dar; jede Kultur ist mythisch durchleuchtet und symbolisch verbunden. Indem sich aber das Christentum als Erfüllung darüber lagert, vervielfacht sich das Spiel der Anklänge, Bezüge und Spiegelungen, an dem die Dramatiker mythenschaffend und sprachhörig freudig teilnehmen. Die Nähe und der Unterschied zu Calderón werden deutlich: während bei ihm, dem theologisch streng Gebildeten, begriffliche Klarheit den statischen, allegorischen Bezug der Dinge herstellt, zeigt das romantische Drama eine bewegte, symbolisch zusammenhängende Welt, in der die Schärfe der begrifflichen Profilierung der Bewegtheit einer sinnbildhaften Allverwobenheit weicht, die noch das Fernste und also den Dichtern Gegenwärtige einzubeziehen weiß. Das Raum- und Zeitgefüge korrespondiert mit der sprachlichen Tonfülle in ihrer gegliederten Vielfalt. Calderón ermutigte im übrigen die romantischen Dramatiker bei dem Durchbrechen des von der hohen Tragödie so strikt begrenzten irdischen Raumes: immer wieder erscheinen Figuren, die mit überirdischen Kräften begabt sind, erscheinen Wunderzeichen und Heilige oder Verklärte. Denn alle Gestalten sind nicht als Charaktere erfaßt, sondern als Stimmen, als Chiffren. In Erfüllung jener Tendenz zu durchgängiger Bezüglichkeit stehen die Hauptfiguren gewöhnlich in Konfigurationen.

Das kulturmythische Drama, wie ich diesen Formtypus nennen möchte, ist im Grunde ein Spiel vom theatrum mundi. Es strebt, mit seiner Einbeziehung von Pantomime und Tanz, Gesang und orchestraler Begleitung zum Gesamtkunstwerk als Feier und zur Feier des Gesamtkunstwerks.

Zur Dramaturgie des naturalistischen Dramas

Der Freund des Theaters, der bei einer Deutschlandreise die Spielpläne der Bühnen prüft, wird überrascht sein, welch starken Anteil daran das gegenwärtige amerikanische Drama hat. Sie werden alle aufgeführt, die Dramen der Thornton Wilder, Arthur Miller, Tennessee Williams usf., und sie erweisen sich alle als zugkräftig. Es spielen dabei wohl drei Gründe eine Rolle. 1) Man ist nach der Isolierung begierig, die heutige Dramatik des Auslandes kennenzulernen, und vor allem natürlich die Dramatik der führenden Weltmacht des Westens. Es kommt die Vorliebe der Deutschen hinzu, jede Begegnung gerade mit einem amerikanischen Erzeugnis, sei es dem Fernsehapparat oder dem "ice cream" oder dem Nylonstrumpf, zum Anlaß für eine Kulturdiagnose zu nehmen. 2) Das deutsche Publikum empfindet – ebenso wie das amerikanische – diese Stücke als ihm gemäß. Es findet sich selber in den Figuren und in dem Geschehen sein eigenes Leben. Der *streetcar named desire* scheint in jeder deutschen Stadt zu fahren, und das gläserne Einhorn steht offenbar in vielen Winkeln. Und damit sind wir schon bei dem dritten Grund: denn dieses uns so nahe und so ansprechende Drama mit den Stoffen der Umwelt ist uns vertraut. Wir empfinden das amerikanische Drama als eine Fortsetzung der aus dem Stoff der Umwelt gebildeten Dramatik Ibsens, Tolstois, Gerhart Hauptmanns und der Max Halbe, Sudermann, Dreyer und wie sie alle heißen, – kurz: des sogenannten naturalistischen Dramas. Der Literarhistoriker wird im Verfolg dieser Linie noch weiter zurückgehen und im 18. Jahrhundert, bei Lillo in England, Diderot in Frankreich und Lessing in Deutschland den Ursprung finden wollen. Aber er muß zugeben, daß mit dem Naturalismus tatsächlich eine neue Phase begann, eine Phase, deren Bogen sich noch über einen guten Teil der Gegenwartsdramatik wölbt. So kommt denn einer Beschäftigung mit dem neuen Typus, den die Naturalisten geschaffen haben, eine besondere, weil aktuelle Bedeutung zu. Und nicht nur dem, was sie geschaffen und erprobt, sondern was sie darüber gedacht haben. Der Historiker der deutschen Literatur ist dabei in der glücklichen Lage, einem Dichter zu begegnen, der mit der äußersten Konsequenz den neuen Typus entworfen hat, in Theorie und Praxis: Arno Holz.

Mit der äußersten Konsequenz; hatte er zunächst noch die großen Ausländer als die Zeugen einer neuen Kunst und neuen Zeit gefeiert:

> Zola, Ibsen, Leo Tolstoi,
> Eine Welt liegt in den Worten,
> Eine, die noch nicht verfault,
> Eine, die noch kerngesund ist!

so nannte er bald darauf Zolas *Thérèse Raquin* ein Stück aus dem «alten Backofen» und begann er das Vorwort zu seinen *Sozial-aristokraten* (1896) mit der Behauptung: Es «besteht zwischen der Diktion zum Beispiel Ibsens und der Rhetorik etwa Schillers ... kein Wesensunterschied.» Er selber erst bringe das Neue, in Theorie und Praxis. Die Praxis, das war der mit J. Schlaf gemeinsam verfaßte Sammelband *Neue Geleise* (1892) mit seinen Prosa-skizzen und dem Drama *Familie Selicke*. Die Theorie, das waren eine Reihe von Schriften. Sie enthalten keine systematische Poetik des neuen Dramas. Es sind vielmehr fast durchweg polemische Schriften, die mit sehr spitzer Feder gegen Kritiker und abtrünnige Freunde geschrieben sind. Die Auswahl des Wesentlichen und die Zusammenstellung zu einer Art System müssen wir selber vornehmen. Wir dürfen es, denn offensichtlich besitzt A. Holz eine Konzeption des neuen, konsequenten Dramas. Freilich sei gleich festgestellt, daß es bei ihm Inkonsequenzen, Zugeständnisse, ja widersprüchliche Bemerkungen gibt, die zu jener Konzeption nicht passen oder sie sogar, wenn man sie weiter durchdenkt, aufheben. Wir werden das gelegentlich berücksichtigen, halten uns aber zunächst an die Konzeption des konsequenten Dramas.

Arno Holz selber hat die Bezeichnung als konsequenter Realist oder Naturalist abgelehnt. Und zwar, weil sie ihm nicht radikal genug war. Sie schien ihm zu besagen, daß es sich bei seinem Naturalismus um einen besonderen Stil handele, neben dem es andere Stile geben könne. Er aber meinte, daß er die Gesetze der Kunst schlechthin aufgestellt und mit den *Neuen Geleisen* den Weg zu der einzig wahren und möglichen Dichtung gewiesen habe.

Das Grundgesetz lautet in der endgültigen Formulierung: «Die Kunst hat die Tendenz, die Natur zu sein; sie wird sie nach Maßgabe ihrer Mittel und deren Handhabung.» Was heißt dabei «Natur»? «Wir haben uns hingesetzt, jede Überlieferung von uns abgetan und unsere Sinne nur noch auf das konzentriert, was wir als Wirklichkeit empfanden.» So lautet es immer wieder. Natur ist also die Wirklichkeit, die mit den Sinnen wahrgenommen wird. Der Künstler gibt sie «absichtslos» wieder, das heißt, es dürfen in ihm keine anderen Kräfte lebendig sein, die die Genauigkeit der Reproduktion beeinträchtigen. Wenn die Kunstwerke trotzdem von der Natur abweichen und ewig abweichen werden, so liegt das nur an der Eigenart der Mittel (der mit Farben malende Maler kann eben keine akustischen Eindrücke wiedergeben) und an der technischen Handhabung. Holz gesteht überdies einen gewissen subjektiven Faktor zu, weil die Menschen nun einmal verschieden seien und jeder etwas anderes wahrnähme. Aber das seien nur subjektive Besonderungen, die das Grundsätzliche nicht antasten: zwischen Natur und nachbildende Kunst dürfen sich keine besonderen Kräfte stellen.

Die Kunst bilde die Natur nach, – dieser Satz ist dem Historiker ja als Grundsatz einer bis ins 18. Jahrhundert hin anerkannten Ästhetik vertraut, mag er da auch den Zusatz gehabt haben: indem sie auf das Schöne hin stilisiere. Diese Ästhetik war im 18. Jahrhundert besonders von englischen und deutschen Denkern zerbrochen und ersetzt worden. Arno Holz seinerseits erkennt die neuen Einsichten nicht an. Er spottet über den Geniebegriff, über den Anspruch, daß eine künstlerische Substanz sich selber ausdrücken will. Die Romantik hatte weiterhin im Künstler eine besondere Kraft entdeckt, die fast zur Grundlage ihrer Ästhetik wurde: die Phantasie. Holz reduzierte ihre Bedeutung auf ein Minimum: die Phantasie sei legitime Kraft nur als nachschaffende Phantasie, als Bewahrerin und Reproduktorin von Eindrücken und Beobachtungen. Schließlich hatten Herder, K. Ph. Moritz und Goethe – und zwar schon vorher – die Kunst als Bildung, als Gestaltung aufgefaßt und sich um die kunsteigenen Formkräfte bemüht. Arno Holz leugnet ihre Existenz. Er spricht immer wieder von ungültigen, weil willkürlichen Konventionen, ein Begriff, der an die Tiefe jener Auffassung nicht heranreicht. Konventionen sind etwa die Selbstaussprache einer dramatischen Figur im Monolog oder der Aufbau eines lyrischen Gedichts in gleichförmigen Strophen: all das werde von der neuen Kunst zerrissen, die keine eigenwilligen Kräfte zwischen Natur und Nachbildung dulde[1].

Nur das nachbildende Mittel (Farbe, Stein, Bewegung, Wort usf.) und seine Handhabung bestimme über die Nähe der Reproduktion zur Natur. Mit der Eignung des Reproduktionsmittels ist für Arno Holz eine objektive Rangordnung der Künste gegeben. Die Dichtung steht am höchsten: «Kein Mittel ist umfassen-

---

[1] Wir müssen an dieser Stelle auf einen Widerspruch in den Ausführungen A. Holzens hinweisen. In der Auseinandersetzung mit Möller-Bruck (S. 197 ff.) gibt er zu, daß Rembrandts Anatomie von der Natur nicht nur dadurch abweiche, daß sie nicht nach Chloroform rieche (also auf Grund der Begrenztheit des Reproduktionsmittels). Möller-Bruck hatte die spezifisch Rembrandtsche Abweichung als ein $+ y$ in die Holzsche Formel setzen wollen. A. Holz höhnt über den Gegner, der nicht merke, daß sein N (Natur) eben das $+ y$, die individuelle Verschiebung, schon enthalte; mit N meine er das individuelle Vorstellungsbild. Er beruft sich dabei auf Kant, seit dessen Auftreten die Subjektivität des Vorstellungsbildes eine «transparente Wassersuppe der Selbstverständlichkeit» sei. Wir können übergehen, daß A. Holz die Kantischen Bestimmungen der reinen theoretischen Vernunft individualistisch mißverstanden hat (er hätte eher auf Leibniz weisen können). Wenn er hier behaupten will, daß Rembrandt nichts anderes getan hätte, als sein Vorstellungsbild getreu zu reproduzieren, so ist die Formel äußerlich gerettet. Aber man spürt, daß es nur notdürftig gelingt. In der Tat bricht hier eine andere Konzeption durch, in der der Faktor der persönlich-einmaligen Vorstellung (fast sollte man besser von «Auffassung» sprechen) eine entscheidende Rolle spielt (vgl. auch S. 167, 187 in dem die ästhetischen Schriften enthaltenden Bande der Gesamtausgabe). Diese Ästhetik würde schließlich eine Malerei tragen, in der man die Luft grün und den Mond viereckig malen dürfte.

Es gibt bei genauerem Zusehen noch eine dritte Auffassung. Wurde bei der in unserem Text behandelten Konzeption der Unterschied zwischen Natur und Kunstwerk durch die (ewig beschränkten) Reproduktionsmittel und ihre Handhabung erklärt, bei der eben erwähnten Konzeption durch die Individualität des Vorstellungsbildes, so macht der junge A. Holz gern die gesellschaftlichen Zustände für die Abweichungen verantwortlich: mit Hilfe des «Milieus» soll «die jedesmalige Größe der Lücke x erklärt» werden. Eine soziologisch betriebene Kunstgeschichte wird ihm zum Leitfaden der Menschheitsgeschichte. Diese gegenüber C. Erdmann entwickelte Konzeption tritt später völlig zurück.

der als das Wort. Es ersetzt ... bis zu einem gewissen Grade jedes übrige Mittel.» Kommen dazu noch lebendige Menschen, die es sprechen und mit ihrer Mimik und Gestik ergänzen, kommt dazu noch ein Raum, der mit wirklichen Gegenständen bestellt ist, so sind die Reproduktionsmittel nahezu total geworden. Wir verstehen, daß Holz seine Revolution der Dichtung zunächst auf dem Gebiet des Dramas, des für die Aufführung gedachten Dramas, hat durchsetzen wollen.

Das Wort, die Sprache, ist der Kern der Revolution. Es gilt, zuerst die «Revolutionierung des zentralsten Mittels» durchzuführen. Alle bisherige Dramensprache, selbst noch bei Ibsen, ist Schrift-, ist Theatersprache. Die Forderung lautet demgegenüber: auf der Bühne muß eine Sprache gesprochen werden, die der des Lebens angenähert ist, so weit es nur geht: in Wortschatz und Wendungen, in Syntax und Gliederung, in der Intonation und Stimmführung, bis hin zum Sprachloswerden, wenn ein hingeworfenes Wort, ein kaum noch artikulierter Ton, eine Geste zum Ausdrucksträger seelischen Lebens werden. Mehrfach zitiert Arno Holz die Worte des Kritikers Servaes, von dem er sich voll verstanden fühlt: «Indem sie (Holz und Schlaf) die ganze Welt gleichsam nur mit den Sinnen in sich aufnahmen, hatte sich auch ihr Gehör gegenüber der menschlichen Sprache in wundersamer Weise verschärft. Nicht nur, daß sie alles Mundartliche viel nüancierter aufnahmen als bisher, sie beobachteten und reproduzierten auch in der treuesten Weise, was man die 'Mimik der Rede' nennen kann: jene kleinen Freiheiten und Verschämtheiten jenseits aller Syntax, Logik und Grammatik, in denen sich ... alle jenen leisen Regungen der Seele ausdrücken, ... die ... meist das 'Eigentliche' enthalten und verraten.»

Servaes empfindet richtiger als A. Holz. Bei dem klingt es immer wieder so, als käme es auf eine völlig getreue Nachbildung der gesprochenen Sprache an, ohne jede Einschränkung. Servaes aber nennt das Auswahl- bzw. Formungsprinzip, das ja doch die Unbedingtheit der sprachlichen Nachbildung einschränkt: nämlich daß sich die «Regungen der Seele» ausdrücken sollen, daß alles Sprachliche Ausdrucksträger ist und zu sein hat. Wir sind heute in der Lage, mit Hilfe von Apparaten gesprochene Sprache getreu

zu reproduzieren. Wir würden bei der Wiedergabe eines Alltags-
dialogs erschrecken vor der Häufigkeit, mit der Sätze angefangen,
aber dann unterbrochen und neu begonnen werden, vor der Häufigkeit, mit der leere Worte und Formeln sich eindrängen, vor der
Häufigkeit der unartikulierten Ähs und Öhs, die allesamt kein
Symptom seelischer Fülle, sondern geistigen Mangels oder sprachlicher Unzulänglichkeit sind. Arno Holz kann solche Mittel verwenden; er hat damit gewiß die Dramensprache bereichert, er
kann in die Reden des jungen Wendt in der *Familie Selicke* die ge-
stammelten –tt– einfügen: aber immer nur als Ausdrucksträger,
als Kundgaben der Erregung, des Erschreckens, des Zögerns. Das
Dogma von der unbedingten Treue in der sprachlichen Nachbildung ist also eingeschränkt, und zwar durch das Ziel, lebendige
empfindende Menschen darzustellen.

Arno Holz ist da wieder sehr triumphal. Auf die Frage:
«Worin liegt die revolutionierende Bedeutung dieser neuen Sprache?» antwortet er: «Sie wird den ganzen Menschen von neuem geben.» Wir werden nach dem Menschenbild der neuen
Kunst noch zu fragen haben. Hier wollen wir uns noch einmal
des Wesens der neuen Sprache vergewissern. Sie ist konsequente
Dialogsprache, der «sich genau an die Wirklichkeit haltende
Dialog.» Wir kennen aus dem früheren Drama die eigenbündige Form des Monologs mit seinen reichen Möglichkeiten:
der ist hier unmöglich. Wir kennen aber auch aus Shakespeare,
Calderón, Corneille oder Schiller jene fast eigenwertigen Reden,
die von der Situation und der Individualität des Sprechers fast
völlig gelöst sind, die ihnen nur noch zum Sockel dient. Auch
das ist hier unmöglich: die Sprache ist in jedem Augenblick
und einzig Kundgabe dieses Menschen in dieser Situation eines
Dialogs.

Neben der Sprache steht ein anderes Mittel, das der Menschengestaltung dient: der Raum. Die *Familie Selicke* von Holz und
Schlaf spielt die drei Akte hindurch in dem gleichen Zimmer
eines Mietshauses in Berlin N. Solche Einheit des Raumes finden
wir auch in den Dramen anderer Naturalisten (Hauptmann,
Halbe). Ist sie etwas Neues? Scheinbar nicht. Denn die Einheit
des Ortes ist ja uralte Forderung und Praxis des Dramas, zu der

auch – nach dem Einbruch der Shakespeareschen Dramaturgie
im 18. Jahrhundert – etwa Goethe oder Kleist oder Grillparzer
zurückkehrten. Aber wir haben nicht umsonst von der Einheit
des Raumes bei den Naturalisten und der Einheit des Ortes beim
klassischen Drama gesprochen. Denn da ist der Ort weithin neu-
tral, unbestimmt und deshalb unbestimmend, er ist passiv, ist
Schauplatz der Begebenheiten. Hier aber haben wir sehr bestimmte
Räumlichkeiten vor uns; die Beschreibungen füllen die ganze
erste Seite. Alle Gegenstände, die in dem Raum zu finden sind,
werden aufgezählt und genau beschrieben: die Stühle, Tische,
Lampen, Teller und Tassen, die Uhren («ein tickender Regu-
lator» heißt es zur *Familie Selicke*, und er hängt über dem Kana-
rienvogel). Und von Wichtigkeit sind hier wie in Hauptmanns
Einsame Menschen die Bilder, in denen sich Herkunft und Sehn-
süchte, aber auch weltanschauliche, politische und religiöse Ein-
stellungen kundtun. Der bestimmte Raum aber ist zugleich bestimmend: er ist nicht mehr als Schauplatz auf die Begebenheiten,
sondern als Milieu auf den Menschen bezogen. Von ihm bestimmt und ihn bestimmend. «Menschen ohne Milieu, kon-
struierte, abstrakte, kann ich für meine Zwecke nicht brauchen,»
bekennt Arno Holz und bekennt weiter, daß er sehr lange Material sammeln müsse. Es erscheint ihm selbstverständlich, daß er
als in Berlin Ansässiger nur Berliner Umwelten darstellen dürfe.
Aber der Raum enthält nicht nur Gegenstände, sondern auch
Fenster und Türen und steht in Kommunikation mit der Umgebung. Durch Türen kommt man herein, und durch Fenster
sieht man hinaus, – das scheint eine Selbstverständlichkeit zu sein,
an der auch der konsequente Naturalismus nichts ändern kann.
Aber so selbstverständlich ist das hier doch nicht. Durch die Woh-
nungstür der Familie Selicke kommt im 1. Akt die heimkehrende
Tochter und kommt der alte Koppelke, kommt im 2. Akt der
heimkehrende Vater und kommt im 3. Akt noch einmal der alte
Koppelke. Außer den beiden Heimkehrenden kommt also nur
der alte Koppelke, und der kommt als eine Art Arzt zur kranken
Tochter. Man hat wenig Kommunikation mit der Umgebung
und dem Draußen. Es ist ein abgeschlossener Raum, ein Käfig
fast, in dem sich zwei Eheleute das Leben zur Hölle machen und

die Kinder leiden. Und das Draußen? Wo es – selten genug – mitspielt, da wird es fast immer in gleicher Art verwendet: Draußen, so sieht man durchs Fenster, brennt ein Weihnachtsbaum, während man hier drinnen immer noch auf die Heimkehr des vermutlich betrunkenen Vaters wartet. Draußen, da können sich die Jungen einmal austoben, bevor sie in die Enge zurückkehren. Draußen – da singen am Weihnachtsmorgen fröhliche, glückliche Kinder, während hier im Zimmer eben die kleine Schwester gestorben ist. Das Draußen, von Türen und Fenstern eher ferngehalten als vermittelt, ist sehr schmächtig und fast einzig unter der Kategorie des Stimmungskontrastes erfaßt. Der Raum des Dramas ist im Grunde nur dieses Wohnzimmer[1].

Wir haben zwei Elemente aus der Dramaturgie des neuen Dramas kennengelernt. Wir fragen, was sie für die Menschengestaltung leisten, fragen nach dem Menschen. Es können uns ja schon bei der Raumgestaltung Zweifel an jenem stolzen Wort kommen, die neue Kunst gebe den ganzen Menschen. Denn offensichtlich ist es ein sehr bestimmter Menschentyp, dem die Umwelt zum Lebensraum, zum Milieu in solchem Sinne wird. Und was leistet die Sprache des neuen Dramas, der «sich genau an die Wirklichkeit haltende Dialog?» Gibt sie den ganzen Menschen? Die reicheren Möglichkeiten der bisherigen Dramensprache hatte Holz zugunsten des alleinigen Alltagsdialoges beschränkt. Und vergessen wir nicht, daß die Möglichkeiten der dramatischen Sprache überhaupt begrenzt sind; die Menschen aus dem weiten Raum der Geschichte sind für uns zum großen Teil durch sprachliche Kundgabe lebendig. Aber das sind keine dem Drama gemäßen Sprachformen und ist ganz gewiß nicht der Dialog ihres Alltags. Es ist doch wieder nur ein bestimmter Kreis von Menschen, für die der Alltagsdialog die wesentliche Ausdrucksform ist: der Kreis dumpfer, passiver, gewöhnlicher, alltäglicher Men-

---

[1] Mit dieser so merklich gestalteten Abschnürung hört es nun freilich auf, bloßes Milieu zu sein. Zugleich kommt damit dichterischer Gehalt herein. Es ist wohl nicht zuviel gesagt, wenn wir feststellen, daß der eigentliche und einzige dichterische Gehalt des Dramas (den Verfassern unbewußt) in dieser Gestaltung eines abgeschlossenen Raumes als der «Leidensstätte» liegt. Freilich wird das durch andere Gestaltungstendenzen dauernd beeinträchtigt und schließlich ganz überdeckt.

schen. Es sind immer die gleichen Menschen, die uns A. Holz in der *Familie Selicke*, in den Skizzen der *Neuen Geleise* vorführt. Eine stilvolle Auswahl, wie wir gerne zugeben, aber doch eine recht begrenzte. Und gibt die neue Sprache da wirklich den ganzen Menschen? Sie gibt die seelischen Regungen, sie gibt – auch das bestätigt die Praxis von A. Holz – immer wieder die Empfindungen, die lauten und leisen Gefühle. Und zwar die des Augenblicks. Es ist, geistesgeschichtlich gesehen, fast wieder der Rückschritt von dem Gefühlsbegriff Hamanns und Herders und Goethes zu der Oberflächengefühligkeit der Empfindsamkeit. Es ist jedenfalls ein flächiges, ja punktuelles Menschentum, das von der neuen Sprache gestaltet wird. Darin leistet sie Vorzügliches, und wir wollen das historische Verdienst Arno Holzens nicht schmälern, der die Dramatiker zur Gestaltung der noch unterhalb der Bewußtseinsschwelle liegenden seelischen Regungen befähigt hat. Mit Recht hat Gerhart Hauptmann dem konsequenten Realisten Bjarne P. Holmsen (Arno Holz) seinen Erstling als Dank für empfangene entscheidende Anregung gewidmet. Aber die Möglichkeiten stellen sich doch als sehr begrenzt dar. Kann man sich viele Familien Selicke auf der Bühne denken? Immer nur Familien Selicke? Ja, so fragen wir weiter, kann man sie sich überhaupt denken?

Die Geschehnisse der Realität haben kein markiertes Ende. Eine Verlobung endet – gewöhnlich – mit der Hochzeit, aber damit fängt die Ehe an. Ein Fest mag auf Stunden angesetzt sein, aber seine Wirkungen reichen unabsehbar weit. Vielleicht ist schon das Wort «Geschehen» eine Stilisierung der Realität, das Wort «Handlung» ist es ganz gewiß. Ein Drama aber muß ein Ende haben. Wird Arno Holz nicht hier zugeben, daß es in der Kunst Formkräfte gibt, die die Treue der Reproduktion beeinträchtigen?

Arno Holz verkündet zunächst eine triumphale Entdeckung. «Zwei Jahrtausende» lang habe sich «das gesamte Akademikertum... wie das Tier auf der Heide vergeblich im Kreise gedreht.» Er habe nun das Fundamentalgesetz gefunden: daß nämlich im Drama die Darstellung von Charakteren das Primäre und die Handlung das Sekundäre sei. Zwei Jahrtausende? Dem Literarhistoriker fällt Otto Ludwig ein, der sich lebenslang und vergeblich bemüht hat, Shakespeares Dramen als Charakterdramen zu deuten. Oder Lenz, der in seinen *Anmerkungen über das Theater* den Unterschied zwischen Komödie und Tragödie dahin bestimmte, daß die eine von der Handlung ausginge, um deretwillen die Personen da seien, die andere aber von den Charakteren, um derentwillen die Handlung da sei. Lassen wir die Frage beiseite, ob Holz überhaupt ein Recht hatte, das Wort Charakter zu verwenden, – sein «Fundamentalgesetz» ist jedenfalls vor ihm wiederholt formuliert worden.

Arno Holz will die Handlung nicht streichen, sondern als weiteres Mittel der Menschendarstellung behandelt wissen. Aber das genügt doch wohl nicht. Sie *muß* ihm auch zum Mittel werden, Anfang und Ende für das Drama zu bekommen. So bestätigt es in der Tat seine *Familie Selicke*, und wir bedauern, daß der Theoretiker diesem Problem keine größere Aufmerksamkeit geschenkt hat, das ihm die Unzulänglichkeit, ja Falschheit seines ästhetischen Grundgesetzes hätte offenbaren können. Immerhin findet sich bei dem Theoretiker schon ein bemerkenswertes Zugeständnis. Zweimal gesteht er kritischen Einwänden gegenüber ein, er habe «Konzentration» oder «Verdichtung» nie in Abrede gestellt.

In der *Familie Selicke* finden wir zunächst eine Art der Konzentration: zwischen den Aktpausen wird die Zeit weggerafft, das heißt es liegen zwischen den drei Akten jeweils einige Stunden[1]. Warum geschieht das? Warum wirft Arno Holz nicht überhaupt die Akteinteilung als eine leere Konvention über Bord? Man hat das Gefühl, daß Holz hier tatsächlich hätte konsequenter sein können; Nachfolger haben die Zeitraffungen zwischen den Akten und haben die Akteinteilung beseitigt. (Der Literarhistoriker fährt freilich wieder dazwischen und weist auf Kleists *Penthesilea* und den *Zerbrochenen Krug* als Dramen, die keine Akteinteilung kennen. Ihr Fehlen ist so wesentlich, daß man einen Teil der Schuld an dem Mißerfolg der Weimarer Aufführung Goethe zu-

---

[1] Innerhalb der Akte herrscht freilich genau der «objektive» Zeitverlauf. An dem tickenden Chronometer lesen die Figuren in Akt I und II die Dauer ab.

geschrieben hat, der den Zusammenhang durch Akteinteilung unterbrach.)[1]

Wie aber steht es bei Holz mit dem Geschehen innerhalb der Akte? Wie kommt er an ein Ende seines Dramas? Und ist das Geschehen wirklich nur Mittel zur Personendarstellung? Was geschieht überhaupt?

Es geschieht in der *Familie Selicke* zunächst herzlich wenig. Anderthalb Akte lang, also über die Hälfte des Dramas, wartet eine Familie am Weihnachtsabend auf die Heimkehr des Familienoberhauptes. Dann kommt er, angetrunken, es gibt einige unschöne Zusammenstöße mit Frau und Tochter, und dann schläft er ein. Aber es ist inzwischen doch mehr geschehen. Der junge Wendt, der Untermieter, hat nach bestandenem Examen gerade an diesem Tage seine Bestallung als Landpfarrer bekommen. Und nun kann er, gerade an diesem Tage, seine Liebe zu der älteren Tochter gestehen, und es kommt zu einer weit ausgespielten Verlobungsszene. Damit schließt der erste Akt. Im 2. Akt kommt der Vater nach Hause. Aber es geschieht noch mehr. Wir erleben, und wieder wird das lang ausgespielt, das Sterben des kleinen Linchen. Ihr Tod bildet das Ende des 2. Aktes. Der 3. Akt stellt die um das Todesbett gescharte Familie Selicke dar und bringt den Entschluß der älteren Tochter, auf alles persönliche Glück und auf die Befreiung zu verzichten, um den völligen Zerfall der Familie zu verhindern. Und hier wird offensichtlich der junge Wendt zum Sprachrohr des Dichters: «Das Leben ist ernst! Bitter ernst! ... Aber jetzt seh ich, es ist doch auch schön! – Und weißt du

---

[1] Aber Kleist verzichtet nicht auf Akteinteilung, um die innere Spieldauer seines dramatischen Zusammenhangs der äußeren Spieldauer anzugleichen. Beide sind in der Tat sehr verschieden: das Kleistsche Drama – wie jedes Drama – hat seine eigene Zeitgestaltung. Das gleiche gilt auch für die Szenen. A. Holz würde seine Angleichung an die objektive Zeit als Fortschritt deuten; wir sehen darin nur eine Verengung. Im übrigen ist A. Holz im 3. Akt der *Familie Selicke* inkonsequent. Es finden sich keine Zeitangaben mehr, die die «Objektivität» des Zeitverlaufes bestätigen. Vielmehr findet sich als Zeitangabe, daß um 11 Uhr (also in der Zukunft) der Zug des jungen Wendt geht. Damit gerät alles in eine Spannung und in die Tradition der dramatischen Zeitgestaltung: der objektive Zeitverlauf als Maß für sich folgendes Geschehen wird ersetzt durch ein Zeitgefälle, das alles Geschehen auf die zu erwartende Entscheidung zusammenfaßt.

auch warum, meine liebe Toni! Weil solche Menschen wie du möglich sind! ... Ja! so ernst und so schön! ...» Überhören wir die pompöse Banalität der Sprache (die wie ein Vorklang Ernst Wiecherts wirkt), und halten uns an den Sinn dieser Selbstinterpretation des Dichters. Hier wird nun doch eine gewisse Absicht spürbar. Theoretisch hat A. Holz immer wieder die notwendige Absichtslosigkeit des reproduzierenden Künstlers betont; Gerhart Hauptmanns Erstling *Vor Sonnenaufgang* wird getadelt, weil darin eine Tendenz enthalten sei[1]. In seinem eigenen Drama waltet gewiß keine Tendenz im üblichen Sinne des Wortes, aber doch wohl das Bestreben des Dichters, den bitteren Ernst des Lebens und zugleich seine Schönheit zu zeigen. Daraufhin, so dürfen wir sagen, verdichtet und konzentriert er. Der Ernst des Lebens: dargestellt in dem Leiden, das sich die Angehörigen einer Familie bereiten, dargestellt in dem Sterben des kleinen Mädchens, mit dem der 2. Akt schließt. Die Schönheit des Lebens: dargestellt mit dem Zueinanderkommen des jungen Paares (am Ende des 1. Aktes) und dargestellt in dem Verzicht des Mädchens auf ihr Glück und in dem Entscheid für den Opferdienst (am Schluß des 3. Aktes). Aber trifft die Selbstdeutung zu, und sprechen aus der Gestaltung die Ernst und die Schönheit des Lebens uns an, ist sie daraufhin angelegt und verdichtet? Wir werden es vielleicht für die Gestaltung des Leidens zum Teil bejahen, die Gestalt des auf der Familie lastenden und zugleich selber so gespaltenen Vaters ist vielleicht am besten gelungen. Aber die drei an-

---

[1] An einer Stelle weicht A. Holz selber davon ab. In der Polemik gegen Möller-Bruck schreibt er: «Die Künstler staunten und staunen vor dieser Natur in Demut... Die Nichtkünstler sehn in der Natur überhaupt nichts... Für jede Kleinigkeit, und sei es auch nur die besondere Biegung des Grashälmchens... müssen erst die Künstler kommen und ihnen die balkendicken Hornhäute von neuem operieren. Wäre es anders, die Kunst wäre überflüssig.» Hier wird also der Kunst eine Funktion zugeschrieben, die Reproduktion ist nicht völlig absichtslos. Und darin liegt doch zugleich das Eingeständnis, daß nicht jetzt erst die richtige Kunst ermöglicht sei, während die bisherige falsch gewesen wäre, sondern daß in dem neuen Drama mit neuen Mitteln etwas bisher nicht Wahrgenommenes sichtbar gemacht werde. Die eben zitierte Stelle steht im übrigen in einem Zusammenhang mit jener früher erwähnten (oben, Anm. 1), in der wir eine zweite ästhetische Konzeption zu spüren meinten (Betonung der individuellen Verschiedenheit).

deren Motive, die jeweils einen Akt wirkungsvoll abschließen sollen (das Liebesglück, das Sterben, die Entsagung), ergreifen uns nicht. In der Gestaltung wirkt nämlich etwas anderes, etwas Gemeinsames: sie sind nicht auf Ernst hier und Schönheit da angelegt, sondern durchweg auf Rührung. Am grellsten in dem Tod des kleinen Linchen[1]. Der Theoretiker Arno Holz erkannte dem Drama keine eigenen Formkräfte zu. Die Wirklichkeit sollte in unbeeinträchtigter Treue wiedergegeben und alle traditionellen Konventionen dabei zerbrochen werden. Insbesondere sollte die Handlung nur der Menschendarstellung dienen. Menschen auf der Bühne ergeben kein Drama. Die dem Drama formeigenen Kräfte rächten sich gleichsam: in die vom Theoretiker freigelassene Lücke schlüpfte dem Praktiker die Stimmungskraft des Rührenden und sorgte nun für einheitlichen Ton, für Gliederung und Rundung[2]. In Arno Holzens nächstem Drama, den *Sozialaristokraten*, besorgte, und nun wohl bewußter, die satirische Absicht das gleiche Geschäft. Arno Holz' Theorie eines konsequenten naturalistischen Dramas ist unhaltbar. Schon bei den einzelnen dramaturgischen Prinzipien, der Sprache, dem Menschen, der Handlung, ließ sich das sichtbar machen. Und Arno Holzens eigene Praxis widerlegte seine Theorie.

Aus der Diskussion hat sich uns als positiver Gewinn ergeben, daß es dem Drama formeigene Kräfte gibt, die der Künstler nicht vernachlässigen darf. Wir haben das bisher nur bei dem Prinzip der Handlung festgestellt. Wir müssen noch einmal auf die anderen Prinzipien der naturalistischen Dramaturgie eingehen. Denn es geht hier um Entscheidendes. Wir behaupten, daß Arno Holzens «konsequente» Forderungen nicht nur keinen Weg in die wahre Kunst weisen, sondern aus der Kunst herausführen. Das

---

[1] Das Todesmotiv begegnet auch in mehreren der Skizzen aus den *Neuen Geleisen;* auch da spüren wir heute, nachdem das «Neue» nicht mehr allein unsere Aufmerksamkeit fesselt, eine gewollte Rührseligkeit. Und als Ende findet sich oft genug der verdächtige Tableau-Schluß, eine deutliche «Montage».

[2] Vgl. Heinrich Hart, *Ges. Werke* 4, 326: «Die Wirkungen, die sie (Holz und Schlaf) mit ihrem Drama erreichten und die vor allem Rührwirkungen sind, lassen sich zumeist auf Mittel der alten inkonsequenten Kunst zurückführen und einen wohlberechneten Bauplan.»

Dichterische des Dramas wie der Dichtung überhaupt liegt nämlich, so meinen wir, gerade in der Handhabung der gestalterischen
Eigenkräfte, gerade in der Formung durch den Künstler, gerade
in dem, was mehr ist als «Nachbildung». Wir führen den Beweis
gerade mit Hilfe der «neuen», von Arno Holz angeregten Dramatik. Wir legen einige Beobachtungen zur Sprach- und Raumgestaltung vor, die wir am Drama Gerhart Hauptmanns und der
modernen Amerikaner gesammelt haben.

Arno Holz hat sich sehr kritisch über G. Hauptmann ausgesprochen. Er hätte nur halb verstanden, worauf es ankäme, er sei
abtrünnig geworden, sein Ruhm sei nur durch äußere Zufälle bedingt, er werde sich nicht halten können, er sei «literarisches Ein-
tagsfliegentum». Die Geschichte hat entschieden. Die Dramen
A. Holzens sind vergessen, sie sind nie lebendige Dichtung gewesen. An den Dramen des jungen G. Hauptmann, so gewiß sie hie
und da auch etwas angestaubt sind, spüren wir echtes Dichtertum.

An Lebensechtheit der Sprache übertrifft G. Hauptmann den
Lehrer bei weitem. In der *Familie Selicke* wie in den Skizzen steht
recht viel Papierenes. Doch damit erfüllt Hauptmann ja nur besser, was Holz verlangt hatte. Wir beobachten aber etwas anderes.
Der Kollege Crampton sagt an einer Stelle: «Nun sagen Sie, Löff-
ler, was sind das für Menschen? Überfallen mich hier in meinem
Zimmer. Ich bin meines Lebens nicht sicher vor diesen Menschen. Ich ziehe aus, ich ziehe sofort aus, ich bleibe nicht hier.»
«Überfallen» hat ihn keiner, und keiner hat sein Leben bedroht.
Wir könnten diese bildhaften Ausdrücke als subjektive Übertrei-
bungen nehmen, dieses Menschen, in diesem Augenblick. Vielleicht lächeln wir über ihn und seine Neigung, sich verfolgt zu
fühlen, die wieder einen Anlaß gefunden hat.

Aber wer das Werk Hauptmanns kennt, findet gerade diese
Bilder immer wieder. Wir erinnern an die Worte, die später Dorothea Angermann sprechen wird: «Das Leben selbst ist Brutali-
tät. Man lächelt über Verfolgungswahn: man sollte lächeln und
weinen über Menschen, die nicht merken, daß die Jagd, die klaf-
fende Hetzjagd, daß die Meute immer und überall auf ihrer Ferse
ist.» Das gleiche Bild kehrt noch oft wieder, in der *Dorothea Angermann*, in anderen Dramen, bis hin zur Meute, der gleichsam

sinnfälligen Meute in den *Atriden*. Und wir spüren: das Wort gilt
für Dorothea Angermann wie für den Kollegen Crampton, es ist
ganz aus ihnen heraus gesprochen worden. Aber es gilt auch zugleich unabhängig von ihnen. Es erfaßt und beschwört etwas aus
der Welt dieses Dramas, aus der Welt vieler Dramen Hauptmanns.
Es ist mehr als Wiedergabe der momentanen Empfindungen oder
selbst der dauernden Meinung eines Menschen, es gilt und bedeutet als Bild an sich. Damit ist aber das Prinzip der Holzeschen
Sprachgebung durchbrochen: da sollte jedes Wort nur aus dieser Situation dieses Menschen heraus gesprochen werden und nur
in diesem Bezug gelten.

Wenn der Maurerpolier John an die Wand klopft und das Gefühl hat, daß das alles hohl ist und überall dahinter Ratten nisten,
so ist das zunächst wieder sein Empfinden in diesem Augenblick.
Aber das Wort bedeutet offenbar wieder mehr, nämlich die bün-
dige Form eines Bildes, und Hauptmann hat ja schon durch die
Titelgebung des Dramas dafür gesorgt, daß wir den tieferen Gehalt als Bild im Sinne einer Selbstaussprache dieser Welt nehmen.
In den *Webern* ist es sogar ein eigenbündiges Stück Sprache, ist es
ein Lied, das immer wieder leitmotivisch erklingt. Gewiß hat es
durch die Art, wie es jeweils erklingt, Ausdrucksgehalt für den oder
die Singenden: angefangen oder abgebrochen, gesummt, von einem
einzelnen angestimmt, von einem Chor zögernd oder jubelnd oder
trotzig gesungen, – aber zugleich bedeutet es an sich, gilt es selber,
ist es fast einer der Helden in dem Drama, ja warum nicht gar,
dramaturgisch gesehen: *der* Held des Dramas. Sprache, die nicht
nur als das Sprechen eines Menschen ausspricht, anspricht und
bespricht, sondern die beschwört, nennen wir symbolisch. Mit
seiner symbolischen Sprache durchbricht schon der junge Gerhart
Hauptmann das Sprachprinzip des konsequenten Naturalismus.
Und damit entsteht Dichtung.

Einige Beobachtungen zur Raumgestaltung. In einem und
demselben Zimmer, in einem sehr bestimmten und bestimmenden
Milieu spielen etwa Hauptmanns *Einsame Menschen*, – gewiß eins
der stark angestaubten Frühdramen. Aber die Unterschiede zu
Holz sind schon greifbar. Sie liegen in der Gestaltung des Draußen. Zwar gibt es auch hier den bloßen Stimmungskontrast zwi-

schen Drinnen und Draußen: wenn man etwa, während im Zimmer Beklommenheit herrscht, durch das Fenster den Gesang vorbeiziehender, fröhlicher Menschen hört. Das ist genau Holzesche Technik. Aber es ist schon etwas anderes, wenn durch die Veranda der Blick ständig auf den Müggelsee fällt. Das ist nämlich nicht nur der jedem Berliner bekannte Müggelsee, sondern wird durch die Gestaltung immer deutlicher: das Dunkle, das Unheimliche, das Bestrickende, das lebendige Element. In ihm wird sich das Schicksal Johannes Vockerats erfüllen, und seinen Ruf spürt man von Beginn an. Und ähnlich: wenn da draußen der Zug fährt und zum Halten und Abfahren pfeift, dann ist das nicht nur das pflichtgemäße Geräusch eines fahrplangelenkten Verkehrsmittels. Was er bringt oder fortführt, ist schicksalhaft, und die Art, wie er es tut, macht ihn selber zu einer unheimlichen Macht. In dem Draußen hausen schicksalhafte Mächte, die jeden Augenblick hereinbrechen können. Wie bezeichnend schon das Bühnenbild des Anfangs: der Raum, dieser Wohnraum, ist leer. Aber eine Tür steht offen, und von dort, von außerhalb, hört man Klänge und eine Stimme, ohne noch zu wissen, was es ist. Ein durchaus naturalistischer und zugleich beschwörender symbolischer Anfang. Von außen wird es immer wieder hereinkommen, wird auch Anna Mahr hereinkommen. Eine Tür im Bühnenbild Arno Holzens dient zum Abschließen eines engen Milieus gegen die Umwelt, in der glücklichere Menschen leben. Eine Tür im Bühnenbild Gerhart Hauptmanns dient zum Aufgehen, zur Kommunikation mit einem Draußen, das voller Schicksalsmächte steckt. G. Hauptmanns Raumgestaltung, wir könnten auch wieder an die *Ratten* erinnern, ist realistisch und symbolisch zugleich.

Die Raumgestaltung der Heutigen ist Hauptmann und nicht Holz gefolgt. Die Bühnenanweisung zur 1. Szene von *Endstation Sehnsucht* (die Titelgebung entspricht der Hauptmanns in den *Ratten*, und wem fiele nicht Ibsens *Wildente* ein?) liest sich zunächst wie die zu einem Drama Holzens oder Hauptmanns oder Halbes, so genau ist der Raum beschrieben, in dem sich alles abspielt. Aber hier wird nun ausdrücklich vorgeschrieben: «Wenn angeleuchtet, wird die Straße durch die Hinterwand des Hauses hindurch sichtbar; zu diesem Zweck muß die Hauswand aus durchscheinendem Material sein.» Von dieser Straße flutet es nun dauernd herein, das Rufen der Straßenverkäufer, der Blumenfrauen, der Icecreamhändler usf. Das ist alles zugleich mehr als naturalistische Wiedergabe der Umwelt. Tennessee Williams schreibt solchen Straßenlärm als Übergang zwischen den Szenen vor, oder er verwendet dazu die Musik einer Jazzkapelle, die zum Teil auch das Bühnengeschehen umspielt. Das ist wieder mehr als Wiedergabe, das ist Beschwörung. Und wie hier der Bühnenraum noch stärker als bei Hauptmann in das Draußen entgrenzt ist (ein neues dramaturgisches Mittel, in dieser Art der Dramaturgie des expressionistischen Dramas entlehnt, ist bei Tennessee Williams die Beleuchtung, die ebenfalls beschwört), so ist er nun auch in die Vergangenheit entgrenzt. Leitmotivisch erklingt durch das ganze Stück eine bestimmte Polkamelodie. Sie ist nur für Blanche hörbar. Man könnte zunächst noch sagen, daß sie ganz Ausdruck dieser Person sei, ihrer Erinnerungen an Glück, Illusion, Verfehlung, Leid. Aber sie ist doch mehr, sie erklingt auch von sich aus. Es ist die Vergangenheit als Macht, die selbst gegen den Willen des Menschen in seine Gegenwart hereinbricht, von der er nicht loskommt, die ihn umstrickt. Diese Polkamelodie ist noch stärker als Hauptmanns Weberlied mitspielender Held, ist schicksalhafte Macht. Wenn Blanche am Ende in das Irrenhaus abgeführt wird, dann «erreicht die Musik ein Crescendo», dann hat die Vergangenheit einen Menschen überwältigt. Das alles ist Beschwörung, und man darf wohl feststellen, daß solche Verwendung der Musik im Drama nachgerade schon zu einer Konvention geworden ist. Tennessee Williams hat in den Vorbemerkungen zur *Glasmenagerie* gleichsam eine Dramaturgie der Musik (als eines «das Wort überschreitenden Ausdrucks») gegeben und ebenda auch eine der Beleuchtung («die Beleuchtung soll in diesem Stück nicht realistisch sein»).

Arno Holzens konsequent naturalistisches Drama ist ein Schemen geblieben. Schon in der theoretischen Bestimmung verfließt es, und in der Praxis ist es nie zum Leben gekommen, hat es nie kommen können. Wo das naturalistische Drama auf den Rang der Dichtung Anspruch erheben kann, da durchdringt und überformt es, vom jungen G. Hauptmann bis zu den heutigen Ameri kanern, die neuen Prinzipien der Dramaturgie mit den zeitlosen Formkräften der dichterischen Gestaltung. Dieses naturalistische Drama aber steht in keinem Gegensatz mehr zu dem des Symbolismus.

Zur Struktur des *Standhaften Prinzen* von Calderón

1. Zur Wirkungsgeschichte des *Standhaften Prinzen*

Der *Standhafte Prinz* hat innerhalb der ersten Phase der deutschen Calderón-Aufnahme, die etwa die Zeit von 1800 bis 1835 umfaßt, eine besondere Rolle gespielt. Nachdem die A. W. Schlegelsche Übersetzung im zweiten Bande seiner *Schauspiele von D. Pedro Calderon de la Barca* 1809 erschienen war, bildeten sich unter den Romantikern geradezu zwei Lager, von denen das eine die *Andacht zum Kreuz* (im 1. Bd. 1803 erschienen), das andere den *Standhaften Prinzen* als den Gipfel der Calderonschen Dramatik ansah[1]. Schon vorher hatte Goethe, dem das Manuskript der Übersetzung 1804 bekannt geworden war, gerade für dieses Drama geworben. Am 28. I. 1804 schrieb er an Schiller: «Es verdient gewissermaßen neben der *Andacht zum Kreuz* zu stehen, ja man ordnet es höher, vielleicht weil man es zuletzt gelesen hat und weil der Gegenstand sowie die Behandlung im höchsten Sinne liebenswürdig ist. Ja, ich möchte sagen, wenn die Poesie ganz von der Welt verloren ginge, so könnte man sie aus diesem Stück wieder herstellen.»[2] Schelling berichtete im April 1804 an Schlegel, Goethe sei von dem Stück «durchdrungen...: keine Zunge könne aussprechen, wie gut es sei». In den folgenden Jahren las Goethe den *Standhaften Prinzen* gerne bei literarischen Zusammenkünften vor; Johanna Schopenhauer hat uns über solche

[1] Vgl. den Brief Jakob Grimms vom 28. VIII. 1809. Beide Arbeiten sind Jugendarbeiten Calderóns. *La devoción de la cruz* entstand vermutlich 1633, der *Príncipe constante* 1629. In diesem Fall läßt sich einmal das Entstehungsjahr feststellen, da Calderón satirische Verse auf einen Prediger einflocht, der öffentlich gegen ihn aufgetreten war: er hatte den Gegner seines Bruders bis in ein Kloster verfolgt und dabei zusammen mit den Dienern des Gerichts die Ruhe der Nonnen erheblich gestört. Es ist eines der wenigen Zeugnisse zur Lebensgeschichte Calderóns, die noch weniger aufhellbar ist als die Shakespeares.

[2] Der gleiche Gedanke *(Der Standhafte Prinz als Inbegriff der Poesie)* findet sich bei Brentano: «Ich weiß nur seit etwa zwei Jahren erst, was dichten ist und habe an Calderóns standhaftem Prinzen zuerst einen deutlichen materiellen Begriff erhalten, was ein Kunstwerk ist». Zit. *Sämtl. Werke*, hgb. C. Schüddekopf, Bd. X, S. XVII.

Lesungen in ihrem Haus berichtet:[1] «Sein eigener poetischer Geist wird gleich rege: dann unterbricht er sich, und tausend herrliche Ideen strömen in üppiger Fülle.»

Als sich Goethe entschlossen hatte, Calderón auf die Weimarer Bühne zu bringen, da fiel die Entscheidung zugunsten dieses Dramas.

Am 30. I. 1811 wurde der *Standhafte Prinz* als Festspiel zur Feier des Geburtstages der Großherzogin in Weimar aufgeführt, nach langer Probenarbeit, in der alle Mitwirkenden auf die neuen Aufgaben vorbereitet worden waren. Mit dieser Aufführung begann der Siegeszug Calderóns über die deutschen Bühnen[2]. Goethe selber ließ im Jahre 1812 *Das Leben ein Traum* folgen und 1815 *Die große Zenobia*[3]. Er durfte mit Recht feststellen, daß er der Bühne eine «neue Provinz erobert» hatte. Noch im Jahre 1811 folgte Bamberg mit seinen Calderón-Aufführungen, an denen E. T. A. Hoffmann einen maßgeblichen Anteil hatte. Hier ging die *Andacht zum Kreuz* (13. VI. 1811) dem *Standhaften Prinzen* (11. VIII. 1811) voran.

In Berlin eröffnete 1816 der *Standhafte Prinz* die Reihe der Calderón-Aufführungen. Es war im Grunde genommen die Weimarer Inszenierung, die übernommen wurde: Pius Alexander

[1] Den ganzen Umfang der Begegnung Goethes mit Calderón sucht zur Zeit eine Göttinger Dissertation zu erfassen. Die älteren Arbeiten: K. Wolff: *Goethe und Calderón*, Goethe-Jahrbuch 34, 1913; A. Farinelli, *Goethes Aufführungen spanischer Dramen in Weimar*, Zschr. Italien, Jg. 2, 1928/29 und Jg. 3, 1929/30. Zu dem Thema Calderón in Deutschland vgl. als wichtigste Zusammenstellung der zeitgenössischen Äußerungen: J. J. A. Bertrand, *L. Tieck et le théâtre espagnol*, Paris 1914, ferner H. Tiemann, *Das spanische Schrifttum in Deutschland*, 1936, E. Schramm, *Die Einwirkung der span. Literatur auf die deutsche* (in Stammlers *Deutsche Philologie im Aufriß*, 1955), jeweils mit reicher Bibliographie. Zu dem Thema Faust und Calderón vgl. noch Stuart Atkins, *Goethe, Calderón u. Faust II*, Germ. Review XXVII, 1953.

[2] Eine Königsberger Aufführung von *Das Leben ein Traum* im Jahre 1809 war ohne Wirkung geblieben.

[3] Goethe hatte von Beginn an die Schlegelschen Übersetzungen mit dem Original verglichen und sich ihnen gegenüber immer kritischer eingestellt. *Das Leben ein Traum* ließ er in einer Übersetzung von Einsiedel und Riemer spielen. *Die große Zenobia* in der von Einsiedel und Gries. Goethe sah Gries als den geeigneten Calderón-Übersetzer an und förderte dessen Unternehmen eines deutschen Calderón (8 Bde. seit 1815).

Wolff, der in Weimar den Prinzen gespielt hatte, studierte das Werk als Bearbeiter, Regisseur und Hauptdarsteller ein. Die Bühnen von Braunschweig, Wien, München, Hamburg, Kassel usf. eroberten sich jeweils auf ihre Weise die neuentdeckten Dramen des Spaniers. Aber die erste Weimarer Inszenierung sollte noch nach Jahrzehnten ein Echo finden. Unter den Hallenser Studenten, die in Lauchstedt die Aufführung des *Standhaften Prinzen* sahen, befand sich der junge Immermann. Es war wohl der jugendliche Theatereindruck, der ihn im Jahre 1833 die Reihe seiner Calderón-Inszenierungen auf der Düsseldorfer Bühne mit dem *Standhaften Prinzen* beginnen ließ. Mendelssohn-Bartholdy schrieb ihm die Musik dazu.

Der *Standhafte Prinz* hat eine Fülle von Deutungen bekommen. Seit der ausführlichen Analyse durch den Weimarer Gymnasiallehrer Johann Schulze[1] finden sich dabei im 19. Jahrhundert immer wieder Bezeichnungen wie «Märtyrerdrama»,«Märtyrertragödie», «christliches Heldentum», «spezifisch christliche Poesie»[2], und der Unterschied liegt nur in der allmählich heftiger werdenden Kritik an der kultistischen Sprache des Werkes, die man meist als Jugendverirrung zu entschuldigen sucht. Gelegentlich finden sich auch Ausstellungen an der zu «lockeren» Form, während Goethe an den Dramen Calderóns gerade die überlegene Konstruktion gerühmt hatte. Die traditionelle Deutung des *Standhaften Prinzen* als Märtyrertragödie bzw. als religiöses Drama bestimmt noch immer die Einordnung des Werkes in das Gesamtwerk Calderóns. Aber die Gruppenbildung, die man bis in die jüngste Zeit dabei wählt, erhellt die Unzulänglichkeit der gesamten Calderónforschung. Wenn man die Einteilung bei F. W. V. Schmidt von 1857[3]

---

[1] Seine Schrift *Über den Standhaften Prinzen des D. Pedro Calderón*, Weimar 1811, war durch Goethes Aufführung veranlaßt. Goethe lehnte die Deutung als «christliche Salbaderei» ab.

[2] Man überschaut die wichtigsten Deutungen bequem bei Max Krenkel, *Klassische Bühnendichtungen der Spanier*, Bd. I, 1881, S. 170–181. Der wichtigste und noch heute unentbehrliche Kommentar zu C.'s Dramen von F. W. Valentin Schmidt, *Die Schauspiele C.'s*, 1857, widmet dem *Standhaften Prinzen* leider nur wenige Seiten.

[3] 1) Lustspiele mit Mantel und Degen; 2) Heroische Schauspiele; 3)Schauspiele, deren Inhalt aus der spanischen Geschichte oder spanischen Sage ge-

mit der von Alonso Zamora in seinem Artikel *Calderón* in dem *Diccionario de literatura española*[1] von 1953 vergleicht, so mutet der Fortschritt recht gering an. Der Versuch, nach Stoffen anzuordnen, wird weder rein durchgeführt, noch kann er uns mit seinem Prinzip überzeugen[2].

Im 20. Jahrhundert hat *Der Standhafte Prinz* drei eingehendere Behandlungen erfahren, die freilich merkwürdig von einander abwichen. Max Kommerell[3], der für die gesamte Dramatik Calderóns eine gewisse Lockerheit im Aufbau der Werke feststellt, erkennt beim *Standhaften Prinzen* zunächst der Darstellung der ritterlichen Welt in den ersten Teilen Eigengeltung zu[4]. Christliche und maurische Welt schlössen sich zu einem Kreis zusammen, und die Darstellung erfolge mit Hilfe dreier relativ selbständiger Dramen; es gäbe «ein Ehrendrama für Fernando, eines für Muley und eines zwischen ihnen». Erst darüber erhöbe sich dann das «Märtyrerdrama für Ferdinand».

nommen ist; 4) Schauspiele aus der alten oder neuen Geschichte, romantisch umgebildet; 5) Schauspiele, deren Inhalt sich an ältere Romane und Gedichte schließt; 6) Mythologische Festspiele; 7) Burleske Travestien ernster Schauspiele; 7) Symbolische Schauspiele; 8) Geistliche Schauspiele (darunter der *Standhafte Prinz*); 9) Dramen aus der Heiligenlegende.

[1] Revista de Occidente, 2. Aufl. Madrid 1953: 1. Comedias religiosas; 2. Comedias de historia e legenda nacionales y extranjeras; 3. Comedias de enredo; 4. Comedias de capa y espada; 5. Dramas de celos; 6. Comedias filosóficas; 7. Comedias mitológicas; 8. Comedias fantásticas.

[2] Unbefriedigend scheint uns auch die Gruppierung, die der bedeutendste spanische Calderón-Forscher, Angel Valbuena Prat, in seiner Monographie (*Calderón*, Barcelona 1941) und in seiner Darstellung *Calderón* in der *Historia general de las literaturas hispánicas*, Bd. III, Barcelona 1953 gewählt hat. Von der jetzt erscheinenden kritischen Ausgabe, Verlag Aguilar, Madrid 1951 ff, enthält der I. Band, hgb. von Luis Astrana Marín, die *Dramas*, eingeteilt in die «profanos» und die «religiosos». Der II. Band *(Comedias)* verzichtet auf eine Gruppenbildung. In jüngster Zeit hat Hugo Friedrich einen bedeutsamen Versuch unternommen, den traditionellen Schematismus in der Gruppierung zu überwinden und das gesamte dramatische Werk nach drei vorwaltenden Perspektiven neu zu gliedern: *Der fremde Calderón*, Freiburger Universitätsreden H. 20, 1955.

[3] *Beiträge zu einem deutschen Calderón*, 2 Bde. 1946.

[4] Nur Bouterwek hatte im 3. Bde. seiner *Geschichte der Poesie und Beredsamkeit*, 1804, S. 518 ff., die ritterliche Sphäre und ihre Konflikte in solchem Maße gelten lassen.

Die Lockerheit in der Anlage des Dramas wird auch von E. M. Wilson betont[1]; er nennt das Stück ein «play», das gleichsam erst in der Aufnahme durch den Zuschauer volle Gestalt gewönne. Eine straffe Strukturanalyse sei ihm inadäquat, und so begnügt sich Wilson mit der Nachzeichnung einzelner Strukturtendenzen, vor allem der Spiegelung und des szenischen Kontrastes[2]. Das Ganze sei die Geschichte, «wie ein guter Mensch ein Heiliger wird». Es komme nur auf die Entfaltung der Standhaftigkeit im Charakter an, die Fernando schließlich zum Bürger einer höheren Welt mache, aber nicht so sehr auf den Inhalt des Glaubens: Wilson lehnt damit die Deutung als christliche Märtyrertragödie ab. Und eigentlich sei das Drama lange vor seinem Schluß zu Ende: Die Erscheinung des verklärten Fernando, der Sieg des von ihm geführten christlichen Heeres und was darauf folge, – das sei ein aus Publikumsrücksicht zu verstehender Anhang, der auch sprachlich merklich abfalle und die Teilnahmslosigkeit des Autors bezeuge.

Gegenüber E. M. Wilsons Deutung verteidigte W. J. Entwistle im gleichen Heft der Mod. Lang. Review den straffen Grundriß des Werkes, den er zugleich als Typus erfaßt: nämlich als den eines auto sacramental. *Der Standhafte Prinz* sei ein «großes symbolisches Drama», hinter dessen menschlichen Marionetten ewige, abstrakte Werte im Streit lägen. Fernando selber sei die Verkörperung des christlichen Glaubens schlechthin. Enrique, sein Bruder, verkörpere den Verstand, der maurische König die Gewalt, Muley die natürliche Humanität, Felix die Schönheit. Verlauf und Sinn des Stückes sei, so faßt Entwistle am Schluß kurz zusammen, in einer kurzen Zeitspanne jene Mächte in ihrer Bedeutungslosigkeit zu enthüllen und zu zeigen, daß Beständigkeit nur dem christlichen Glauben zukomme.

Der Versuch Entwistles, die Comedia vom *Príncipe Constante* als verkleidetes «auto sacramental» zu deuten, hat die verhaltene

---

[1] Mod. Lang. Rev. 34, 1939.

[2] Als szenischen Gegenspieler zu Fernando findet die Prinzessin Fenix bei Wilson starke Beachtung, die in den Inhaltsangaben des 19. Jh. gewöhnlich kaum beachtet wird. Nur F. V. Schmidt hatte in einem Satz wenigstens auf den «Gegensatz zwischen der Prinzessin und dem Prinzen Fernando» gewiesen, als Gegensatz zwischen «der lebenden Toten» und «dem toten Lebendigen».

Zustimmung Valbuena Prats gefunden. Er scheint gerechtfertigt; denn Calderóns bekannteste Comedia *La vida es sueño* hat neben sich ein auto mit dem gleichen Titel[1]. Bezüge sind offensichtlich vorhanden, sie werden sogar in sprachlichen Wiederholungen sinnfällig, und so scheint es nahezuliegen, das Auto als die abstrahierende Sinnaussprache der Comedia zu deuten und diese – wie jede andere – als Ein- und Verkleidung eines Sinngehaltes, der mit scharf umrissener, christlicher Begrifflichkeit zu erfassen ist und auf jeden Fall im Horizont christlicher Weltdeutung liegt. So spricht es in wünschenswerter Deutlichkeit Alonso Zamora im *Diccionario de literatura española* aus: «El contenido auténtico de la comedia fué puesto en claro por el mismo Calderón en el auto sacramental de igual título.» Das Verständnis der Calderónschen Comedias scheint uns durch eine solche Annahme verbaut zu werden. Auto sacramental und Comedia sind zwei verschiedene Dramenformen, verschieden bis hinein in ihre Lebensform, das heißt den Anlaß, Zweck und Stil der Aufführung. Doch wir können hier nicht in eine Auseinandersetzung mit den einzelnen Deutungen unseres Dramas eintreten. Wir schöpfen aus dem Überblick über die bisherigen Analysen vielmehr das Recht und auch einigen Mut, um das Werk selber in möglichster Unbefangenheit auf seine Struktur zu befragen.

2. Ordo successivorum und ordo simultaneorum

Die Struktur eines Dramas, so scheint es, liegt in der Art und Fügung des dramatischen Geschehens. Aber beide Fragen bereiten beim *Standhaften Prinzen* Verlegenheiten. Welches ist *das* dramatische Geschehen? Wir finden mehrere Handlungsstränge, die sich gewiß verknüpfen, aber dabei doch so selbständig zu sein scheinen, daß Kommerell von vier dramatischen Handlungen sprechen wollte. Und Kommerell hat auch im Vergleich mit dem *Polyeucte* des Corneille als einem Märtyrerdrama im Formtyp der «haute tragédie» gezeigt, wie locker gegenüber der straffen Hand-

---

[1] Es gibt auch einige andere Fälle: *El mayor encanto, amor* (Com.) – *Los encantos de la Culpa* (Auto); *Ni amor se libra de amor* (Com.) – *Psiquis y Cupido* (Auto).

lungsführung dort der Bau des *Standhaften Prinzen* wirkt. Es liegt nicht nur an dem häufigen Schauplatzwechsel und der zeitlichen Ausdehnung (zwischen den einzelnen jornadas liegen jeweils mehrere Wochen); es gibt bei Calderón Szenen und Szenenteile, die aus aller dramatischen Spannung heraustreten, ja, in denen die Zeit stillzustehen scheint: ein Gespräch kann bei ihm zu einer eigenwertigen Disputation werden, eine situationsgebundene Reflexion zu einer abgelösten Betrachtung, eine Schilderung zu einer eigenwertigen Beschreibung, und auch im *Standhaften Prinzen* finden sich als klarstes Symptom solcher Eigenbündigkeit der Redeformen Gedichte, die im übrigen als Proben Calderónscher Lyrik in die Anthologien eingegangen sind. Die Eigenbündigkeit der Redeformen wird durch den Wechsel im sprachlichen Stil und im Versmaß gesteigert. Calderón verwendet neben dem fortlaufenden assonierenden Romanzenvers die silva mit ihrem Wechsel von Elf- und Siebensilbern und ihrer freien Reimordnung, dann wieder strophische Gebilde wie die vierzeilige Redondilla oder die fünfzeilige Quintilla (Achtsilber mit den Reimschemata a b b a a und a a b b a) oder auch Terzinen u. a.; schließlich finden sich geschlossene Gedichtformen wie das Sonett. Wenn solche Szenenteile nun auch den Zusammenhang der Geschehnisspannung auflockern, so sind sie doch nicht völlig selbstherrlich. Ihre Zusammengehörigkeit ist zwar nicht von der Handlung her zu fassen, von dem ordo successivorum, sondern von einer gleichsam statischen Einheit her, die sich über dem Drama wölbt. Schon Herder sprach in seinem Shakespeare-Aufsatz neben dem «ordo successivorum» von dem «ordo simultaneorum», den der Interpret erfassen müsse. Wir bezeichnen diesen Raum bedeutungsvollen Seins als Atmosphäre[1]. Sie übergreift durch ihre Bedeutsamkeit das Stimmungshafte der einzelnen Szenen, entzieht sich aber andererseits der begrifflichen Erfassung, das heißt verflüchtigt sich da, wo das Drama allegorisch wird.

Beschworen wird die Atmosphäre in der dichterischen Gestaltung durch alles, was in der Sprache, im Geschehen, in den Figu-

---

[1] Zu den Bemühungen, diesem häufig verwendeten Ausdruck die festen Konturen eines wissenschaftlichen Begriffs zu verleihen, vgl. Wilson Knight, *The Wheel of Fire*, London 1930.

ren, in den Gegenständen und im Bühnenbild, aber auch in der Zeitgestaltung die dramatische Funktionalität übersteigt. Calderón arbeitet vor allem, wie sich in der Eigenständigkeit der Redeformen schon bekundet, mit den Möglichkeiten der Sprache[1]. Wir werden später über den ordo simultaneorum im *Standhaften Prinzen* zu sprechen haben; zunächst wenden wir uns dem ordo successivorum, der Art und Fügung des Geschehens zu.

3. Stufen und Rollen im zentralen Geschehen

Der Titel des Dramas weist darauf hin, daß der Standhafte Prinz die zentrale Figur ist und das eigentliche Geschehen sich um ihn abspielt. Das meint ja auch die gängige Bezeichnung als Märtyrertragödie, das heißt als zum Untergang und damit zum Triumph führende Tragödie dieses einen Helden. Zwei typische Arten in der Fügung der Märtyrertragödie lassen sich aufweisen. Bei der einen tritt der Märtyrer gleich in der Haltung der festen Gläubigkeit auf, das heißt in der unbeirrbaren Bindung an das Ewige. Er steht gleichsam still, und das dramatische Geschehen ist dann eine Folge sich steigernder Erprobungen bzw. Bewährungen. So treten in Gryphius' *Papinian* drohend oder bittend der tyrannische Kaiser, die Kaiserinmutter, die Abgeordneten des Heeres und die nächsten Angehörigen nacheinander an den «großmütigen» Rechtsgelehrten heran, der dem heiligen Recht treu bleibt. Bei dem andern Typ, vertreten etwa durch Corneilles *Polyeucte* oder Lope de Vegas *Lo fingido verdadero*, liegt der handlungsmäßige Höhepunkt in der Bekehrung des Helden, die den Untergang unmittelbar nach sich zieht.

Der Standhafte Prinz scheint sich dem zweiten Typus zu nähern, aber mit merklichen Abwandlungen, die gerade wieder die Straffheit des Zusammenhanges auflockern: es vollzieht sich keine eigentliche Bekehrung, und der Tod erfolgt nicht als Verurtei-

---

[1] Das Schicksalsdrama nutzt ungleich stärker Gegenstände und Räumlichkeit; Giraudoux erobert durch die Zeitgestaltung neue Möglichkeiten: wenn in seiner *Elektra* die schnell heranwachsenden Mänaden und der Bettler in einer von der chronologischen Zeit des Hauptgeschehens unterschiedenen Zeitlichkeit leben und sprechen, so wird dadurch Atmosphäre geschaffen.

lung und Hinrichtung durch den Gegner. Das Sterben ist wohl die Folge des Duldens und der Standhaftigkeit, aber es ist nicht handlungsmäßig bedingt, sondern tritt «irgendwann» ein. Es ist zudem nur mittelbar ein Sterben für den Glauben: primär geht es um Ceuta, um diese eine, besondere Stadt, deren Namen «Schönheit» bedeutet (und damit ihr Wesen ausspricht). Nicht weil er Christ ist, übt der maurische König seine Strenge an dem Prinzen aus, sondern weil er sich der Auslieferung dieser Stadt widersetzt. Den Christen hatte er so edel behandelt, wie die Portugiesen ihn und die Seinen behandelt haben. Der Tod des Prinzen aber ist auch nicht das Ende des Geschehens. Fernando erscheint als Verklärter in einer neuen Rolle und führt das portugiesische Heer zum Sieg und vor die Tore von Fez.

Das Geschehen um den Prinzen vollzieht sich nicht als straff gespannter Zusammenhang, sondern vollzieht sich auf vier verschiedenen Stufen, und zu jeder Stufe, die mancherlei anderes Geschehen aufnimmt, gehört eine eigene «Rolle» des Prinzen. Am breitesten entfaltet sich die erste Stufe, in der Fernando den fürstlichen Heerführer darstellt. Das Bild einer höfisch-ritterlichen Welt baut sich auf, an der Portugiesen und Mauren gleichermaßen teilhaben. Wohl herrscht ein Gegensatz: die Portugiesen kommen als feindliches Heer, – aber ein Glaubensgegensatz wird kaum angedeutet; es ist ein ritterlicher Kampf, und beide Seiten erkennen die gleichen ritterlichen Werte an. Gerade dem Maurenkönig wird vom Dichter die Verkündigung des höchsten Wertes übertragen, des «ánimo constante», mit dem – in der fortunabeherrschten Welt – Glück und Unglück unerschütterlich zu ertragen sei. Die ersten Szenen spielen auf der maurischen Seite, und hier knüpfen sich gleich eigene Geschehnisspannungen. Die heimliche Liebe zwischen der Königstochter Fenix und dem Heerführer Muley wird durch die Bewerbung eines verbündeten Fürsten bedroht, dem der Vater sie vermählen will. Fernando ist auf dieser Stufe der vollkommene Ritter. Das unerschütterliche große Gemüt offenbart sich im Gespräch mit dem von bangen Ahnungen geplagten Bruder, die Umsicht in der Aufstellung des Heeres, die Tapferkeit und Geschicklichkeit in dem siegreichen Zweikampf mit Muley, die Großmut in dem Gespräch mit dem überwundenen Gegner, dem er sogar die Freiheit schenkt, nachdem er von dessen Liebesunglück erfahren hat: «Weil ich weiß, was Liebe ist und was Abwesenden die Verzögerung bedeutet». Und damit entsteht zwischen den beiden eine ritterliche Freundschaft, vor der alle nationalen und religiösen Gegensätze verblassen. Diese erste Stufe endet mit der Gefangennahme Fernandos durch den Maurenkönig. Wohl hatte er vorher von dem Sterben für den Glauben gesprochen, und solche Vorklänge und Verbindungen dürfen nicht überhört werden; aber auf dem Schlachtfeld ist er ganz Ritter, dessen Weigerung sich zu ergeben «Verzweiflung» und mithin unritterlich wäre. Im Einklang mit dieser ganz ritterlich-höfischen Welt deutet er sein Unglück als Auswirkung der Fortuna (los sucesos de fortuna). Wenn auch ein Wort am Aktschluß, der königliche Bruder auf dem portugiesischen Thron solle sich wie ein Christ betragen, etwas doppelsinnig klingt (und fast wie das gesprochene Stichwort zu einer neuen Rolle), so ist es von ihm doch ganz als Ausdruck der Hoffnung auf baldige Befreiung durch ein fürstliches Lösegeld gemeint. Die Spannungen um das Geschick Muleys und der Fenix sind am Ende des 1. Aktes stärker und drängender als die um das Geschick Fernandos.

Der gefangene Infant – das ist die Rolle, die Fernando auf der zweiten Stufe verkörpert. Sie setzt die erste fort. Denn als vollkommener Ritter trägt er das Mißgeschick der Fortuna mit «prudencia» und kann auch den christlichen Mitgefangenen die baldige Befreiung versprechen. Der Himmel, den er dabei als über der Fortuna waltend nennt, hat nichts spezifisch Christliches; dieser cielo wird auch von den Mauren wiederholt genannt und entspricht der Vorsehung, wie sie in den Dichtungen des 16. und 17. Jahrhunderts über der Fortunawelt wirkt. Noch immer ist diese Welt durchaus ritterlich-höfisch; der König unterhält seinen hohen Gefangenen mit Tigerjagden, und Muley wird in seinem Liebesschmerz von Fernando als der Unglücklichere anerkannt. Nur stellenweise übersteigt der Bedeutungsgehalt des Bildes von der gestürzten Hoheit, von der zerbrochenen Größe die konkrete Situation des gefangenen Prinzen.

Der Umschlag auf eine neue Stufe und in eine neue Rolle erfolgt in der Mitte der 2. jornada, also ungefähr in der Mitte des

Dramas. Er erfolgt in doppelter Gestaltung: als Rede Fernandos und als Zerreißen des Briefes, in dem der königliche Bruder Ceuta als Lösepreis für den Gefangenen bietet. (Solche Konkretisierungen der dramatischen Spannung finden sich mehrfach in dem Drama. Aus dem 1. Akt sind etwa das Bild Tarudantes, des neuen Bewerbers, in der Hand der Fenix zu nennen oder der Degen, den Fernando überreicht. Die Sprache der Gegenstände gehört zur Polyphonie in Calderóns Dramen.) In der Rede offenbart sich ein neuer Fernando[1]. Jetzt geht es um den christlichen Glauben, jetzt geht es um die christliche Stadt Ceuta, um die Ungeheuerlichkeit, die darin läge, sie den Mauren auszuliefern mit ihren Gotteshäusern und den christlichen Seelen ihrer Bewohner. Der da spricht, ist kein Ritter und Infant mehr, mehr noch: der ritterliche Infant ist gestorben:

> Perdí el ser, luego morí.

Der da spricht ist ein Sklave, für den es keinen Adel gibt. Fernando ist jetzt der versklavte Infant, und zugleich ist er in eine andere Ordnung eingetreten, in der es keinen Adel und keine Fortuna mehr gibt und keine ritterliche Standhaftigkeit. Wohl aber gibt es – und auch dieses Wort bekommt einen zweiten Sinn – die Standhaftigkeit des Glaubens.

Zum Stilprinzip der eigenbündigen Redeformen gehört es, daß die Gestalten Calderóns neben sich treten und – unbekümmert um psychische Wahrscheinlichkeit – den Sinngehalt eines Geschehens in Spruchform verkünden können. Fernando tut es mit den Worten:

> que hoy un príncipe constante
> entre desdichas y penas,
> la fe católica ensalza,
> la ley de Dios reverencia.

> Ein Standhafter Prinz befestigt
> In Bedrängnissen und Nöten

---

[1] Vgl. H. Friedrich, a.a.O. S. 17: «Es entspricht völlig dem ins Überpersönliche gerichteten Dramenstil Calderóns, daß er seine Figuren wie mit einem plötzlichen Ruck auf eine höhere Ebene stellt. Denn ihre Verwandlungen sind nicht Charakter- oder Erlebnisfolgen...»

> Heute den katholischen Glauben,
> Ehret das Gesetz des Höchsten.
>
> (A. W. Schlegel)

Die Einhelligkeit der die Mauren wie Portugiesen umfassenden Welt ist damit zerbrochen. In schroffem Kontrast stehen sich König und Sklave gegenüber. Auch die Stadt Ceuta, um die es im Konflikt geht, ist in andere Bezüge gerückt. Jeden Befehl will Fernando als Sklave ausführen, aber den zur Übergabe der Stadt lehnt er ab: «Weil sie Gott, nicht mir gehört.» Die Worte der Redenden straffen sich antithetisch: Der Herr-Sklave, Tod-Leben, vor allem aber leitmotivisch wiederkehrend: Strenge[1] (rigor) – Dulden (paciencia). Die Szene schließt mit der nun beherrschend gewordenen Spannung zwischen König und Fernando. «Ich will sehen, ob Dein Dulden weiter reicht als meine Strenge.»

Das Geschehen um den Prinzen hat von jetzt an die Führung, alles bezieht sich auf ihn. Dabei ist er selber gleichsam in zwei Aspekten da: einmal als Bild des gestürzten Hohen. So kann er in der folgenden Gartenszene, da er in Ketten als Sklave Wassereimer trägt, die Zuschauer ansprechen:

> Sterbliche, wundert euch nicht,
> Einen Meister des Avisordens, einen Infanten,
> In Elend und Schande zu sehen;
> Solch Elend gehört zur Zeitlichkeit.

Zugleich aber lebt er als ein von der Zeitlichkeit und ihrer Last Befreiter, als ein «mühelos Gelingender»: mit Recht hat man immer wieder «die vollkommene Heiterkeit und fast Anmut dieses heroischen Märtyrers» hervorgehoben[2].

Die anderen Geschehnisreihen ordnen sich Fernando zu. Fenix, die bisher keinen Zusammenhang mit dem portugiesischen Prinzen zu haben schien, wird ihm gegenübergestellt. Wenn sich hier auch kein dramatisches Geschehen fortsetzt oder knüpft, so

---

[1] Schlegels ständige Übersetzung von «rigor» mit «Wüten» verfälscht das Bild des Königs, der keineswegs als rasender, verblendeter Tyrann erscheinen soll.

[2] So z. B. Kommerell S. 97.

wird sich uns diese Szene, in der sie sich in ihrer Gemeinsamkeit
als Leidende erkennen und bekennen, noch als einer der strukturellen Knotenpunkte des Dramas ergeben. Auch Muley ordnet
sich jetzt ganz dem Prinzen zu: er will den Freund befreien. Aber
Fernando überzeugt ihn in dem Konflikt zwischen Freundestreue
und Ehre (das heißt Pflichterfüllung gegenüber seinem König)
von dem höheren Rang der Ehre. Ihn selber hat die Probe nicht
erreicht; seine Entscheidung ist längst gefällt:

> Denn ich werde
> Für meinen Gott und mein Gesetz
> Der Standhafte Prinz
> In der Sklaverei von Fez sein.

In dem Gegensatz zwischen der paciencia des Prinzen und dem
rigor des Königs liegt keine Geschehnisspannung. Calderón legt
zwischen den 2. und 3. Akt einen Zeitraum von mehreren Wochen, das heißt so vieler Zeit, als es bedarf, um ein portugiesisches
Heer auszurüsten. Die Geschehensspannung kommt von außen,
von der Möglichkeit einer gewaltsamen Befreiung. Zugleich
kann Calderón mit diesem Sprung über die Zeit das Leiden des
Prinzen raffen und in prägnanten (und zugleich «bedeutenden»)
Bildern den Tiefpunkt darstellen; der kranke gelähmte Fernando
liegt auf einem Misthaufen, von allen bis auf einen treuen Mitgefangenen gemieden: aus dem vollkommenen, strahlenden Ritter
ist eine verfaulende Kreatur geworden. In einer Ansprache an
den König, die sich über den Begriffen königliche Milde und
königliche Strenge zu einer fast eigenbündigen Rede entfaltet,
bittet Fernando um den Tod – aber der König wendet sich ebenso
ab wie Tarudante und Fenix. Der sterbende Fernando teilt dem
einzigen Getreuen die letzte Bitte mit: ihn im Ordenskleid zu
bestatten, und die letzte Hoffnung: daß er eingelöst und in einer
christlichen Kirche die Ruhestätte finden werde.

Wäre es auf den Tod als Ziel des Geschehens angekommen,
dann bliebe es befremdlich, warum Calderón das Sterben hinter
die Bühne verlegt. Dann wäre im übrigen auch das Nahen des
portugiesischen Heeres ein völlig blindes und gar nicht zu verant-
wortendes Motiv gewesen. Dann wären auch die letzten Worte des

Prinzen unverständlich, in denen er keineswegs den Sinn des Märtyrertums und seines Geschickes ausspricht, sondern eine Erwartung: daß er eingelöst werde. Das Sterben ist vielmehr der kaum betonte Umschlag in eine neue «Rolle». Der verklärte Fernando, «im Ordensmantel, mit einer Fackel», verkündet seinem königlichen Neffen den Sieg, der, wie er ausdrücklich betont, nicht zur Krönung in Fez, sondern zu seiner, des Prinzen Befreiung führen werde. Die Befreiung erfolgt. Wir erleben es am Schluß als Bühnengeschehen: unter den Mauern von Fez wird der Sarg mit dem Leichnam des Prinzen den Portugiesen ausgehändigt. Und hier erst hat sich der Bogen geschlossen, der sich im 1. Akt hob, als der ritterliche Fernando in den Kampf zog und gefangengenommen wurde. Er führte über die Erwartung der baldigen Befreiung (und die Stufe des ritterlich gefangenen Infanten), führte über das Angebot Ceutas als Lösepreis, das der Prinz ablehnte, indem er die Haltung des standhaften Prinzen wählte, führte über den Sieg der Portugiesen, den der Verklärte errang. Sollten wir – rein von dem leitenden Geschehen her – dem Drama einen Titel geben, so müßte er wohl lauten: *Die Befreiung des Standhaften Prinzen*. Wir erkannten, daß Calderón die Gestaltung des Geschehens nicht straff auf die Folge und ihre innere Notwendigkeit ausgerichtet, sondern jede «Rolle» auf jeder Stufe breit entfaltete und mit einer Bedeutungsfülle ausstattete, die ihre Funktion als Teil eines Gesamtgeschehens und einer personalen Stufenfolge überstieg[1]. Der vollkommene Ritter, der gefangene Große, die verfaulende Kreatur, der Verklärte: das waren zugleich Bilder bedeutsamen Daseins. Der duldende Märtyrer war dabei nur eine Station, und so verständlich es ist, ihrem Bedeutungsgehalt den Vorrang zu geben: die Geschehensstruktur verbietet es, den «Standhaften Prinzen» als christliches Märtyrerdrama zu bezeichnen. Und verbietet es, die Szenen um den verklärten Fer-

---

[1] Über der relativen Eigenwertigkeit der Stufen und Rollen, die ja auf dem Gebiet der Menschengestaltung die gleiche Stiltendenz bekundet, der wir bereits bei der Sprache begegneten, sollen die Züge der personalen Einheit nicht vernachlässigt werden: die durchgängige Anmut, Überlegenheit und Heiterkeit des Prinzen und auch jene Eigenheit, die sich sprachlich in dem immer wieder aufklingenden und schon für die ersten Stufen gültigen «constante» ausspricht.

nando als Anhang und Zugeständnis an das Publikum zu lesen[1]. Das Ergebnis, zu dem wir bisher gelangt sind, hat etwas Enttäuschendes. Dem Werk wird der Rang als Tragödie und die Weihe des christlichen Märtyrerdramas abgesprochen, und übrig bleibt das Drama einer Befreiung, deren Sinngehalt, wie es scheint, nur unbedeutend sein kann. Um so unbedeutender, als die innere Notwendigkeit in der Folge des Geschehens nicht stark betont ist. In der Tat ist ja die Befreiung nicht einmal die unmittelbare Folge der Verklärung. Sie erfolgt nämlich nicht als aus dem Transzendenten gesprochenes Gebot des Fernando, auch nicht als Diktat der von ihm angeführten Sieger. Sie erfolgt nach Verhandlungen und im Austausch gegen die gefangene Prinzessin: für die Freilassung der Fenix erhalten die Portugiesen den toten Infanten.

Wir sind an einen für dieses Drama (und wie es scheint, für Calderóns Dramatik überhaupt) seltsamen Punkt gelangt. Wohl durften wir von einem leitenden Geschehen sprechen, das um die eine, zentrale Gestalt spielt. Aber dieses Geschehen kann nicht aus eigener Kraft an sein Ende gelangen. Die Befreiung wird im Tausch gegen Fenix erreicht, eine zweite Person also wird eingefügt, um den Abschluß zu ermöglichen. Bei der Rückschau aber zeigt sich, daß diese Figur nicht erst hier und aus technischen Gründen auftritt, sondern längst da ist und im Grunde durch das ganze Drama als zweite Hauptfigur in einer geheimen Korrelation mit Fernando gestanden hat.

4. Die Korrelation Fernando-Fenix

Das Drama beginnt mit einem Liede der Christensklaven und dem Auftritt der Fenix. Sie fühlt sich von dem Gesang der Gefangenen angezogen, der geheimnisvoll und atmosphäreschaffend von zwei Zeitordnungen kündet: da wo die Zeit lastet, muß sich auch das Hohe beugen, da wo sie leicht ist, ist auch das Gelingen mühelos. Für die seltsame Zuneigung der maurischen Königstochter zu dem Gesang der Christensklaven wird ein Grund angegeben, der doch eher verhüllt als verdeutlicht. Denn für das

---

[1] Diese These E. M. Wilsons scheint unhaltbar, so sehr wir ihm zustimmen, wenn er den Charakter der Märtyrertragödie ablehnt.

Leiden, das sie empfindet, weiß sie keinen Anlaß; nicht Schmerz ist es, sondern «Melancholie»; sie fühlt sich geängstigt und weiß nicht, wovon. Die Ungewißheit scheint sich zu heben, als ihr Vater die Werbung Tarudantes ankündigt und damit ihre Liebe zu Muley bedroht. Aber es schwebt doch anderes über ihr. Fenix eröffnet auch den zweiten Akt: sie ist allein, in einer «gebirgigen Waldgegend» (einer der bedeutungsvollen Bühnenlandschaften Calderóns). Dem herbeieilenden Muley erzählt sie nun von der Begegnung mit dem alten Weibe, das ihr, der vor Schrecken Erstarrten, zugeraunt habe:

> Armes Weib! Ach welche Pein!
> Schrecklich Los, um das ich stöhne!
> Muß denn wirklich diese Schöne
> Preis für einen Toten sein?
>
> (A. W. Schlegel)

Fenix ist verstört. Die Worte der Alten sind ihr ein «oráculo», sie ist seines Eintreffens gewiß, ihre Ahnungen haben eine Bestätigung erfahren. Auch der Zuschauer soll es so nehmen: wir befinden uns in einer Welt, in der sich Verhängtes ankündigt und erfüllt. Schon vorher ist solche Atmosphäre aufgebaut worden. So deutet Fernandos Bruder verschiedene Vorgänge als böse Omina (agueros). Und so hat Muley seinen König an die alte «profecía heroica» erinnert, daß nämlich die portugiesische Krone einst in Afrikas Sand ihr Grab finden werde. Gerade davon wußte aber jeder Zuschauer des Dramas, daß sie sich, wenn auch nicht bei dem von Muley gemeinten Anlaß, wohl aber später erfüllt hatte, als der junge portugiesische König Sebastian im 16. Jahrhundert Leben und Krone im afrikanischen Sand verloren hatte.

Calderón hat die Muleysche Prophezeiung offensichtlich und zu dem Zweck erfunden, um den Gehalt der Atmosphäre an Schicksalhaftem, Verhängtem zu verdichten. Tatsächlich erfüllen sich ja auch die Omina des D. Enrique und das Orakel des alten Weibes. Christen wie Mauren unterstehen diesem Schicksalhaften, und beide können die Schicksalsmacht als «cielo» bezeichnen. So eindeutig zu den Stufen Fernandos als Duldendem und als Verklärtem die geistige Ordnung des Christentums gehört: über dem ganzen Drama wölbt sich als Atmosphäre dieser Raum eines schicksalbereitenden und ankündigenden cielo, vor dem die Frage, ob christlich oder maurisch, irrelevant ist.[1]

Fenix, die uns zu Beginn des Dramas als Inbegriff der Schönheit dargestellt ist, als Preis für einen Toten? – man braucht mit Calderón nicht vertraut zu sein, um zu spüren, daß Muleys Deutung des geheimnisvollen Orakels (er werde an dem Verlust der Geliebten sterben und also der Preis für ihre Ehre sein) nicht zu treffen kann. Die Lösung wird tatsächlich nicht erst am Schluß, sondern in einer Szene des zweiten Aktes, und zwar in einem Theatercoup gegeben: nur die Zuschauer, nicht die Figuren durchschauen die tiefere Bedeutung. Fenix quält sich noch immer mit dem Orakel:

> Was soll ich eines Toten sein?
> Wer wird dieser Tote sein?

In diesem Augenblick tritt Fernando, jetzt schon der erniedrigte Sklave, zu der Einsamen mit dem Wort: Ich... Es ist der Beginn jener Szene, die wir früher als einen Knotenpunkt der Struktur bezeichneten, in der Fenix, die einzigartige und nun bedrohte Schönheit, und Fernando, der vollkommene und nun erniedrigte Infant, in der diese beiden über alle herausgehobenen Gestalten die Gemeinsamkeit ihres «Loses» (suerte) als Leidende erkennen. Wieder vergegenständlicht Calderón. Die Blumen, die Fernando bringt, sind «Hieroglyphen seines Loses», und wie sich nun – in reimreichen Quintillas – Rede und Gegenrede im Gespräch über das Los verflechten, vom Prinzen in heiterem Darüberstehen geführt, von Fenix in tiefem Erschrecken, wie die Blumen als bedeutungsvolle Gegenständlichkeit hineingeflochten werden und Fenix noch tiefer verwirren, wie sie sein gefaßtes:

> Es wird der Mann geboren
> Ein Spielball der Fortuna und des Todes –

kurz darauf gequält aufnimmt:

> Es wird das Weib geboren
> Ein Spielball des Todes und der Fortuna –

---

[1] Fernando lehnt die Ominagläubigkeit seines Bruders als unchristlich ab; vorher hat er ihnen freilich einen günstigen Sinn zu geben versucht.

wie sie dem Sonett des Prinzen auf die Blumen als Symbol menschlicher Vergänglichkeit, den Bildbezug steigernd, das Sonett auf die Sterne als die Blumen der Nacht entgegenstellt, deren Blühen und Welken unser Los bestimmen – das ist von einer sprachlichen Kunst und Schönheit, die in der ganzen Weltliteratur so nur bei Calderón zu finden ist. Und es ist zugleich von einer Bedeutungsfülle, die gerade, weil die Szene in kein dramatisches Geschehen eingeordnet ist, an der Atmosphäre über dem ganzen Drama mitschafft.

Die Szene ist keine lyrische Einlage, sondern führt die Linie um Fenix zu einem Höhepunkt: sie, die von Melancholie bedrückte, durch ein Orakel Verstörte, erkennt in der Begegnung mit dem Prinzen und den Blumen das Wesen ihres Leids. Sie, die bisher nur Fragen stellen konnte, findet jetzt Worte: in einer der bündigsten Formen der Sprache, im Sonett. Diese Einsicht ist zugleich die Einsicht in ihre Gleichheit mit dem Prinzen: beide herausgehoben über alle Menschen durch Geburt und vollendete Ritterlichkeit dort, vollendete Schönheit hier, und beide nur desto tiefer vom Leid ergriffen:

> Fenix: Sei der erste Elende (desdichado),
> Den ein Elender flieht.

Zugleich wird ein Unterschied in der Haltung spürbar: Fernando, teilhaft einer anderen Ordnung der Zeit und des Seins, über seinem Leid stehend, Fenix, die Frau, ganz darin verstrickt. Leichtigkeit und Schwere, Heiterkeit und Melancholie, – und unüberhörbar klingt der melancholische Ton vor, die Klage über die Vergänglichkeit des Menschen und aller Schönheit des Irdischen, klingt gerade in dem Prunk der Sprache[1].

---

[1] Im Rückblick stellt sich leicht fest, daß die kunstvollste Sprache von Fenix oder um sie gesprochen wird. Was wir als ihre dramatische Linie bezeichnen, erscheint zugleich als eine stilistische. Gerade diese Partien fanden im 19. Jh. den Tadel der Kritiker. Wenn wir sie heute besonders schätzen, so liegt kein bloßer Geschmackswandel vor. An der Dichtung des Barock und des Minnesangs haben wir gelernt, die Sprache von Figuren nicht nur als Stimmungs- und Meinungsausdruck einer Person zu nehmen. Für jene Verurteilungen gab «Natürlichkeit» den Maßstab ab. Heute ist die Möglichkeit frei geworden, die Worte und Gehalte kultistischer Sprache zu erfassen. Über

Calderón hat Fenix und Fernando noch einmal in einer Szene des 3. Aktes zusammengeführt. Hier wirkte sich freilich nachteilig aus, daß es keinen festen Geschehenszusammenhang um die beiden gab. Zugleich machte sich der Zwang vordringlich geltend, Fernando als Vereinsamten und Verlassenen darzustellen. Die innere Gemeinsamkeit der beiden kann somit nur in Obertönen anklingen:

> So schön ihr euch dünkt, Herrin,
> Ihr sollt wissen,
> Daß ihr nicht mehr als ich wert seid,
> Daß ich vielleicht mehr wert bin.

Endgültig führen die Linien der beiden Gestalten dann erst in der Schlußszene zusammen, wenn Fenix gegen den toten Fernando ausgetauscht wird und sich somit das ihr verkündete Orakel wie sein Glaube an die Befreiung erfüllen.

Die Bedeutung der Fenix für die Geschehnisführung hat sich gezeigt. Aber ihre Funktion, auch das hat sich gezeigt, erschöpfte sich nicht darin, eine Linie zu bilden in der Geschehnisstruktur des ganzen Dramas. Auch an ihr offenbarte sich, was Eigenheit des Calderónschen Stils ist: in sich bündig, repräsentativ und durchscheinend zu werden auf ein Allgemeines hin. Gerade als Seiende und Bedeutende aber steht sie in innerem Bezug zu Fernando. Beide sind herausgehoben, sind Besondere: Verkörperungen irdischer Vollkommenheit, er des Ritters, sie der Schönheit. Der hohe Ritter wird zum Gefangenen, zum Sklaven: aber das Erschrecken über den Sturz des Hohen wird überdeckt durch dessen neues Sein, durch seine heitere Standhaftigkeit. Fenix dagegen bleibt die Schönheit, die höchste Verkörperung irdischer Werte und die Verkörperung ihrer ständigen Unsicherheit, Bedrohtheit, Verfallenheit. Sie ist in diesem Sinne die menschlich bedeutungsvollste Gestalt und spielt die Rolle fort, die Fernando mit einer anderen vertauscht. Melancholie schwebt als Aura um

---

die geradezu «dramatische Funktion der stilisierten Sprache» vgl. H. Friedrich a. a. O. S. 29: «Denn gerade in ihr blüht die illusionäre Schönheit auf, um in den Geschehnissen selber dann zur düsteren Desillusion hinzuwelken. Die Unruhe des Sprachprunks scheint das Nichtige zu überglänzen und ist doch selber schon angelegt als der im Schönen versteckte Trug des Nichtigen.»

die Gestalt der Fenix und bildet einen, wie uns scheint, wesentlichen Gehalt Calderónscher Dramatik überhaupt. Fenix ist das
«eminente», das unter der Herrschaft der Zeit und das heißt der
Vergänglichkeit steht, wie es in dem Eingangslied hieß. Fernando
aber tritt in den anderen Bereich, in dem die Zeit und das Gelingen mühelos werden, er wird der Standhafte im Glauben. Damit
aber ist gesagt, daß es nun doch nicht die Standhaftigkeit für irgendein geglaubtes Ideal ist, die ihn erfüllt; die Lebensform, die er
lebt, der Übertritt in den Bezug, wo die Zeit leicht wird, ist nur
dem Christen und nur als Gnade möglich. Sie überkommt bei
Calderón nur aristokratisches Menschentum, und gerade unser
Drama ist weithin die Darstellung dieser strahlenden Einzigartig-
keit. Es wendet sich nicht ins Religiöse und belehrt nicht und ruft
nicht auf; aber es ist innerlich von einer lichten Christlichkeit erfüllt und zugleich dabei von einer schmerzlichen Liebe zum Irdischen getönt. Diese innere Christlichkeit rechtfertigt es auch,
daß Calderón die Linie des Prinzen noch ein kleines Stück am
Schluß über die Befreiung hinaus zieht: seine Ruhestätte in einer
christlichen Kirche wird eine Weihestätte sein[1].

Wir fassen zusammen: das Hauptgeschehen spielt sich um die
zentrale Figur des Prinzen ab. Es vollzieht sich in mehreren Stufen, deren jeweiliger Bedeutungsgehalt voll entfaltet wird, während der innere (Entwicklungs-)Zusammenhang und die Notwendigkeit ihrer Folge unbekümmerter behandelt werden; die
Fügung bleibt daher locker. Der Endpunkt des Geschehens
kann nur durch die Einbeziehung einer anderen Gestalt erreicht
werden; die Hauptfigur steht zu ihr von Beginn an in einer geheimen Partnerschaft. Ein eigenes Geschehen knüpft sich um
die beiden Figuren nicht, es bleibt bei einer bedeutungsmäßigen
Korrelation, die als atmosphärischer Gehalt über dem ganzen
Drama liegt und sich mit den Bedeutungsgehalten jeder Stufe

---

[1] Übrigens bleibt Calderón mit der Verheißung Alfonsos, den Leib des
Fernando in einem eigens erbauten «soberano templo» zu bestatten, ganz in
seiner ästhetischen Wirklichkeit. Denn von dem historischen Fernando sind
nur die Eingeweide, die nach seinem Tode von einem Portugiesen heimlich
vergraben worden waren, nach Portugal gelangt und dort in dem Kloster
Batalha neben den Särgen der Eltern und Brüder beigesetzt worden.

verbindet. Ihrerseits wird die zweite Gestalt (Fenix) zum Partner in einem besonderen Geschehen (mit Muley und Tarudante), wie überhaupt jede Phase des Hauptgeschehens durch ein Spannungsfeld mit reichem dramatischem Geschehen führt.

So locker die Struktur wirkt, solange man nur das Hauptgeschehen verfolgt (Nebenhandlungen, häufiger Szenenwechsel, Zeitspannen zwischen den Akten, relative Eigenständigkeit von Szenenteilen, übergreifende Bedeutung von Daseinsformen), so festigt sie sich, sobald man die Dichte und Einheitlichkeit der waltenden Atmosphäre mit einbezieht, in die Calderón bei der relativen Eigenständigkeit der Strukturelemente in jedem Augenblick vorstoßen kann[1]. Im Verhältnis zur «hohen Tragödie» prägt sich die Horizontalrichtung schwächer aus, die Vertikalrichtung ungleich stärker. Die Atmosphäre bleibt letztlich unfaßbar und lichtet sich nicht so weit auf, daß dahinter ein geistiges Bezugssystem, ein begrifflicher Sternenhimmel sichtbar würde. Eine einseitig allegorische Interpretation wie in den autos sacramentales würde der Gestaltung nicht gerecht.

5. Das Typische der Struktur

Die Ergebnisse der Strukturuntersuchung des *Standhaften Prinzen* gewinnen an Bedeutung, wenn sich der Blick auf einige andere Dramen Calderóns richtet. Im *Mágico prodigioso*, dem *Wundertätigen Magier*, finden wir als Leitlinie die der einen Figur, des Cyprianus. Sie führt, wieder in Phasen mit plötzlichem Umschlag, vom philosophischen Heiden zum Liebhaber, zum Teufelsbündler, zum Bekehrten, zum Märtyrer und zum Verklärten. Und wieder schlingt sich darin die Linie einer Frauengestalt (die sich gleich bleibt), der heimlichen Christin Justina. Im 2. Akt schürzt

---

[1] Die Fülle der Bezüglichkeiten scheint unerschöpflich. Wir weisen noch auf eine im Drama nur leicht anklingende: Fenix ist der Inbegriff der Schönheit; Schönheit ist aber auch, wie der Name besagt, das Wesen der umstrittenen Stadt Ceuta. Damit stiftet sich eine geheime Beziehung zwischen der Frauengestalt und der Stadt, die durch ihre Funktion als Lösepreis für Fernando gesteigert wird. Es darf daran erinnert werden, daß in der spanischen Dichtung gerade des 17. Jh.'s die Gleichsetzung von Stadt und Frauengestalt zum geläufigen Motiv wurde.

sie sich zur Handlung Cyprian-Justina. Wenn sie auf sein Werben erklärt: «Erst im Tode kann ich euch lieben», so spricht sie – obwohl es subjektiv nur als Ablehnung gemeint ist – ein Orakel, das in Erfüllung geht und so die handlungsmäßige Spannung zur Lösung bringt. Aber hier sind die Linien noch mehrfach verschlungen: Cyprian bekehrt sich, weil das mit teuflischen Künsten beschworene Bild der Justina zum Totengerippe wird und somit die Ohnmacht des Teufels vor Gott enthüllt. Und es wird zum Totengerippe, weil Justina standhafte Christin geblieben ist. Der Verlauf also schon der Phasenfolge bei Cyprianus ist durch die Gestalt Justinas bestimmt, und die Struktur erscheint damit straffer als im Príncipe constante.

In *La vida es sueño* handelt es sich als Leitlinie um die Phasenfolge des Prinzen Sigismund: der Eingekerkerte, der erprobte Herrscher, der Eingekerkerte, der wahre Herrscher. Aber das Drama beginnt – ähnlich wie der *Príncipe constante* – mit dem Auftritt und der Spannung um eine weibliche Figur, Rosaura. Auch sie ist, wie der Prinz, dem sie begegnet, eine «infelice»[1]. Wenn sie die Ehre wieder herstellen will, so ist damit ein Handlungsziel gesteckt: eine Spannung richtet sich in die Zeit, wie sie in den anderen Dramen vom Orakel ausgeht. Die Erfüllung geschieht, und zwar durch Sigismund. Aber schon vorher bleiben die Linien weiterhin verschlungen: Rosaura erweckt in dem erprobten Herrscher die Liebe, die Erinnerung an Rosaura verwirrt den Wiedereingekerkerten und verwehrt ihm, das Erleben am Hof als Traum zu nehmen. Sein Durchbruch aber erfolgt in der erneuten Begegnung mit Rosaura: indem er seine Liebe zu ihr besiegt und sie, ihre Ehre wiederherstellend, dem Verführer vermählt, hat er die erste Probe als wahrer Herrscher bestanden, ist er durch Rosaura dazu geworden. In den meisten Analysen

---

[1] Die Verse der Rosaura:

> Der Himmel hat mir Trost geschickt,
> wenn es für den, der elend (desdichado) ist,
> ein Trost sein kann,
> einem noch Elenderen zu begegnen,

klingen an die Verse der Fenix an:

> Sei der erste Elende (desdichado),
> den ein Elender flieht.

von *La vida es sueño* wird selbst da, wo sie sich nicht in dem Dik-
kicht einer philosophischen Auslegung (des angeblichen Problem-
dramas) verirren, Rosaura als Episodengestalt ganz an den Rand
gedrängt; sie gehört vielmehr unlöslich und dramaturgisch viel
überzeugender als die Fenix im *Príncipe constante* zur Struktur
des Dramas[1]. Die strukturelle Verwandtschaft beider Dramen ist
so groß, daß man fast zu der Meinung kommt, Calderón habe das
spätere Werk (man setzt es 1635 an) im Hinblick auf die strukturellen Schwächen[2] des früheren konzipiert.

Ohne noch weitere Beispiele heranzuziehen: es zeichnet sich,
der Struktur nach, innerhalb der Dramatik Calderóns ein eigener
Typus ab; zu ihm gehören Dramen, die nach der traditionellen
Einteilung auf die verschiedensten Gruppen verteilt werden.

6. Immermanns Deutung
des *Standhaften Prinzen* als Tragödie

Der durch den *Standhaften Prinzen* repräsentierte Typus eines
ernsten Dramas unterscheidet sich grundsätzlich von dem Formtypus der «hohen» Tragödie. Die Begriffe, mit denen ihre Struktur erfaßt wird: tragischer Held, als Geschick gestaltete Handlung,
Untergang als Zielpunkt der Handlung, in dem sich Geschichte
stiftet, – sie versagen bei der Beschreibung des Calderónschen
Typus. Welche Verzerrungen in der Deutung eintreten, wenn
es gleichwohl versucht wird, das mag zum Schluß die ausführlichste
Interpretation beweisen, die der *Standhafte Prinz* im 19. Jahr-

---

[1] Als erster hat E. M. Wilson den richtigen Weg gewiesen, der von der
Überzeugung ausging, «La vida es sueño es una obra lógica, consistente, toda
de una pieza»: *La vida es sueño*, Rev. de la Universidad de Buenos Aires, Jg.
IV, 1946. Ihm folgend hat dann Albert E. Sloman in seiner Studie *The Structure of Calderón's «La vida es sueño»*, Mod. Lang. Rev. 48, 1953, die Dinge
klargelegt.

[2] Auch mit der Gestalt des gracioso, die ja nicht so sehr eine eigenwertige
Figur, vielmehr die Spiegelung der hohen Gestalten und Geschehnisse im
niederen Bereich darstellt, hatte Calderón im *Standhaften Prinzen* noch nicht
viel zu beginnen gewußt, so daß wir ihn in unserer Nachzeichnung fortlassen
konnten. Erst im *Wundertätigen Magier*, in *Das Leben ein Traum* und anderen
Dramen ist er fest in die Struktur eingeflochten.

hundert erfahren hat und die wir bei unserem früheren Überblick ausgespart haben. Sie entstand am Ende jener ersten Phase
der deutschen Calderón-Aufnahme und stammt von einem Man-
ne, dessen Wort als einem Dramatiker, als einem Theoretiker
seiner Kunst wie als dem Regisseur unseres Werkes besonderes
Gewicht zukommt, von Immermann.

Die Besprechung des *Standhaften Prinzen* findet sich in Immermanns *Düsseldorfer Anfängen*, als nachträgliche Rechtfertigung seiner Aufführungen auf der Musterbühne. Sie beginnt mit
der Bemerkung: «Aber in diesem einzigen Werke hat sich der
große katholische Dichter in eine Sphäre geschwungen, wohin der
Brite (Shakespeare) mit seinen unermäßlichen Kräften doch nicht
reicht». Es gehe «um die Läuterung eines reinen Menschen in
das Reinste, in die Seligkeit». Die nachfolgende Analyse steht
unter dem Leitbegriff «Tragödie» (Immermann bekennt, daß
ihm der *Standhafte Prinz* die «Krone der neueren Tragödie» zu
sein scheint und – freilich als unwiederholbarer Einzelfall – Lessings Zweifel an der Möglichkeit einer christlichen Tragödie
widerlege).

Man muß feststellen, daß die Nachzeichnung des Dramas das
Feinsinnigste ist, was über den *Standhaften Prinzen* bisher gesagt
worden ist. Freilich bleibt manches einzuschränken oder zu ergänzen: so scheint der Nachweis einer «Entwicklung» nicht recht
gelungen und eher einem (psychologischen) Vorurteil zu entspringen; auch bei der Ausdeutung der Reden als durchweg per-
sonal bestimmter Ausdrucksgebärden gerät Immermann gelegentlich in (übrigens offen eingestandene) Bedrängnis. Andererseits
wird die Bedeutung der Fenix verkannt; für Immermann ist das
Drama ausschließlich die Tragödie Fernandos und endet eigentlich mit seinem Tode. Als tragischer Held aber, und hier kommen
wir an die Stelle, da wir schon der eingeschlagenen Richtung nicht
mehr folgen können, muß der Held eine Schuld begangen haben:
«Denn ohne Schuld wird doch niemand zum tragischen Helden»(!).
Und nun bringt es Immermann wirklich fertig, diese als notwendig angesehene Schuld des tragischen Helden hineinzuinter-
pretieren. Bei der Landung ist Fernando zu leichtsinnig in seiner
unverwüstlichen Fröhlichkeit. Wenn er – Immermann erwägt

die Möglichkeit und wird dabei griesgrämig – in der Deutung der Omina scherze, so «soll einem christlichen Heerführer eben bei so ernstem Anlaß nicht scherzhaft zumute sein.» Auch in der Szene mit Muley betätigt sich «der heroische Leichtsinn» Fernandos. Er versäumt seine Pflicht, dem «Heere durch die schnellste Rückkehr seinen Feldherrn wiederzugeben» und «verliert sich in das humane und großmütige Interesse an dem Privatschicksal seines Feindes». Es ist fast beklemmend zu sehen, wie Immermann seine große Fähigkeit als Interpret betäubt, um eine vorgefaßte Meinung zu retten. Und das ist eigentlich das Lehrreiche an dieser Besprechung: noch nach dreißig Jahren wirklich intensiver Beschäftigung mit Calderón gelingt es selbst einem Immermann nicht, das Wesen der Calderónschen Dramatik richtig zu bestimmen. Aus dem weiten Abstand heraus erkennt man die Ursache. Das Denken vom Drama war in jener Zeit, wenn wir bis aufs letzte schematisieren, in der Vorstellung von drei Formtypen innerhalb des ernsten Dramas befangen: dem von Lessing begründeten und bestimmten «bürgerlichen Drama», dem durch Shakespeare (besonders in seinen historicals) repräsentierten Typ und schließlich in der «hohen» Tragödie, deren Idee bei Immermann deutlich genug von Schiller abhängig ist. Mit Calderóns Dramatik aber war ein neuer, eigener Formtyp in die Erscheinung getreten. (Für Goethe und Brentano war es der «poetischste».) In dem dramatischen Schaffen jener Jahrzehnte wird seine Einwirkung überall spürbar, und sie läßt sich bis zu Hofmannsthal, bis in die Gegenwart verfolgen. Zu seiner theoretischen Bestimmung aber haben erst im 20. Jahrhundert Forscher wie Kommerell, W. Benjamin, Valbuena Prat, E. M. Wilson und andere die rechten Zugänge eröffnet.

Nachwort zu der Übersetzung des Romans
«Die nachträglichen Memoiren des Bras Cubas»
von Machado de Assis

Der Leser, der dieses Buch zur Hand nimmt, ist noch voller Mißtrauen oder doch zumindest Gleichgültigkeit. Der Titel sagt ihm wenig und der Name des Verfassers noch weniger. Der Leser wird vermutlich zuerst in dem Nachwort blättern, und so beeilen wir uns denn, vorweg festzustellen: Die *Nachträglichen Memoiren des Bras Cubas* sind einer der amüsantesten Romane der Weltliteratur.

Und nun können wir schon darauf hoffen, daß der Leser sich dem Anfang des Romans zuwendet. Dann wird er nämlich auch weiterlesen und sich recht bald mit dem Erzähler anfreunden. Er merkt aus den Worten, die Bras Cubas gleich an ihn richtet, welcher Geister Kind dieser Erzähler ist – der Sterne, Schopenhauer und anderer; und wenn Bras Cubas berichtet, wann und wo er geboren und gestorben ist, dann wird noch die Ferne selber ein Anreiz zum Weiterlesen. Der Held unseres Romans ist nämlich 1805 in Rio de Janeiro geboren.

Seine Jugend fällt in jene merkwürdigen Jahre, da Brasilien eine Kolonie ohne Mutterland war und eigentlich auch schon keine Kolonie mehr. «Die Dynastie Braganza hat aufgehört zu regieren», so hatte einer der berühmten Erlasse Napoleons gelautet; unmittelbar darauf, es war im November 1807, waren französische Truppen in Portugal eingerückt, das nun auf Jahre zum Schauplatz der Kämpfe zwischen englisch-portugiesischen und französischen Truppen wurde. Der Regent Johann floh mit dem gesamten Hofstaat einschließlich der wahnsinnigen Königin Maria I. nach Brasilien, damals noch portugiesische Kolonie. Seine Gegenwart förderte natürlich deren Selbständigkeit: lästige Einschränkungen (wie etwa das Druckverbot) mußten fallen, wichtige Rechte zugestanden werden. Es wurde so eine Entwicklung beschleunigt, die schon seit langem im Gange war; in den spanischen Kolonien Südamerikas hatte sie schon zu lauten Forderungen nach politischer Selbständigkeit geführt.

Der Wunsch, Brasilien für sein Land und seine Dynastie zu retten, mag ein Grund gewesen sein, weshalb der inzwischen König gewordene Johann über Gebühr, das heißt über den Sturz Napoleons hinaus jenseits des Atlantik blieb. Erst die energischen Vorhaltungen der Heiligen Allianz bewegten ihn 1820 zur Rückkehr nach Portugal, das sich in Parteikämpfen zerrüttete. Er ließ in Brasilien den Kronprinzen Dom Pedro zurück und damit einen Nachfolger, der sich für die liberalen Ideen der Zeit begeistert hatte. Als von Lissabon aus dann versucht wurde, die Geschichte der letzten fünfzehn Jahre zu ignorieren und Brasilien wieder in den Stand der Kolonie hinabzudrücken, stellte sich Dom Pedro 1822 selber an die Spitze der brasilianischen Unabhängigkeitspartei und ließ sich noch im gleichen Jahre zum «Kaiser von Brasilien» ausrufen. Johann hat die Würde des Sohnes und damit den Verlust der Kolonie bald anerkannt. Das Kaisertum Dom Pedros ist übrigens gemeint, wenn Bras Cubas von unserer «ersten Herrschaft» spricht.

Dom Pedro hatte an sich auf alle Rechte an Portugal verzichtet; da es aber seinem Vater so wenig wie seinem Bruder gelang, Ordnung zu schaffen, folgte er 1831 dem Ruf der Heimat. Er entsagte nun der brasilianischen Krone zugunsten seines Sohnes Pedro II. und setzte bis zu dessen Volljährigkeit eine Regentschaft ein. Von einem der Regenten stammt der Beileidsbrief, den der Vater von Bras Cubas so gern vorliest.

Die Regierung Pedros II., die «zweite Herrschaft», begann 1840. Bras Cubas, der es zeitweilig zum Abgeordneten bringt und es gern noch weiter zum Minister gebracht hätte, nimmt an den eigentlich politischen Fragen keinerlei Anteil. Im Zentrum stand damals und stand noch Jahrzehnte hindurch die Sklavenfrage. Daß der Import von Negern aus Afrika ein einträgliches Geschäft war, erfährt der Leser aus den Bemerkungen eines Teilnehmers an dem Befreiungsbankett. 1826 war offiziell die Einfuhr von Sklaven verboten worden, um die Mitte des Jahrhunderts wurden die Maßnahmen gegen den Sklavenhandel strenger; 1871 wurde endlich unter dem Druck der öffentlichen Meinung ein Gesetz erlassen, das die von Sklavinnen künftig geborenen Kinder für frei erklärte und somit innerhalb einiger Jahrzehnte das Ende der Sklaverei herbeigeführt hätte. Den Fortschrittlern war das zu langsam. Doch als sie 1888 das Gesetz zur sofortigen Aufhebung der Sklaverei durchbrachten, empörten sich Großgrundbesitz und Heer, stürzten 1889 die Kaiserherrschaft und machten Brasilien zur Republik.

Bras Cubas war zu diesem Zeitpunkt schon gestorben. Oder vielmehr: er war schon ins Leben getreten. Denn 1882 waren seine Memoiren in Buchform erschienen (zwei Jahre vorher in Fortsetzungen in der *Revista Brasileira*) und damit das erste Werk der brasilianischen Literatur, das den Anspruch erheben konnte, zur Weltliteratur gerechnet zu werden, das erste Meisterwerk der brasilianischen Literatur, kurz nachdem sie mündig geworden war.

Denn weder in den Jahrhunderten der Kolonialzeit noch in den ersten Jahrzehnten als Kaiserreich hatte es eine brasilianische Literatur im strengen Sinn des Wortes gegeben. Wohl hatte es nicht an Leistungen und Talenten gefehlt, so daß der Österreicher Ferdinand Wolf schon 1863 die erste brasilianische Literaturgeschichte hatte schreiben können. In der fünfbändigen von Sylvio Romero (3. Auflage 1943) erscheint Machado de Assis sogar erst im letzten Band. Aber solche Proportionen täuschen etwas. Denn bei fast allen Dichtungen, von denen vorher erzählt wird, handelt es sich um ein Echo, um Modulationen jeweilig europäischer Melodien. So hatte in der zweiten Hälfte des 18. Jahrhunderts auch Brasilien seine «Arcadia» bekommen, und einer der arkadischen Schäfer hatte zugleich in seinem *Uruguai* (1769) die Drommete des heldischen Epos geblasen; so hatten dann, nach dem Gewinn der politischen Selbständigkeit, die ersten Romantiker, wie Domingo G. de Magalhaes, Manuel de Porto Alegre und António G. Dias, die Anregungen verarbeitet, die sie in Europa selbst empfangen hatten. Auch die zweite Phase der Romantik steht immer noch deutlich unter europäischem, besonders französischem Einfluß. Die Ähnlichkeit der Geschicke hat dabei etwas Unheimliches: kaum einer dieser Lyriker hat das fünfundzwanzigste Jahr erreicht. Alvares de Azevedo lebte von 1831 bis 1852, Junqueira Freire von 1832 bis 1855, Casimiro de Alveu von 1837 bis 1860, António Castro Alves von 1847 bis

1871. Viele ihrer Werke sind erst nach ihrem Tode erschienen, sie selber gewöhnlich erst noch später berühmt geworden; und eigentlich haben sie ihre festen Plätze in der Literaturgeschichte erst gefunden, als die «Academia das Letras» ihnen als Schutzpatronen die Sitze unterschob. Aber das war erst am Ende des Jahrhunderts.

Auch in der Prosa gab es beim Tode des Bras Cubas noch wenig Eigenwertiges. Die Gesellschaftsromane des Joaquim M. de Macedo (1820–82), des «Begründers» der brasilianischen Romankunst, die historischen des Bernardo Joaquim Guimarães (1827–85) – sie alle stellen leichte Unterhaltungsware dar, die mehr oder weniger deutlich nach ausländischem Muster gearbeitet war. Stärkere brasilianische Eigenart verrieten dagegen die Erzählungen aus der Welt der Indianer; wie in Epos, Verserzählung und Lyrik herrschte um die Mitte des Jahrhunderts die Mode des «Indianismus». Auch dafür kamen die Anregungen aus der europäischen, besonders der französischen Literatur (Bernardin de Saint-Pierre; Chateaubriand und andere). Jetzt aber verband sich die lyrische und moralische Sentimentalität mit einem Gefühl für den Stellenwert von Landschaft und Menschen und deshalb mit Beobachtung und Beschreibung: eine ausgesprochen brasilianischregionale Erzählkunst erstand. Ihr großer Vertreter ist José de Alencar (1829–77), für Europa wurde er sogar zum ersten Namen aus der brasilianischen Literatur, den man sich einprägte. Seine Romane vom Leben der eingeborenen Stämme wurden rasch ins Englische, Deutsche, Französische übertragen (*Guarani* 1857; *Iracema* 1865; *Til* 1875, und andere). Wenn Alencar trotzdem nicht derjenige gewesen ist, der die brasilianische Literatur konsolidiert und das noch so chaotische literarische Leben geordnet hat, so war daran nicht nur sein früher Tod schuld, sondern mehr noch sein streitlustiger Regionalismus. Wie er keine anerkannte Größe schonte, so bekämpfte er jeden Zentralismus. Die Gefahr bestand, daß die brasilianische Literatur noch vor ihrer Konsolidierung in eine Reihe von Provinzliteraturen zerfiel; schon ließen manche Regionalisten so viel Dialekt und Eingeborenensprache einfließen, daß das Verständnis in anderen Gegenden schwer wurde.

Aber die Gefahr wurde gebannt. Schon hatte ein Jüngerer seine Stimme erhoben, dessen Sorge sich darauf richtete, «daß die Kette der nationalen Dichtung nicht zerreißt». Er wußte, daß «der literarische Geist des Landes noch ungebildet und seiner kaum bewußt war». Er hat ihn gebildet und seiner selbst bewußt gemacht und ist schließlich zum Repräsentanten eines geordneten literarischen Lebens geworden – den romanischen Nationen ist darin ja mehr erreichbar als den germanischen. Es war Machado de Assis, und die Lösung jener Aufgabe ist neben dem dichterischen Werk seine zweite große Leistung gewesen.

Sie gelang ihm nicht durch besondere organisatorische Maßnahmen oder durch die Wucht seiner Persönlichkeit; fast will es erstaunen, daß diese so überaus bescheidene, so liebenswürdige, stets freundliche und ausgeglichene Natur eine derartige Rolle hat spielen können. Vergebens sucht man im Leben Machados nach Augenblicken, da sich die Tiefe, Dämonie, Leidenschaftlichkeit eines genialen Menschen enthüllen, sucht nach Stürmen, Krisen, Wandlungen, nach Anzeichen dunkler Getriebenheit, nach Ausbrüchen elementarer Kräfte, die alle Widerstände brechen. Es hat offensichtlich an solchen Augenblicken wie auch an den Widerständen gefehlt; es gelang alles, es glückte alles, es fügte sich alles von allein.

Nur der Beginn war ihm nicht leicht gemacht worden. Machado de Assis stammte aus sehr kleinen Verhältnissen: 1839 ist er in Rio de Janeiro geboren worden. Die Mutter war Portugiesin, der Vater Mestize, das heißt in seinen Adern floß Negerblut. Der junge Joaquim Maria mußte früh ein Handwerk lernen; es fügte sich so, daß er in eine Druckerei eintrat und damit in die Welt der Litterae, die die seine werden sollte. Die Möglichkeiten, die ihm seine neue Umgebung und dann vom neunzehnten Jahr an in noch reicherem Maße der Buchhandel bot, hat er voll ausgenutzt. Mit einer Ausdauer, wie sie nur aus unergründlichen Antrieben kommt, und einer Leichtigkeit, in der sich nun doch Genialität verrät, erwarb er sich umfassende Kenntnisse, vor allem auf den Feldern der Geschichte, der Literaturgeschichte und der Sprachen. Er lernte Griechisch und Latein, er schrieb und sprach mühelos französisch und dichtete sogar darin. Das Englische beherrschte er völlig und las Dickens, G. Eliot, Thackeray mit Vergnügen, lieber aber noch die Großen des 18. Jahrhunderts: Fielding, Goldsmith und Sterne. Seine Übersetzung von E. A. Poes *Raben* ist bei seinen Landsleuten berühmt geworden. Auch das Deutsche war ihm vertraut; in Werken und Briefen sind Zitate oder auf eigener Lektüre beruhende Hinweise auf Goethe, Heine, R. Wagner und Schopenhauer nicht selten.

Auf den Buchhandel folgt die Journalistik und schließlich der Eintritt als Beamter in ein Ministerium. Aber zu der Zeit war er schon als Dichter berühmt. Von seinem zwanzigsten Jahr an hatte Machado geschrieben, Gedichte, in denen noch die spätromantische Melancholie lag, aber auch schon das neue Vorbild der Parnassiens erkennbar wurde, Theaterstücke, deren scharfer Dialog ein nicht sehr anspruchsvolles Publikum unterhielt, und dann Erzählungen und Romane, die den Ruhm des so vielseitigen Autors noch erhöhten. Zu der journalistischen und literarischen Tätigkeit kam eine sehr ernst genommene kritische. Sie ist für Machado de Assis eines der wichtigen Mittel gewesen, den «noch so niedrigen Geschmack» zu heben. «Erster Kritiker Brasiliens», so nannte ihn José de Alencar 1868 in einem Brief, in dem er ihm den jungen Castro Alves empfahl, und «einziger unter unsern modernen Schriftstellern, der sich ernsthaft der Pflege jener schwierigen Wissenschaft gewidmet hat, die da Kritik heißt». In Zeitungen und Zeitschriften, deren er manche geleitet oder sogar gegründet hat, verkündete er seine Anschauungen und diente er der Aufgabe, den «literarischen Geist des Landes» zu prägen.

Er nahm sich des jungen Castro Alves wie all der jungen Dichter an, die bald zahlreich zu ihm kamen und denen er das Vorwort für ihre Erstlingswerke zu schreiben pflegte. «Großvater unserer Literatur» war sein Ehrentitel schon bei Lebzeiten und als er eigentlich noch recht jung war. Wir denken dabei an Gleim und seine erstrebte Beschützerrolle, und denken von neuem an Gleim und den Briefwechsel mit Ramler, Uz und anderen Freunden, wenn sich Machado de Assis und seine Freunde in ihren Briefen die Ehrentitel der brasilianischen Horaz, Vergil, Cicero und so fort verleihen: solche Verleihungen finden sich überall da, wo eine Literatur in sich bündig und für eine Nation wirksam werden will. Man wußte auch, daß man Machado de Assis jeden Tag nach seinem pünktlich erfüllten Bürodienst zwischen fünf und halb sieben in der Buchhandlung Garnier treffen und sprechen konnte. Garnier war zugleich Machados Verleger. Dieses nachmittägliche Plauderstündchen in den großen Buchhandlungen, zu dem sich Männer von der Feder zusammenfanden, ist zu einer festen Form des literarischen Lebens in Rio de Janeiro – wie auch in Lissabon – geworden. Aber nicht nur die Jungen kamen vertrauensvoll zu Machado de Assis. Er brachte etwas fertig, was in der Geschichte des Schrifttums einzigartig ist: mit allen brasilianischen Schriftstellern seiner Zeit unterhielt er freundschaftliche Beziehungen. Zu der wachsenden Anerkennung als Dichter traten die wärmeren Empfindungen der Achtung, der Verehrung, der Liebe. Als es dann 1897 endlich so weit war, daß die brasilianische «Academia das Letras» zusammentreten konnte, da stand noch nicht genau fest, wer alles dazu gehören sollte, wohl aber, wer ihr Präsident sein würde. Machado de Assis ist dann bis zu seinem Tode im Jahre 1908 jedesmal wiedergewählt worden. Obwohl er kein großer Redner war – er las bei solchen Anlässen leise und schüchtern sein Manuskript ab –, gab es nur ihn als Repräsentanten des literarischen Lebens. Die Akademiesitzungen leitete er übrigens, wie seine Confratres versichert haben, mit der Liebenswürdigkeit, Ironie und Wendigkeit, die ihn auch im persönlichen Gespräch auszeichneten. Nur bei einem Thema gelang es ihm nicht, eine harmonische Atmosphäre für die Diskussionen zu schaffen. Aber das Problem der Orthographie ist bis heute ein Sorgenkind der brasilianischen Akademie und ein Streitobjekt der Akademiker geblieben.

Das poetische Glaubensbekenntnis des reifen und alten Machado ist das gleiche, das schon der junge Kritiker verkündet hatte. Man spürt in den Wendungen von der Reinheit und Heiligkeit der Kunst, von ihrem Vermögen, zu erheben und zu trösten, von dem verantwortungsvollen Amt des Dichters die Ehrlichkeit eines fast religiösen Glaubens – die Fragen der Dichtkunst waren ihm «alle Mühen der Welt wert».

Akademiepräsident wie junger Kritiker stimmten weiterhin darin überein, daß der Dichter die Meister beobachten und studieren müsse und daß sein Schaffen ein Arbeiten sei. «Der beste Lehrer ist das Studium, und die beste Disziplin ist die Arbeit», schreibt er einem jungen Dichter in das Vorwort und schließt: «Studium, Arbeit und Talent sind die dreifache Waffe, mit der man den Triumph erringt.» Die Meister – hier nähern wir uns wohl dem Kern von Machados Anschauungen und vielleicht sogar Antrieben, deren Tiefe und Kraft ihm selber nicht voll bewußt wurden. Er glaubte an die Meister, das heißt an die Unsterblichkeit von Dichtern, die das Ewig-Eine der Kunst offenbart hatten. Seine Zurückhaltung bei allen Gruppenbildungen und Streitigkeiten entsprang nicht nur seinem in der Versöhnlichkeit so starken Temperament und auch nicht der vielleicht noch größeren Skepsis, sondern entstammte dem Glauben an die Einheit und Zeitlosigkeit aller wahren Dichtung, denengegenüber zeitliche Strömungen und Parteiungen nur an der Oberfläche spielten. An einem jungen Lyriker hatte Machado eine Neigung verspürt, der Tradition abzuschwören und dafür in einem noch völlig unbestimmten Sinn «modern» zu dichten. «Bleiben Sie nur bei Begabung, ehrlichem Wollen und Disziplin», schrieb er ihm ins Vorwort, «die Bewegung kommt dann schon von ganz allein!» Und kurz darauf: «Daß die natürliche Entwicklung der Dinge ihr Äußeres, ihre Erscheinungsform verändert, wird keiner je abstreiten; aber es gibt etwas, das durch die Jahrhunderte hindurch Homer und Lord Byron verbindet, etwas Unwandelbares, Universales und Allgemeines, das zu allen Menschen und Völkern spricht.» So hat Machado de Assis in seiner ruhigen und beharrlichen Art die Gefahren gebannt, die für die junge brasilianische Literatur in den so heftigen Strömungen des Regionalismus und der Tendenzkunst lagen, und hat mit Erfolg versucht, den Lärm der Gruppen und Cliquen zu beschwichtigen, um jene Stimme der Dichtkunst hörbar werden zu lassen.

Aber zu solchem Gelingen trugen die bewußten Bemühungen des Kritikers und Organisators weniger bei als das Schaffen des Dichters, der schnelle und weite Anerkennung fand. Machado nahm sie so gelassen und ironisch hin, wie er alle Ehrungen hinnahm, die ihm in seinem Leben angetragen wurden. Es war selbst mit der Präsidentschaft der Akademie nicht anders. Der Briefwechsel darf da nicht täuschen, in dem mit rührender und ermüdender Sorgfalt rechtzeitige und erwünschte Neuwahlen für einen freigewordenen Sitz vorbereitet werden oder die entsprechenden Begrüßungsansprachen oder die Danksagungen und so fort. So ernst es Machado mit der Führung des Amtes genommen hat, menschlich bewahrte er sich die Distanz der Ironie. Es gibt eine Erzählung von ihm, *Die Akademien von Siam* betitelt. In ihr wird unter anderm erzählt, wie der Fürst mit Erstaunen vernimmt, daß die dreizehn Mitglieder seiner siegreichen und weltberühmten Akademie ihren abwesenden Präsidenten als einen ausgemachten Dummkopf – mit gutem Herzen zwar – bezeichnen; der Präsident seinerseits kann nicht verheimlichen, daß seine Mitakademiker ausgesprochene Kamele sind – von vorzüglichem Charakter übrigens – und jeder einzelne nennt alle dreizehn anderen Hornochsen – von unantastbarer Moral, gewiß –; und das Erstaunen des Fürsten steigert sich zur Ratlosigkeit, als er sie am nächsten Morgen zufällig beisammen trifft und sie in brüderlicher Eintracht ihren Gesang absingen: «Heil uns! die wir der Reis der Wissenschaft sind und die Leuchte der Welt!» Einen solchen Erzähler konnte die Würde eines Akademiepräsidenten nicht verwirren. Nur einmal, wenige Jahre vor seinem Tode, wurde Machado von einer Ehrung in der Tiefe getroffen. Ihm wurde da in einer Akademiesitzung ein Zweig von der Tasso-Eiche überreicht, die einer aus dem Kreise der Akademiker in Sankt Onofrio hatte brechen lassen. Tasso war in dem Kloster gestorben, als er nach Rom gekommen war, um endlich zum Dichter gekrönt zu werden. Machado ließ sich gleich mit dem Zweig malen, und in den letzten Briefen spielt er eine größere Rolle als aller sonstige Hausrat: er galt ihm als Gruß eines der Großen und als Bestätigung dafür, daß seine Bemühungen Sinn und einigen Erfolg gehabt hatten.

Schon damals stand fest, daß von seinem dichterischen Werk weder die Lyrik noch die Theaterstücke Bestand haben würden. Machados Bedeutung ruht einzig auf seinem epischen Werk, auf den Romanen und Erzählungen. Die großen Romane nach dem *Bras Cubas* (1882) sind: *Quincas Borba* (1891), *Esau und Jakob* (1904), *Dom Casmurro* (1906), *Das Erinnerungsbuch des Rats Ayres*

(1908). Die wichtigsten Sammlungen von Erzählungen nach den frühen *Erzählungen aus Rio* (1870) und den *Mitternachtsgeschichten* (1873) sind überschrieben *Geschichten ohne Datum* (1884) und *Verschiedene Geschichten* (1895).

In diesem epischen Werk nun lag, allen vernehmbar, das Universale und Allgemeine, von dem Machado gesprochen hatte. Seine Romane und Erzählungen bewiesen, daß man nicht zu Indianern und nicht in entfernte Gegenden und entlegene Zeiten zu gehen brauchte, um dichterischen Stoff zu finden. Sie zeigten zugleich, wessen die portugiesische Sprache in der Hand eines Meisters fähig war.

Das sprachliche Problem war tatsächlich dringend. Wenn die Regionalisten so viel Dialekt verwendet hatten, so wollten sie damit nicht nur Lokalfarbe geben. Es trieb sie stärker noch der Wunsch, aus dem Bannkreis einer rhetorischen Prosa herauszukommen. Noch in diesem Jahrhundert wiederholte sich der gleiche Vorgang in Portugal, als einer der namhaftesten Schriftsteller, Aquilino Ribeiro, in temperamentvolle Klagen ausbrach, daß die literarische Prosa durch jahrhundertelange Kanzelberedsamkeit und Erbauungsschriftstellerei verdorben sei. Auch er ließ nun den Dialekt einströmen und gleichfalls in so reichem Maße, daß sich ein flockiger Niederschlag am Grund seiner Bücher festgesetzt hat. Machado hat demgegenüber auf Neuerungen und Extravaganzen in Formbestand, Wortschatz und Satzfügung verzichtet. Und trotzdem schreibt er in einer so unrhetorischen, dabei aber so klaren, geschliffenen, wendigen Sprache, daß man versteht, wenn nicht wenige seiner Landsleute in ihm den größten Stilisten der portugiesischen Sprache sehen. Mit Sicherheit erreicht er jede gewollte Wirkung; und dabei ist, wie man schon am Bras *Cubas* sieht, die Tonskala erstaunlich weit: sein Erzählen gleitet vom Bericht in die Reflexion, vom Pathos in die Rührung, von der schärfsten gedanklichen Zuspitzung in eine verhaltene Ergriffenheit und wieder in die ironische Anspielung. Wir müssen als Leser dauernd auf dem Sprunge stehen, denn dieser Erzähler ändert fortwährend die Richtung oder gibt, wie es scheint, den sich überstürzenden Einfällen nach, oder ein Wort, ein Bild, ein Vergleich, die ganz harmlos eingeflossen waren, drängen sich plötzlich vor, werden selbständig und ziehen den Erzähler in ihrer Richtung davon.

So meisterhaft Machado diese Art des Erzählens durchzuführen weiß, es fehlte nicht an Anregungen dazu. Er selber hat gleich im Anfang des Buches den Großen genannt, der ihm zu der scheinbaren Zügellosigkeit Mut gemacht hat: Laurence Sterne. Er wirkte auch noch auf die Technik, auf die kurzen (oder gar weißgelassenen) Kapitel, die Zwiesprache mit dem Leser (vorzugsweise über Fragen der Erzähltechnik), das Spielen mit der Zeit, die Illusionsbrüche, und nicht zuletzt auf die Subjektivität des Erzählens.

Deutlich genug strebt Machado dabei wie schon im Stofflichen nach etwas festerem Zusammenhalt; der Vergleich mit Sterne endet hier. Fast alle Romane Machados nämlich reihen Bilder aus dem Leben einer Figur aneinander, und dann doch in zeitlicher Folge. Aber noch mehr: das Leben der Hauptfigur wird von ihr selber erzählt, Machado wählt immer wieder die Memoirenform. Nicht durch den Sinngehalt oder die Eigenart des gelebten Lebens wird die Hauptperson für uns zur deutlichen Gestalt, sondern durch die Art ihres Erzählens und Meinens. Auch dieser Fiktion gewinnt Machado besondere Reize ab, indem er mit den Perspektiven spielt: bald empfinden wir mit dem gerade Erlebenden, bald distanzieren wir uns mit dem reflektierenden Erzähler, und nicht selten blinzelt uns durch dessen Meinungen hindurch auf einer dritten Ebene der Autor an. In einer Zeit, da Flaubert in fast grausamer Teilnahmslosigkeit erzählt, da Spielhagen vom Erzähler völlige Unsichtbarkeit verlangt, da der naturalistische Roman in Frankreich und Deutschland nach größter Objektivität strebt, entscheidet sich Machado de Assis für die größte Subjektivität und gibt seinen Romanen von daher Form und Gehalt. Die Behauptung scheint nicht zu gewagt, daß seine Größe als Romanschriftsteller wesentlich von dieser Entscheidung abhängt, zu der ihn der gute Geist Sternes ermuntert hat.

Wenn es sich im *Bras Cubas* und anderen Romanen um Rückblicke des Erzählers auf das eigene Leben handelt, so darf man dabei nicht an den deutschen Entwicklungsroman noch den französischen «roman personnel» denken, weder an den *Grünen Hein-*

rich noch an *Adolphe*. Das Leben der einen Hauptfigur ist eine ständig ihre Richtung ändernde, oft genug in sich selber unterbrochene Linie, mit der sich zahllose andere kreuzen. Nicht das ganze Geflecht interessiert den Autor (wir wären in dem Fall beim Zeit- oder Gesellschaftsroman), sondern ihn reizen die Schnittpunkte, die Situationen, Begegnungen und Begebnisse.

Der Schauplatz nun, auf dem sich alles abspielt, ist die Stadt. Sie ist die Atmosphäre aller Romane und Erzählungen, so wie sie für Machado selber die Atmosphäre war, in der sein Leben verlief. Mit ihm trat der erste und bis heute größte Städter in die brasilianische Literatur, der Vertreter der vollendeten Urbanität. Machado hat seine Vaterstadt Rio kaum je verlassen. Mit Alencar war er einer der ersten Schriftsteller Brasiliens, die nicht auf einer Europareise den Abschluß für ihre bisherigen Studien und den Anschluß für die weitere Bildung gesucht haben. Seine Lebensweise war in kaum steigerungsfähigem Maße städtisch: der regelmäßige tägliche Dienst, der ihn mit Vorgesetzten und Untergeordneten zusammenbrachte, das Plauderstündchen am Nachmittag, der tägliche Gang über die Rua do Ouvidor, die Hauptstraße Rios, die Zusammenkünfte in kleinem, geschlossenem Kreis, sei es in dem intellektuellen der Akademiker, sei es in jenem anderen der Feinschmecker, in dem jeder der Reihe nach das nächste Essen zusammenstellen mußte, abends dann die Geselligkeit im eigenen Hause oder als beliebter Gast, und dazwischen noch das ganz private Leben (das Virgilia-Motiv kehrt auffällig oft im Werk wieder) – all das ist die Atmosphäre nun auch der Romane. Wie die Natur dem Dichter nichts bedeutete, so fehlt sie in seinem Werk. Es fehlen das Land, das Dorf, die Kleinstadt, die Provinz, es fehlt weiterhin die Geschichte. Unter seinen Städtern begegnen wir nur selten einem Kleinbürger oder Angehörigen der untersten Schichten – und doch ist hier ein Mißverständnis abzuwehren. Auch die Angehörigen der «Gesellschaft», die also den Hauptbestandteil der vorkommenden Personen bilden, sind nicht unter dem sozialen Aspekt erfaßt. Es kommt Machado nicht auf das Gesellschaftsleben und nicht auf Sittenschilderung und nicht auf Rio de Janeiro an. Er führt uns in die Stadt und die höheren Gesellschaftskreise, einmal weil er sie besser kennt, und dann weil die

Menschen da interessanter, komplizierter und in einem gewissen Sinn auch menschlicher sind. Denn der Mensch ist für Machado das gesellige Wesen. Nur im Zusammenleben mit seinen vielfältigen Anforderungen, seinen Zufällen und Überraschungen entfaltet der Mensch seine Fähigkeiten, nur da zeigt sich auch, wie bestimmbar er ist, wie ihn die anderen Menschen, die jeweiligen Lagen, die ihn umgebenden Dinge beeinflussen. Die Dinge nicht zuletzt. Machado hat im Anfang des *Bras Cubas* neben Sterne gleich den Namen Xavier de Maistres gestellt, den Verfasser des *Voyage autour de ma Chambre*. Und von ihm selber stammt das Bonmot: «Zwei Männer auf einem Kanapee können von dem Geschick eines Reiches sprechen, zwei Frauen vielleicht von der Schönheit eines Kleides; aber nur durch die Verkehrung der Naturgesetze werden ein Mann und eine Frau darauf von etwas anderem sprechen als sich selber.»

Dieses Spiel der gegenseitigen Beeinflussungen, die sich verschlingenden Motivketten, die Mehrdeutigkeit von Gesten und Worten und Taten, die tausenderlei Masken, die sich die menschlichen egoistischen Triebe aufsetzen, all das reizt diesen genauen Beobachter und erscheint ihm als das wahre Leben. Es ist begreiflich, daß die Romane eines solchen Autors locker gefügt sind, daß sie nicht von der Spannung an einem durchlaufenden Geschehen beherrscht werden und daß sie keine grellen Ereignisse brauchen. Der *Bras Cubas* ist in dieser Hinsicht noch der bunteste Roman, später beschränkt sich Machado fast ganz auf alltägliche Vorkommnisse.

Bei den Erzählungen ist es etwas anders. Die frühen Mitternachtsgeschichten etwa sind recht bewegt, wenn man auch nicht an die Nachtgeschichten eines E. T. A. Hoffmann denken darf. (Auch motivisch nicht: alles Abergläubische gehört in der urbanen Welt Machados doch nur den Frauen zu.) Aber an zum Teil recht grellem Geschehen fehlt es nun auch in den späteren Sammlungen keineswegs; Machado weiß die Formen genau zu sondern. Im übrigen gibt es mancherlei Beziehungen: oft erscheint eine Romansituation vorher oder nachher als eigene Geschichte, und wiederum rufen manche Erzählungen, die etwa ein ganzes Leben skizzieren, zum Vergleich mit den Romanen.

Machado wählt als Erzähler der Romane nur männliche Gestalten, aber in dem bunten Zug von Figuren, die durch jeden
Roman gleiten, spielen die Frauen eine fast wichtigere Rolle. Man
hat es mit Machados Herkunft aus der Romantik begründen wollen und ihn Paladin der Frauen genannt, weil er so oft und bereit-
willig der Weiblichkeit huldigte. Aber es handelt sich dabei wohl
eher um eine weitere Äußerung seiner Urbanität. Denn es ist
nicht so, wie es sich wohl für einen Paladin gehörte, daß sich der
Scharfblick für die menschlichen Schwächen trübe; fast im Gegenteil: man bekommt den Eindruck, als wirke bei Machados so offen-
barer Neigung zu der reifen, erblühten Frau die Freude an ihrer
Meisterschaft im Gebrauch der weiblichen Waffen mit, und die
Treue ist bestimmt nicht das allgemeine Kennzeichen seiner Ehe-
frauen. Man wird gern zugeben, daß bei all dem eine zarte Ritterlichkeit des Sprechens waltet; sie gehört indessen zu einer Erzählweise, die immer etwas Vornehmes und Zurückhaltendes hat.

Machado hat die Kunst des Andeutens bis ins äußerste entwickelt, und vom Leser wird nicht wenig verlangt. Denn Bras
Cubas bricht nicht selten seine anekdotischen Erlebnisse mit einer
Bemerkung ab, die verrät, daß er selber den Gehalt gar nicht
recht erfaßt hat: die Überlegenheit über den Erzähler ist eines der
feinsten Mittel der Komik (die Art, wie Machado gerade in dem
vorliegenden Roman die Kapitelschlüsse gestaltet, ist unübertreff-
lich). Es gibt im *Bras Cubas* verschiedenartige Komik. Neben den
überraschenden Verknüpfungen, die der Erzähler über weiteste
Räume und Zeiten schafft, neben dieser Flächen- oder, wenn man
so will, Oberflächenkomik gibt es eine Bewegung nach der Tiefe
zu: die Anekdoten tendieren zu den «Geheimnissen des menschlichen Herzens». Es ist komisch, wenn der Erzähler, der einen
vor längerer Zeit verfaßten Zettel der Geliebten für eben geschrieben gehalten hat, in Erstaunen darüber gerät, was für verschiedene
Empfindungen der gleiche Zettel bei demselben Menschen aus-
lösen kann; es ist komisch, wenn einer, der ein Goldstück abgegeben hat, als ehrlicher Finder berühmt wird, während er doch zu
Hause schon eine andere, wirklich große Summe hat, zu deren
Abgabe er sich nicht entschließen kann; es ist um so komischer,
wenn der Betreffende kein Schuft ist, sondern über den verdien-

ten und doch so falschen Ruhm ärgerlich wird. Oder wenn edle Aufwallungen in Sekundenschnelle zerrinnen und aus Goldstükken, die als Belohnung gegeben werden sollten, Silbermünzen werden – die Bras Cubas wenige Augenblicke später als Verschwendung empfindet! All das ist komisch, aber zugleich auch desillusionierend, wenn man es als Herzensbekundungen nimmt.

Bras Cubas nimmt es so und leidet immer mehr unter der Desillusionierung. Das Buch klingt in einem hypochondrischen Pessimismus aus und in das bittere Wort vom menschlichen Elend. Machado de Assis selber hat das in dem Vorwort zur dritten Auflage unterstrichen: «Es gibt in der Seele des Buches, so heiter es sich gibt, ein bitteres, trübes Gefühl, wodurch es sich von allen Vorgängern (gemeint sind hier Sterne, Garrett und De Maistre) unterscheidet.»

Aber wir haben uns in dem Roman zu oft von Bras Cubas distanziert, haben zu oft durch ihn hindurchgeschaut, haben zu oft über ihn gelächelt, wo er bekümmert war, als daß wir seinen letzten Satz nun als Quintessenz des Buches hinzunehmen geneigt wären. Wir verstehen den Pessimismus als zu seiner Natur und Perspektive gehörig und lassen ihn da vollauf gelten. Doch wir wehren uns, wenn der Verfasser selbst uns diese Ebene als die letzte des ganzen Romans hinstellt. Tatsächlich ist der merkwürdige Fall eingetreten, daß Machados de Assis nicht nur in anderen Büchern aus dem gleichen hypochondrischen Pessimismus heraus hat erzählen lassen (der Spitzname Dom Casmurro ließe sich etwa wiedergeben mit «der vornehme Hypochonder»), sondern ihn als seine Weltanschauung hat ausgeben wollen. Es ist ein interessanter Beleg dafür, wie selbst ein Dichter seine beim Schreiben angenommene Haltung mit seiner «Weltanschauung» verwechselt – ein Irrtum, dem sonst gewöhnlich erst die Biographen und Interpreten zu verfallen pflegen.

Es soll gar nicht bezweifelt werden, daß Machados de Assis als Mensch voll lächelnder Skepsis war und auf die Frage nach dem Sinn des Lebens wohl ungefähr mit den Worten geantwortet hätte, die Fontane dem alten Briest so gerne in den Mund legt. Man mag eine solche resignierte Haltung Pessimismus nennen, darf ihn aber nicht mit dem des Bras Cubas verwechseln und nicht für eine feste Weltanschauung, für ein geschlossenes System halten. Es gibt mancherlei Inkonsequenzen und Stellen, an denen die Sinnlosigkeit verfliegt (grünt nicht ein bestimmter Zweig, der aus Italien gekommen ist, heimlich fort? und gibt es nicht die Schönheit in der Kunst? und hat man nicht von der einen, ewigen Dichtkunst gesprochen?). Die ironische Resignation des Menchen Machado de Assis gehört zu dem Fin du siècle, an dem er lebte, und gehörte zu seiner – Urbanität.

Nehmen wir Machados Wort von dem «bitteren, trüben Gefühl» aus jenem Vorwort nicht zu schwer, nehmen wir es als mehrdeutig, als eine ein klein wenig ernsthafte Spielerei mit der Haltung seines Erzählers, und lassen wir uns dadurch nicht die Freude an dessen Memoiren vergällen, dem amüsantesten Roman, den Machado de Assis geschrieben hat.

Die portugiesische Literatur der Gegenwart

Voraussetzungen

Man hört von portugiesischen Schriftstellern, Kritikern und Verlegern immer wieder Klagen über ein unbefriedigendes Verhältnis zwischen Leserschaft und Buch. Die Klagen beziehen sich gerade auf die «schöne» Literatur. Dabei läßt sich nicht einmal sagen, daß sie selber, wie es sonst wohl geschieht, von anderem Schrifttum zurückgedrängt wird. Den Besucher der Städte überraschen vielmehr die vielen großen Buchhandlungen, die gerade in den Hauptstraßen dicht beieinander liegen. In ihren Auslagen herrscht das «schöne» Schrifttum durchaus vor. Es fehlt auch nicht an dem äußeren Getriebe eines literarischen Lebens; in den großen Zeitungen finden sich Buchbesprechungen und wöchentliche literarische Beilagen, in den meist freilich nur kurzlebigen literarischen Zeitschriften werden Programme verkündet und kleine Streitigkeiten ausgetragen, zahlreiche literarische Preise verheißen schnelle Berühmtheit und Aufnahme in eine der Schriftstellergruppen, die sich zu später Nachmittagsstunde in den Buchläden zu versammeln pflegen. Auf der anderen Seite gibt es eine aufnahmefreudige Leserschaft, mag sie auch relativ kleiner sein als in anderen Ländern. Nur daß beide, die Erzeuger wie die Verbraucher, nicht recht zueinanderkommen. Denn man liest vorwiegend ausländische Werke. In den Beständen der Buchhandlungen nimmt das einheimische Schrifttum nur einen beschränkten Raum ein, und unter den Neuerscheinungen wächst die Zahl der Übersetzungen ständig, sie beträgt in den letzten Jahren etwa 40 vom Hundert.

Der Gegensatz zwischen einem betont portugiesischen Schrifttum, dem die Gegner Enge und Kleinheit nachsagen, und einem sich bewußt am Ausland orientierenden, dem die Vorwürfe der Sensationslust und sklavischer Nachahmung gemacht werden, durchzieht seit Jahrzehnten das portugiesische Schrifttum. Er geht letztlich auf den berühmten Kampf der «Schule von Coimbra» im Jahre 1865 gegen die sogenannte Romantik zurück. Die von Garrett (1799–1854) und Herculano (1810–1887) geführte

«Romantik» hatte für Portugal den großen Prozeß der Verbürger-
lichung der Dichtung bedeutet, den Deutschland, Frankreich und
England ein Jahrhundert zuvor erlebt hatten. Wenn Camilo
Castelo Branco (1825–1890), gleichfalls einer der Alten, erklärte,
daß er die von der neuen Generation gerühmten Geister, wie He-
gel, Schopenhauer, Feuerbach, E. v. Hartmann und Comte,
Taine, Mill und so weiter nicht kenne und auch nicht wisse, worauf der literarische Anschluß an sie eigentlich herauswolle, so
drückte er damit die Einstellung der weiten Leserkreise aus, die
von der portugiesischen Romantik für die Literatur erobert waren.
Sie sind ihr bis heute treu geblieben, und Camilo selber, der portugiesische Gerstäcker, ist noch heute der gelesenste Romanschriftsteller seines Landes. Die Schule von Coimbra bekämpfte in der
älteren Generation eine in Stoffen und Stil lebensferne Kunst; sie
tat es im Namen einer Auffassung, die die Dichtung mit den ak-
tuellen Fragen des Denkens und Lebens zu erfüllen suchte. Es ist
das große Glück dieser Generation gewesen – und darin liegt der
entscheidende Unterschied zu der Bewegung des Jungen Deutschland, mit der sie der Funktion nach zu vergleichen ist – daß sie in
ihren Reihen nicht nur starke Talente, sondern große Künstler
besaß. Die beiden bedeutendsten sind im deutschen Sprachgebiet
bekannt geworden: von Antero de Quental, dem philosophischen
Lyriker (1842–1891), wurden die meisten Sonette und Canzonen
schon zu Lebzeiten von W. Storck übersetzt. Eça de Queiroz
hingegen (1845–1900) ist mit Werken übertragen worden, die
keinen rechten Eindruck von seiner Bedeutung übermitteln: er
gilt in seiner Heimat als der größte Romanschriftsteller der portugiesischen Literatur überhaupt. Ihm ist es in seiner ironischen Skepsis gelungen, den portugiesischen Zeit- und Gesellschaftsroman
zu schaffen, und er tat es in einem neuen, funkelnden, aber zugleich kühlen, Abstand wahrenden Stil. Das merkliche Franzö-
sisieren in der Sprache hat bisher verdeckt, wieviel Eça dabei dem
englischen Gesellschaftsroman verdankte, zumal er selbst durch
seine betonte Abneigung gegenüber England und seine Vorliebe
für Frankreich die Kritiker auf falsche Fährte wies.

Die Versdichtung wurde in den neunziger Jahren von der
Welle des Symbolismus erfaßt. Die Rolle, die im deutschen Schrift-

tum Stefan George, im spanischen Ruben Darío spielten, fiel in Portugal Eugénio de Castro (1869–1944) zu. Die Vorrede zu seiner ersten Gedichtsammlung, *Oaristos* (1890), stellte das Programm der neuen Bewegung dar, die als sofortiges Ergebnis eine merkliche Auflockerung des Verses brachte. Eugénio de Castro selber freilich entwickelte sich bald zum Parnassien; das Schweifende, Gleitende, Musikalische wich dem Bildhaften, Plastischen. Es leuchtet, flimmert, duftet in seinen Versen, die aber von allem geistigen Gehalt unbelastet bleiben. Die Neigung zur Gegenständlichkeit führte den Dichter auch wohl zu Goethe, von dessen Lyrik er seinen Landsleuten einiges in den *Poesias de Goethe* (1909) vermittelte: es ist das freilich eine Auswahl, in der ein deutscher Leser, was er von Goethe kennt, nicht findet, und was er findet, nicht kennt. Dennoch trennt ihn von Goethe neben dem Fehlen des geistigen Gehaltes die Eigenart der Gegenstandswelt. Fanden sich in den ersten Bänden als Nachwirkungen Baudelaires noch Gedichte auf Lungenheilstätten und ähnliches, so wird die Schönheit immer stärker nun auch zum Auswahlprinzip im Gegenständlichen und führt den Dichter in die Antike und den Orient. Seine *Salome* (1896, ebenso wie *Constança* ins Deutsche übersetzt) ist dafür ebenso kennzeichnend wie für den krankhaften, oft morbiden Zug, der in seinem Kult des Schönen liegt. Damit ordnet sich aber auch diese neue exklusive Lyrik der Fin-de Siècle-Stimmung ein, die um die Jahrhundertwende so breit über der portugiesischen Dichtung lagerte und deren Vertreter den Titel *Vencidos da Vida* (vom Leben besiegt) als Ehrennamen führten.

Revolutionen

In diese literarische Untergangs- und Todesstimmung fielen nun Schüsse, die geschichtlichen Tod und Untergang schufen. Im Jahre 1908 wurden der König und der Kronprinz ermordet, 1910 wurde die Republik ausgerufen. Nach einem Jahrhundert politischer Wirren und sich steigernder Parteikämpfe im Innern, völliger Ohnmacht nach außen und zunehmenden wirtschaftlichen Verfalls (mehrfach mußte der Staatsbankerott erklärt werden) schien nun die Möglichkeit zu neuer Grundlegung und neuem

Aufbau gekommen. Die Frage, wie sich die Erschütterungen in der Literatur auswirkten, bleibt nicht ohne Antwort. Noch im Dezember 1910 erschien eine neue Zeitschrift, die als Mittelpunkt einer neuen Bewegung gemeint war. Die Zeitschrift hieß *Aguia* (Adler), der geistige Leiter Teixeira de Pascoais (geb. 1878) und das Programm, das er in der Zeitschrift und in Büchern entwickelte, «Saudosismo» (vergleiche zum Beispiel *A arte de ser português*, 1915). Es ging der Bewegung um eine Erkenntnis des eigenen Wesens. Teixeira selber deutete es als Verbindung von heidnisch und christlich, arisch und semitisch, Sensualismus und Spiritualismus. In visionären Dichtungen, wie *Maranus*, *Regresso ao Paraíso*, sprach er seine Gedanken in gebundener Form aus.

Die Bewegung als solche zerfiel ziemlich rasch, ihre Wirkung aber war nicht gering: auf den verschiedensten Gebieten haben ihre Anhänger Wege zu neuen Zielen gewiesen. Afonso Lopes Viera (1878 bis 1946) verkündete die Größe der vorklassischen Dichtung (*Amadis*, 1922, *A Diana de Montemór*, 1924, die *Campanha Vicentina*, 1914); António Sérgio (geb. 1883), der langjährige Leiter der Zeitschrift *Seara Nova*, wurde zum führenden Essayisten (fünf Bände *Ensaios*, 1920 bis 1936), Jaime Cortesão belebte das Interesse an der Volkskunde. Sie schrieben auch fast alle Gedichte. Aber darin konnten sie sich nicht mit Mário Beirão (geb. 1892) und Afonso Duarte (geb. 1886) messen. Diese beiden Lyriker haben sich später weit über ihre Anfänge und nach entgegengesetzten Seiten entwickelt: ist Beirão der erdenschwere Lyriker seiner Heimat, des Alentejo, geworden (*Novas Estrelas*, 1940), so entzückt an Duarte die Weite und Wendigkeit eines schwerelosen Fluges, und seine späte Sammlung *Ossados* (1947) ist das Eigenste und Bedeutsamste, was seit Jahrzehnten an portugiesischer Versdichtung erschienen ist. Im großen Publikum ist António Corrêa de Oliveira bekannter geworden (geb. 1879). Er hatte sich schon vor der Berührung mit dem «Saudosismo» einen Namen gemacht: erst als Dichter volkstümlicher Lyrik, dann als Schöpfer kosmischer Rhapsodien. Mit etwas zu lauter Stimme sang er nun die großen Zyklen *A minha Terra* (1915–1917) und *Na Hora Incerta ou Nossa Pátria* (Zu ungewisser Stunde oder Unser Vaterland, 1920 ff.). Oliveira ist fortan dieser Richtung treu geblieben, und der Band *Hora Incerta – Pátria Certa* (1949) bedeutet einen krönenden Abschluß solchen Schaffens.

Teixeira de Pascoais wurde als Lenker bald abgelöst von António Sardinha (1888–1925): mit seinem «Lusitanismus» beziehungsweise «Integralismus» schuf er die ideologischen Grundlagen des Neuen Staates, den Salazar dann errichtete (die Hauptwerke von Sardinha: *Ao Princípio era o Verbo*, 1924; *A Aliança peninsular*, 1924; *Na Feira dos Mitos*, 1926).

Die Bewegung um den *Aguia* war letztlich konservativ. Die Revolution auf literarischem Gebiet brach erst 1915 aus. Damals erschien eine neue Zeitschrift: *Orpheu*. Sie hat es zwar nur auf zwei Hefte gebracht, aber die erstrebte sensationelle Wirkung gehabt. Sie verkündete den Bruch mit aller Tradition in Gehalt, Form und Sprache und hißte eine neue Fahne: den Futurismus. Die Bildwiedergaben, besonders von dem Maler Santa Rita, machten das noch sinnfälliger. Damit ist schon gesagt, daß es sich im Gegensatz zu den früher skizzierten Bewegungen um eine eindeutig international eingestellte Richtung handelte. Ihre zum großen Teil im Ausland lebenden Vertreter suchten als erste die jüngste europäische Mode des Futurismus zu importieren. Es handelte sich um Schriftsteller, die aus keiner Tradition, sondern nur aus dem «Ich» heraus lebten und erlebten, ja, die selbst dieses «Ich» verloren hatten oder leugneten. Das «Oder» trennt die beiden Hauptgestalten: Mário de Sá Carneiro (1884–1916) und Fernando Pessoa (1888–1935).

Mário de Sá Carneiro hat einmal seine futuristischen Verse als nicht ernst gemeint bezeichnet. Es waren tatsächlich Arabesken. Denn Sá Carneiro gehörte nicht zum Futurismus, sondern zu jenem müden, dekadenten, überreizten Ästhetizismus, dessen hohe Zeit in den anderen Literaturen Europas eigentlich schon vorüber war. Sá Carneiro kann sich als Künstler in die Nähe der Großen des europäischen Symbolismus stellen; seine Wirkung in Portugal ist auch dadurch lebendig geblieben, daß manche seiner Gedichte erst postum erschienen oder gesammelt wurden (*Dispersão*, 1914, 1940; *Indícios de Oiro*, 1937). Hinter der Lyrik treten seine sonstigen Arbeiten wie Novellen und Dramen entschieden zurück.

Der andere Herausgeber des «Orpheu» und sein eigentlicher geistiger Leiter, Fernando Pessoa, war ein Meister in allen Ton- und Gangarten, dem formstrenge Sonette ebenso gelangen wie große Hymnen *(Ode marítima)*, und der mit seiner *Mensagem* (Botschaft, 1934) die Sehnsucht des Saudosismo in Verse brachte.

Die Erzählkunst

Von der Revolution der *Orpheu*-Schriftsteller ist die Erzählkunst kaum ergriffen worden. Hier lagen die Dinge grundsätzlich anders. Denn wenn es in der Lyrik eine große und starke Tradition gab, von der sich Neuerer bedrückt fühlen konnten, so fehlte es in dem erzählenden Schrifttum an eigener Bündigkeit. Selbst Eça blieb ein Einzelfall. Carlos Malheiro Dias, der zu seiner Nachfolge berufen schien, war von der Literatur abgeschwenkt. Eine ähnliche Entwicklng nahm Antero de Figueiredo (geb. 1866), der nach seinen pathetischen Anfängen – die Brieferzählung *Doida de Amor* (Die Liebestolle, 1910) enthält die worttrunkensten Liebesbriefe der portugiesischen Literatur – sich erst historischen Stoffen *(D. Pedro e D. Inez,* 1919; *D. Sebastião,* 1923) und dann dem religiösen Schrifttum zuwandte *(Fátima,* 1936; *Amor supremo,* 1940).

Die portugiesische Kritik kokettiert etwas mit der angeborenen Unfähigkeit zum Roman. Aber dem steht nicht nur gegenüber, daß möglicherweise der erste Verfasser des *Amadis* und bestimmt Montemajor, der Verfasser der *Diana*, portugiesischen Ursprungs waren. Dem stehen aus dem 19. Jahrhundert außer Eça noch Camilo und Júlio Dinis gegenüber und endlich zwei Schriftsteller der Gegenwart. Der eine ist Aquilino Ribeiro (geb. 1885).

Seine großen Romane vom Bauerntum *(A via sinuosa,* 1919; *Terras do Demo,* 1919; *Andam faunos pelo bosque,* 1925; *Estrada de Santiago,* eine Sammlung von Erzählungen, 1922) sind nicht mit dem Blick des Städters noch im Hinblick auf ihn geschrieben. Sie sind frei von aller Sentimentalität. Diese Welt ist für sich da in all ihrer Verworrenheit und Heiterkeit, ihrem äußeren Christentum und inneren Heidentum, ihrem Schrei und ihrem Jubel und ihrer Dämonie. Das Dämonische ist in der Gestaltung Aqui-

linos der geheime Mittelpunkt, in dem alle die vielsträhnigen
Fäden zusammenlaufen. Aber was den Büchern ihre eigentlichste
Bedeutung und Beweiskraft für das Problem des portugiesischen
Romans gibt, ist die Tatsache, daß hier einer erzählen, unbändig
erzählen kann, aus Freude an dem bunten Geschehen, das er von
seinem festen Standpunkt aus vorüberziehen sieht. Es ist kein Zufall, daß bei Aquilino eine Grundform des europäischen Romans
wieder auftaucht: der pikarische Roman. Die Abenteuer des von
Vitalität strotzenden, bauernschlauen und doch so einfältigen
Maultiertreibers, von ihm selber erzählt (*O Malhadinhas* in der
Estrada de Santiago) gehören zu dem Besten, was die portugiesische Literatur des 20. Jahrhunderts in der Erzählkunst aufzu-
weisen hat.

Das spätere Werk Aquilino Ribeiros ist in sich vielfältiger. Mit
Maria Benigna (1933), *Mónica* (1939) und anderen wandte er
sich nun doch auch «städtischen» Stoffen zu, mit *A Aventura de
D. Sebastião* (1936), *Os Avós dos nossos Avós* (1942) und anderen
dem historischen Schrifttum, mit einer Arbeit über Camilo und
andere Dichter der literarischen Monographie; den Höhepunkt
dieses späteren Schaffens aber bildet *Volfrâmio* (1944), der Roman
des Geldrausches, der während des Krieges über eine weite portugiesische Landschaft kam. Der Überblick über sein Schaffen wäre
schließlich unvollständig ohne die Nennung der reizenden Kinder-
geschichte *Romance da Raposa* und der Übersetzung von Xeno-
phons Anabasis.

Der Erfolg im Ausland, den Aquilino noch nicht gefunden hat,
ist dem anderen großen Erzähler beschieden worden: Ferreira de
Castro (geb. 1898). Mit zwölf Jahren wurde er nach Brasilien
verschlagen, wo er als Plantagenarbeiter, Arbeitsloser und Journalist alle Tiefen des Daseins kennenlernte. Auch nach seiner
Rückkehr war er als Journalist tätig und hatte schon viel geschrieben, als dann mit der Veröffentlichung der *Emigrantes* (1928) der
große Erfolg kam, der dann durch *A Selva* (der Urwald; die
deutsche Übersetzung hat den Titel *Die Kautschukzapfer*) noch
überboten wurde. Dieser Roman ist, zum gelegentlichen Erstaunen der heimischen Kritik, ein Welterfolg geworden, weil er,
ebenso wie die *Emigrantes*, dicht beim dokumentarischen Schrift-

tum steht: Berichterstattung über die Lebensformen im Kontinent der Zukunft. Behandelt der frühere Roman das Elend der portugiesischen Auswanderer in Brasilien, so beschreibt der andere das Sklavendasein und die grausamen Lebensbedingungen auf den Gummiplantagen im Amazonasgebiet. Es steckt viel Autobiographisches in den Büchern, aber Ferreira de Castro beschreibt das Selbsterlebte in einer gänzlich unsentimentalen Härte und aus weitem Abstand. Vor allem gelingt es ihm, alles in den Raum einzuordnen, der damit zum eigentlichen Helden der Bücher wird. In den Kampf zwischen Urwald und Menschen, der nicht in den Umschlingungen des Gegners ersticken will, ist ein Hauch epischer Größe gekommen. Der Dichter hat seine Fähigkeit, einen ganzen Raum als Roman darzustellen, später an den Landschaften seiner portugiesischen Heimat bewährt. Der Roman *A lã e a neve* (1947) spielt unter Spinnern und Webern in den Tälern des Estrela-Gebirges. Voran ging mit *Terra Fria* der Roman aus dem Nordosten des Landes, der gebirgigsten, ärmsten, elementarsten Provinz Portugals: künstlerisch wohl die größte Leistung, die Ferreira de Castro bis heute gelungen ist.

Die Modernen

Die überragende Stellung, die Aquilino Ribeiro und Ferreira de Castro heute in der portugiesischen Erzählkunst einnehmen, läßt vergessen, daß sie in ihren Anfängen geradezu als Außenseiter wirkten. Denn damals war eine neue Generation auf den Plan getreten, die sich als die zuständigen Träger des literarischen Lebens, als «die Modernen» und zugleich als Erben der Literatenrevolution von 1915 fühlten. Und jetzt ging es gerade auch um eine neue Erzählkunst. Fast alle jungen Kräfte seit 1930 betätigen sich als Lyriker und Erzähler, die meisten außerdem noch als Kritiker. Die Zeitschrift, um die sie sich zunächst scharten, war die *Presença* (1927–1940), als deren Herausgeber José Régio (geb. 1901), João Gaspar Simões (geb. 1903) und António Madeira (Pseudonym für Branquinho da Fonseca, geb. 1905) auftraten. Zu den älteren Mitarbeitern gehörten unter andern Fernando Pessoa und – postum – Sá Carneiro, der von der *Presença* herausgegeben und bekanntgemacht wurde. Die Jugend war durch eine erstaunliche Fülle von Namen vertreten. Das formulierte Programm der neuen Bewegung hieß einmal: nur Originalität gibt künstlerischen Wert. Das war das Erbe der Männer von 1915, die gegen die Tradition und gegen das Publikum zu Felde gezogen waren. Es hieß weiterhin: völlige Ungebundenheit und Selbstentfaltung der künstlerischen Persönlichkeit. Das war kein gutes Ferment für eine Gruppenbildung. Tatsächlich kam es schnell zu Abspaltungen, Neugründungen, literarischen Fehden untereinander. Es hieß endlich: die Kunst um der Kunst willen. Das war nicht neu und, wie die Praxis zeigte, wohl kaum ernst gemeint. Denn wenn viele dieser Jungen sich – wie die Väter vom *Orpheu* – im Ausland Anregungen holten, so bei einem Schrifttum, das keineswegs mehr jenem Grundsatz huldigte.

Die Nachahmung war am deutlichsten beim Roman. Das neue Zauberwort für die Erzählkunst hieß Introspektion, und die angebeteten Vorbilder waren Proust, James Joyce und der jetzt erst für Portugal entdeckte Dostojewskij. Noch ein vierter Name muß genannt werden. Von jenen lernte man die neuen Wege in unbekannte Tiefen der Psyche und eine neue literarische Technik; die Deutung aber bei der Seelenzergliederung und damit das Ziel für alle Wege gab S. Freud. So schrieb denn J. G. Simões seinen Roman *Elói, Romance duma Cabeça* (Eloi, Roman eines Kopfes), Der Untertitel hätte lauten sollen: Vierundzwanzig Stunden aus dem Leben eines kleinen portugiesischen Angestellten. Es war nicht gerade ein sehr originales Werk, bekam aber durch die Häufung grellster Ereignisse etwas Originelles; die Geschehnisfülle eines Dostojewskijschen Großromans war auf den portugiesischen Umfang von 300 Seiten gebracht. Das Buch hat tatsächlich wie José Régios «introspektiver» Roman *O Jôgo da Cabra cega* (Das Blinde-Kuh-Spiel, 1934) auf manche Jüngeren gewirkt. Heute ist diese Erzählkunst, zu der Rodrigues Migueis (*Páscoa feliz*, 1932), Fernando Namora (*As sete Partidas do Mundo*, 1938) und andere beitrugen, schon fast vergessen. J. G. Simões selber wandte sich der literarischen Monographie (*Eça de Queiroz, Fernando Pessoa*) und dem Unterhaltungsroman zu (*O Marido fiel*, 1942). Auf diesem Gebiet freilich konnte er keine Erfolge erringen; da hatte und hat noch heute Joaquim Paço de Arcos (geb. 1908) die Führerstellung inne: ein an Eça de Queiroz geschulter, äußerst geschickter und stets aktueller Schriftsteller. *Ana Paula, Perfil duma Lisboeta* (1938) ist mit seiner Mischung von Liebe und Leidenschaft, Juwelen und Unterschlagung, Luxuswohnung und Gefängniszelle sein erfolgreichster Roman geworden.

Nicht ganz so schroff wirkte die Gruppe der *Presença* auf dem Gebiet der Lyrik, da ja hier die Revolution des *Orpheu* fortgesetzt werden sollte. Die Verbindung bestand in zweierlei: in der Ausschließlichkeit, mit der das Ich als Thema der lyrischen Aussprache erschien (wobei das Ich, wie wir sahen, eine recht problematische Angelegenheit war), und in dem nun schon traditionellen Kampf gegen die Tradition. Der erste Programmpunkt wurde vielfach so getreu erfüllt, daß der ursprünglich spanische und ganz allgemeine Begriff «ensimesmado» (in sich selbst verhaftet) zur Gruppenbezeichnung werden konnte. Darüber wird noch zu sprechen sein. Der Kampf aber gegen die formale Tradition gehört zu den interessantesten Erscheinungen in der portugiesischen Lyrik des 20. Jahrhunderts.

Nicht erst mit den Gruppen des *Orpheu* oder der *Presença* kommt die starke Unruhe in die lyrische Formenwelt. Schon in der Vorrede zu den *Oaristos* war Eugénio de Castro für Freiheiten und Neuerungen eingetreten. Aber wenn er auch anfangs Verse ungleicher Zeilen- und Strophenlänge gebraucht und gelegentlich nach Baudelaireschem Muster ein Gedicht in Prosa schreibt, so ist doch sein späterer Weg durch Rückkehr zu größerer Strenge gekennzeichnet. Dagegen geben die freien Verse den Lyrikern um die *Aguia* wie auch A. Sardinha weithin das Gepräge, und das entspricht dem hymnischen oder prophetischen Ton dieser Lyrik. Teixeira schreibt seinen *Regresso ao Paraiso* sogar in ungereimten freien Rhythmen. Selbst bei einem Formkünstler wie Afonso Lopes Vieira wirkt die Fülle der verwendeten Maße, unter denen auch mittelalterliche begegnen, eher wie ein Zeichen formaler Unruhe. So bedeutete also der laute Kampf des *Orpheu* und der *Presença gegen* die Tradition auf diesem Gebiet nichts so gar Neues. Mário de Sá Carneiro gebrauchte übrigens neben freien Versen doch immer wieder das Sonett, und Fernando Pessoa kehrte nach gänzlicher Ungebundenheit später zu festeren Formen zurück.

Mit der *Presença* trat nun freilich eine Lockerung ein, die ans Chaotische grenzte. Innerhalb des gleichen Gedichtes wechseln da die Metren, die freien Verse sind von einer Ungebundenheit, die ihnen oft den Verscharakter nimmt und nichts mehr von der bei Sá Carneiro spürbaren Notwendigkeit hat, auf weite Strecken hin ist der Reim gänzlich verschwunden (obwohl ihn der portugiesische Vers wie der französische wegen der schwachen Akzentuierung nur schwer entbehren kann), und den bislang noch verehrten alten Formen wie dem Sonett gilt nun offene Feindschaft. Carlos Queiroz (1907–1949), einer der Begabtesten aus der jüngeren Generation, hat das in einem Sonett Anti-Soneto leidenschaftlich bekannt und den ganzen Komplex in seinem Breve Tratado de Não-Versificação (1948) geistreich behandelt. Gewiß wurde nicht nur eingerissen, und Carlos Queiroz hatte in seiner preisgekrönten Sammlung *Desaparecido* (1935) feines Formgefühl bewiesen. Ihm waren sogar Lieder geglückt, und das ist geradezu ein Ausnahmefall. Denn an Liedhaftem ist die moderne portugiesische Lyrik arm. Was sich so nennt, verdient den Namen nicht, wie die an sich interessanten, nur eben nicht liedhaften Gedichte aus der Sammlung *Canções* des Antonio Boto (geb. 1902) oder die *Canções* aus der Sammlung *Rosa dos Ventos* des Manuel de Fonseca (geb. 1911) beweisen.

In diese verworrene Lage kam nun aber durch die beiden bedeutendsten Gestalten der *Presença*-Generation eine Richtung: im Jahre 1936 erschien von José Régio die Sammlung *Encruzilhadas de Deus* und gleichzeitig von Miguel Torga (geb. 1907) *O outro livro de Job.* Zwanzig Jahre nach dem Futurismus brach damit der Expressionismus durch. Das Ich ist nun nicht mehr, wie bei den typischen «Ensimesmados» der Endpunkt, sondern der Anfangspunkt für die Bewegungslinien im Gedicht. Die beiden genannten Sammlungen (und dann auch die späteren Sammlungen Régios) haben religiöse Titel: immer lebt die Seele, die hier spricht, wirbt, höhnt oder ruft in der weitesten Spannung und auf der Suche nach (Régio) oder in der Empörung gegen Gott (Torga). Künstlerisch leiden manche ihrer Gedichte wie die der meisten Nachfolger unter zu großer Bewußtheit, und so kann die bekämpfte Tradition durch das Tor der Rhetorik recht erfolgreiche Ausfälle machen. In der als «Ästhetik unserer Tage» bezeichneten Forderung von J. G. Simões (ausgesprochen in den *Cadernos de Poesia*, I, 1940) ist der geheime Widerspruch geradezu zum Programm erhoben: «Mit offenen Augen in das stürmische und endlose Meer des Unbewußt-Menschlichen tauchen.»

Die Jüngsten

José Régio und Miguel Torga haben mit ihrer Entwicklung die an den Namen *Presença* geknüpfte Bewegung innerlich beendet; das äußere Ende kam mit dem Eingehen der Zeitschrift im Jahre 1940. Es hat sich seitdem keine neue Strömung gebildet und neue Programme sind nicht einmal verkündet worden. An ausländischen Anregungen ist R. M. Rilke hinzugekommen, der zur Zeit von Paulo Quintela ausgezeichnet übersetzt wird (Quintela hat auch einen Band Hölderlin-Übersetzungen vorgelegt und zum Jubiläumsjahr 1949 einen stattlichen Band mit Goethe-Gedichten, in der zweiten Auflage von 1958 noch erweitert); aber Rilke wirkt nicht als Partei oder auf eine Partei. Das Bild der Versdichtung wird damit nur um so bunter. Im ganzen hat man den Eindruck, als strebe die in Sprache, Form und Gehalt etwas zuchtlos gewordene Lyrik nach neuer Bändigung.

Bedenklicher sieht es auf dem Felde des Romans aus. Aquilino Ribeiro und Ferreira de Castro sind die beiden großen Erzähler nun schon seit Jahrzehnten. Die von den Männern um die *Presença* heraufbeschworene Modewelle des introspektiven Romans ist abgeebbt und hat kaum Spuren hinterlassen. Von Jüngeren hat sich nur einer durchgesetzt: Alves Redol (geb. 1912). Auf den ersten Blick scheint es sich um eine Fortsetung der regionalen Erzählkunst zu handeln: diesmal ist es die Landschaft des Ribatejo oberhalb Lissabons, in der jedenfalls die ersten Romane Redols spielen. Aber die Landschaft wird nun vor allem als sozialer Lebensraum erfaßt: in *Gaibéus* ist die Masse der landfremden Erntearbeiter der eigentliche Held. In rascher Folge hat Redol von 1939 an seine Romane veröffentlicht: *Gaibéus, Marès, Avieiros,*

Fanga und andere mehr. *Avieiros,* in dem das Leben der Tejo-schiffer beschrieben wird, mit einer Frau als Hauptgestalt (man fühlt sich an Carl Hauptmanns *Mathilde* und des Holländers van Schendel *Waterman* erinnert), ist künstlerisch vielleicht das beste Buch Redols.

Es mag überraschen, daß unser Überblick nicht das Drama in den Blickbekommen hat. Es genügen in der Tat wenige Bemer-kungen, fehlt es doch schon an jeder Pflege des Bodens, das heißt an der notwendigen Theaterkultur. Und wie von der Bühne keine Anregungen ausgehen, so mangelt es auch an einem dichterischen Erbe, das neues Leben wecken könnte. So ist das dramatische Schaffen gering, und das meiste von dem, was zum Druck kommt, kommt deswegen noch nicht zum Leben. Vielfach sind die Dra-men schon gar nicht mehr für eine Aufführung gedacht und ge-eignet.

Die Sichtung des Dramas fügt dem Bilde der portugiesischen Literatur keine wesentlich neuen Züge hinzu. Man kann viel-leicht sagen, daß durch den einen Carlos Selvagem (geb. 1890) ein Lebensbezirk der portugiesischen Nation sichtbar wird, für den das andere Schrifttum fast blind ist: das portugiesische Kolo-nialreich. In *Telmo o Aventureiro* (1937) hat Selvagem das Pro-blem des portugiesischen Siedlers in Afrika behandelt. Er war selber 1913 dorthin gekommen, und eines seiner ersten Werke wurde das Kriegsbuch *Tropa da Africa* (1919).

Sonst aber spiegeln sich in der portugiesischen Dramatik die Strömungen der übrigen. Als Verfasser bühnenwirksamer, neu-romantischer Stücke feierte Júlio Dantas (geb. 1876) zwischen 1900 und 1920 große Erfolge; sein *Nachtmahl der Kardinäle* ist auch in Deutschland gespielt worden. Heute ist Dantas der be-deutendste Vertreter der «eloquentia publica»; die Festreden, zu denen ihn Ämter und Aufträge zwingen, sind Musterstücke der rhetorischen Gattung «Lobrede». Den winterlichen Bedarf an gesellschaftskritischen oder psychologisierenden Theaterstücken befriedigen Alfredo Cortês und vor allem Ramado Curto. Der Expressionismus ist auch im Drama durch José Régio vertreten (das Mysterium *Jakob und der Engel* erschien in Buchform 1940). Aber alle Bildhaftigkeit kann auch bei den jüngsten Schöpfungen

(*Benilde ou a Virgem-Mãe*, 1947; *El-Rei Sebastião*, 1949) nicht darüber täuschen, daß der unbestreitbare Rang dieser Werke auf der Einsamkeitslyrik und höchstens auf dem Balladesken, nicht aber auf dramatischen Qualitäten beruht.

Den ansprechendsten Leistungen begegnet man auf dem Felde des regionalen Dramas. Hier ist die Stufe des volkskundlichen Anschauungsunterrichtes längst überwunden worden, und ein Drama wie *Tá-Mar* von Alfredo Cortês (1880–1946) ist zu Recht mit dem Gil-Vicente-Preis gekrönt worden. Man fühlt sich an die Sicht in den besten Werken Aquilino Ribeiros erinnert, und auch darin besteht Ähnlichkeit, daß Cortês eine Art Dialekt sprechen läßt und damit aus der Rhetorik herauskommt. Noch einmal muß Miguel Torga genannt werden; und wieder gilt, daß seine früheren Arbeiten, die balladesken Szenenfolgen *Terra firme* und *Mar* (in Buchform 1941) höher stehen als die jüngere *Sinfonia* (1947). Bei Cortês und Torga wird nun aber mit dem Meer ein Raum beschworen, der in der Erzählkunst und Lyrik fast unbeachtet geblieben ist und der doch zu allen Zeiten der eigentliche Schicksalsraum der Portugiesen war.

Der europäische Symbolismus

Versuch einer Einführung

Als in den dreißiger Jahren Stefan George, Albert Verwey, Gabriele d'Annunzio, William Butler Yeats und schließlich, im Jahr 1945, Paul Valéry starben, da traten die letzten großen Gestalten von der Bühne ab, denen noch der «Symbolismus» das Stichwort für ihr Erscheinen gewesen war. Gewiß, sie waren keine Symbolisten mehr, als sie starben – sonst hätten sie nicht so lange gelebt –, aber Kräfte jener Bewegung hatten in ihnen bis zum Schluß gewirkt; jetzt war sie endgültig abgeschlossen. Es ist heute vielleicht möglich, den Symbolismus als Gesamtheit, als historische Bewegung in der Literaturgeschichte zu überschauen, das heißt seinen Beginn und Verlauf, sein Wollen und Können.

Denn es ist wohl zweierlei, die Intentionen einer dichterischen Bewegung erkennen und erörtern, auf Grund ihrer Programme und theoretischen Äußerungen, – und aus den repräsentativen Werken ihr Wesen erkennen, wie es den Dichtern selber vielleicht gar nicht immer bewußt war. Wir haben als Beitrag für die erste Aufgabe, das künstlerische Wollen des Symbolismus zu erfassen und zu ihm Stellung zu nehmen, im Jahre 1948 den so reichen, interessanten, ja erregenden Essay von T. S. Eliot, *From Poe to Valéry* bekommen. Es soll im Folgenden versucht werden, über einige Erscheinungen der symbolistischen Dichtung selber zu sprechen, einige Wesenszüge symbolistischer Kunst zu behandeln. Aber zunächst sollen einige gemeinsame Züge erwähnt, einige Namen und Daten genannt werden, um den Raum abzustecken, in dem wir uns zu bewegen haben.

Es ist heute vielleicht möglich, so sagten wir, die Bewegung als Ganzes zu überschauen. Dabei stellen wir wohl als erstes fest, daß sie bedeutende Produktionen hervorgebracht hat – «ich gestehe zu, daß in dieser Tradition von Poe zu Valéry einige von den modernen Gedichten stehen, die ich am höchsten bewundere», sagt T. S. Eliot, so kritisch er auch der Theorie des Symbolismus gegenübersteht. Wir beobachten zweitens, daß sie eine mächtige Bewegung gewesen ist, deren Einfluß sich einige Jahrzehnte lang

nur wenige Dichter haben entziehen können und der die dichtenden Anfänger noch heute leicht verfallen, und drittens, daß sie
eine große europäische Bewegung ist, wie Klassik, Romantik,
Naturalismus große europäische Bewegungen waren. Ein Unterschied wird dabei freilich sofort greifbar: Klassiker, Romantiker,
Naturalisten: sie antworten uns auf die Fragen nach dem Menschen, seinem Wesen und seinem Schicksal, nach der Zeit und
ihren Problemen, nach Volk und Menschheit, Liebe und Tod,
Geschichte und Ewigkeit, Natur und Gott. Die Symbolisten aber
sprechen weder in den dichterischen noch in den theoretischen
Schriften davon. Dafür sprechen sie, und nun häufiger und eifriger,
ja mit einer befremdenden Intensität, von einer Frage, die ihnen
alle zu ersetzen scheint: von der Kunst. Sie alle kennen E. A.
Poe's *Philosophy of Composition*, sie sprechen über den Akt des
Schaffens, über das Wesen der Kunst, über die Mittel des Hand-
werks, und in Frankreich übertönt um 1890 der Lärm der Kampf-
rufe für oder wider den «vers libre» alles andere, selbst die Politik.
Bei manchen Symbolisten überwiegen die kritischen und ästhetischen Schriften die poetischen.

Die Werke der portugiesischen Symbolisten sind von einem
Verlag herausgegeben worden, jedem Band steht als Motto – in
deutscher Sprache – das Wort des Novalis voran: «Die Poesie ist
das echt absolut Reelle. Dies ist der Kern meiner Philosophie. Je
poetischer, desto wahrer». Das Wort könnte als Motto über den
Werken aller Symbolisten stehen, und es ist von vielen zitiert worden. Wir empfinden ein solches Bekenntnis vielleicht als über-
steigert, wir spüren darin etwas Bedenkliches, Ungesundes, einen
Verlust des Gleichgewichts. Es ist in der Tat der Ausdruck einer
Gesinnung, die an keine anderen Werte glaubt, die in bewußter,
scharfer Opposition zur eigenen Zeit und ihrem Geist, zur Gesellschaft und nicht zuletzt zur literarischen Tradition steht. Welche
Gefahren eine solche Übersteigerung und Isolierung für den
einzelnen Dichter birgt, das erweist sich auch aus den Biographien;
über dem Symbolismus liegt, von dieser Seite her gesehen, etwas
Ungesundes, Krankhaftes, Morbides oder gar Selbstzerstöreri-
sches. «Poète maudit» – diese Formel, die Verlaine prägte, kennzeichnet in der Tat die Lebensform vieler dieser Dichter; die an-

dere, gar nicht so sehr verschiedene, die sie mit Baudelaire als letzte Offenbarung einer aristokratischen Haltung feiern – George, d'Annunzio und andere leben sie – ist der Dandysmus. In der Biographie spiegelt sich aber noch ein anderer Zug: die Internationalität. Sie haben sich zum großen Teil gekannt, das heißt sich gesucht; das wichtigste Zentrum lag in Paris, im Hause Mallarmés. An seinen berühmten Dienstagabenden begegneten sich Stefan George, Symons, Yeats, Rubén Dario; Swinburne, Wilde, d'Annunzio waren in Paris, wie die führenden spanischen und portugiesischen Symbolisten und später Rilke. Mallarmé, Verlaine, Rimbaud ihrerseits kannten England und englische Dichter. Sie verstanden die Sprachen der andern, lasen ausländische Dichtung, und fast alle sind als Übersetzer berühmt: Baudelaire und Mallarmé übertrugen aus dem Englischen (Mallarmé, Lehrer des Englischen, war mit einer Deutschen verheiratet, Laforgue, Vorleser bei der deutschen Kaiserin Augusta, heiratete eine Engländerin). Bei Rossetti bilden die Übersetzungen einen wesentlichen Teil seines Werkes. Stefan George übersetzte die Franzosen, Engländer, Italiener, Holländer und Polen seiner Zeit. Rilke übersetzte Valéry und schrieb auf Französisch, wie es auch Wilde tat, dessen *Salomé* zuerst auf Französisch erschien, während Verlaine vielfach englische Titel über seine Gedichte setzte. Sie alle behorchen die andere Sprache auf ihre Ausdruckskraft, auf ihre dichterischen Mittel, und überall begegnet man bei diesen Dichtern neuen, fremd anmutenden Sprach- und Versformen. Denn das eint sie alle, das ist ihr gemeinsames Streben: in dem dichterischen Wort noch neue Wirkungsmöglichkeiten freizumachen, ihm die letzten Tiefen seiner Kraft abzufordern. Sie alle suchen hinter der eigenen und hinter den andern eine neue Sprache, das magische Wort, das die Kraft alter Gebete und Zauberformeln besitzt, die Alchemie des Wortes, le Verbe, das schöpferische, geheimnisvolle Wort, das nicht mehr Scheinwirklichkeit meint und bezeichnet, sondern Wesen beschwört und, in den Urgrund, ins Absolute dringend, etwas von der «beauté absolue» aufleuchten läßt.

Und wieder hätten sie mit solcher Sehnsucht Novalis zitieren können:

> Wenn nicht mehr Zahlen und Figuren
> Sind Schlüssel aller Kreaturen...
> Und man in Märchen und Gedichten
> Erkennt die wahren Wundergeschichten,
> Dann fliegt vor einem geheimen Wort
> Das ganze verkehrte Wesen fort.

Oder sie hätten, und haben es auch getan, Keats' Hymne *To Intellectual Beauty* zitieren können. Die Tatsache, daß der Symbolismus in England und Deutschland an die romantische Tradition anknüpfen konnte, erklärt, warum er in diesen Ländern nicht so tief und revolutionär wirkt wie in den romanischen Ländern, für die er geradezu das Nachholen der Romantik bedeutet. Überall aber erweitert sich im Symbolismus der Kanon dessen, was als große Dichtung gilt; neben die Entdeckung fremder Literaturen (in starkem Maße jetzt auch des Vorderen und Fernen Orients) treten Entdeckungen im eigenen Land. So werden Blake in England, Gérard de Nerval in Frankreich, Hölderlin in Deutschland, Góngora in Spanien von den Symbolisten erst in ihrem Wesen erkannt.

Die Tendenz, alle Kräfte des dichterischen Wortes zu offenbaren, erklärt nun auch, daß der Symbolismus vor allem die Lyrik pflegt; wo er sich dem Drama zuwendet, da entstehen jene meist einaktigen, dichterisch gewiß bedeutsamen, aber im Grunde lyrisch-balladesken und damit undramatischen Gebilde, wie wir sie bei Maeterlinck und im Frühwerk von Yeats, Rilke und Hofmannsthal finden. Aus jener Tendenz erklärt sich aber auch der Kampf der Symbolisten gegen die zu ihrer Zeit herrschende Dichtung, gegen die gefeierten Lamartine, Tennyson, Geibel, weil sie mit einer sterilen, poetischen Sprache arbeiteten, weil sie die Sprache nutzten als Mittel, um etwas Gedankliches zu sagen oder Gefühle zu übermitteln oder etwas zu lehren oder zu beschreiben. «Die symbolistische Kunst ist die Feindin des Belehrens, der Deklamation, der falschen Empfindsamkeit, der objektiven Beschreibung», so heißt es im Manifest des Symbolismus, das Moréas 1886 im Figaro veröffentlichte. Und aus Stefan Georges *Blättern für die Kunst* erklang das Echo:

«Den Wert der Dichtung entscheidet nicht der Sinn (sonst wäre sie etwa Weisheit, Gelahrtheit), sondern die Form, das heißt nichts Äußerliches, sondern jenes tief Erregende in Maß und Klang...» Und am bündigsten war die Formel O. Wildes: «Die Kunst drückt nicht die Zeit, sondern sich selber aus».

Das Tieferregende in Maß und Klang, die geheimnisvolle, magische Kraft dichterischer Sprache haben sie nun in einem Gedicht erlebt, das man wohl das wirksamste Gedicht des 19. Jahrhunderts nennen kann: in E. A. Poe's *The Raven*. Elizabeth Barrett-Browning hat uns berichtet, wie das Gedicht in ihrem Bekanntenkreise gewirkt hat: «Einige meiner Freunde sind von dem schauerlichen, andere von dem musikalischen Element des Gedichts ganz eingenommen. Man erzählt mir von Personen, denen das Nevermore nicht mehr aus dem Sinn geht, und ein Bekannter, der das Unglück hat, eine Pallasbüste zu besitzen, wagt es nicht mehr, sie in der Dämmerung anzusehen». Das «Nevermore» ist vielen Symbolisten nicht aus dem Sinn gekommen (bei Verlaine erscheint das englische Wort als Gedichttitel); sie haben es übersetzt und auf seine Wirkungen untersucht und nachgeahmt. Und sie haben die *Philosophy of Composition* studiert, in der Poe die Entstehung aus hellster Bewußtheit und in steter Überprüfung der Mittel beschrieb. Sie haben Poe als den Herold ihrer Poetik, ihres bewußten Schaffens gefeiert. Noch Valéry nennt ihn «den Dämon der Klarsicht, den Erfinder der verführerischsten Kombinationen... zwischen Mystik und Berechnung, den Psychologen des Ausnahmezustandes, der die Hilfsmittel der Kunst vertieft hat», und der Kernsatz von Gottfried Benns Poetik: «Das Gedicht wird gemacht» ist im ausdrücklichen Hinblick auf Poe formuliert worden.

Aber wenn wir Poe als einen Anreger des Symbolismus hier kurz erwähnen, dann müssen wir auch den anderen und seinen Kreis nennen, der das Gegenstück zum *Raven* schrieb. Aus anderer Perspektive gewiß: nicht das Bild des verlassenen, sich grämenden Liebhabers auf der Erde zeichnend, sondern das unvergeßliche, hoheitsvolle Bild des über die Brüstung des Himmels gelehnten Mädchens, das ihm entgegenwartet: Rossetti mit seiner *Blessed Damozel*. Eine andere Perspektive waltet aber auch in einem tieferen Sinne. Denn wir befinden uns mit den Gedichten Rossettis nicht mehr in einer Welt des psychischen Ausnahmezustandes, sondern in einer Welt der großen Gestalten, der hoheitsvollen Gebärden, der Beherrschung und Zucht im Verhalten und, um sein eigenes Wort aus *Hand and Soul* zu verwenden, der «moral greatness». Denn was trifft uns so am Schluß jenes Gedichts? Daß erst hier der so lang beherrschte, tiefe Schmerz in einer Ausdrucksgebärde durchbricht:

> And laid her face between her hands,
> And wept.

Man weiß, wie Rossetti und seine Freunde, aus Abscheu vor der niedrigen Gegenwart, aus Sehnsucht nach einem Bereich der Hoheit, Zucht und moral greatness, sich ihre Welt – als Dichter und Maler – aus Dante und der mittelalterlichen Epik aufgebaut haben. Man weiß aber vielleicht noch nicht genug, wie stark sie damit auf den Kontinent gewirkt haben. Am ehesten weiß man es noch in der Malerei; die Bilder von Stefan Georges Freund Melchior Lechter sind zum Beispiel ganz an den Präraffaeliten inspiriert (die übrigens am nachhaltigsten auf das Reklamebild des beginnenden 20. Jahrhunderts gewirkt haben). Man weiß es auch noch von den Nachwirkungen eines William Morris, des Möbelgestalters und Erneuerers der modernen Buchkultur, aber weiß es noch wenig von Rossetti. Der junge Mallarmé steht unter seinem Einfluß, Verlaine schreibt Gedichte auf Bilder von Rossetti, Stefan George eröffnet die beiden repräsentativen Bände der Übersetzungen *Zeitgenössische Dichter* mit 13 Gedichten Rossettis und stellt ihn damit als den Beginner der neuen Lyrik des Sym- bolismus hin, wie es auch Yeats getan hat. Die stilisierte Welt der Zucht und Haltung, der «greatness», der hohen Gebärden, hinter denen alle Leidenschaft lodert (und gerade dieses nur Ahnen- lassen der seelischen Abgründe, das Andeuten ist typisch für diese neue Kunst), wir finden sie bei St. George und bei dem jungen d'Annunzio. Der Zwiespalt zwischen äußerer Beherrschung und Kälte und innerer Leidenschaftlichkeit wird bei den beiden bis zum Äußersten, bis zum Sensationellen getrieben.

Es scheint, als habe Rossetti mit einem Kunstmittel anregend gewirkt, von dem er besonders wirkungsvollen Gebrauch zu machen wußte. Auf den zitierten Schluß der *Blessed Damozel* folgen noch vier Worte, die in Klammern gesetzt sind. Solche Klammern finden sich an vier Stellen des Gedichts. Es spricht da, wie der Leser erst erschließen muß, der einsame Liebhaber auf Erden. Innerhalb des Gedichts lagern sich also zwei Ebenen übereinander, so daß man von Gedichten mit doppelter Ebene sprechen darf. In *Sister Helen* sind es sogar drei Ebenen, die kehrreimartig durcheinander spielen. Nun ist solche Zweischichtigkeit der Lyrik von Haus aus vertraut. Aber wenn sich in volkstümlichen Liedern die vom Einzelsänger vorgetragene Strophe und der vom Chor gesungene Kehrreim aneinander fügen, so bleibt das eine klare Sonderung. Die Symbolisten erreichen nun aber durch Verlegung der doppelten Perspektive in den einen Sprecher (Verlaine: mehrere Gedichte aus der Sammlung *La bonne chanson*) ganz neue, zum Teil psychologisch raffinierte Wirkungen. Mit jeder Fassung seines *L'après-midi d'un Faune* verwebt Mallarmé Vergangenheit und Gegenwart enger, und wenn solches Verschmelzen der beiden Schichten für den modernen Roman kennzeichnend wird (Proust, Virginia Woolf, Faulkner), so zeigt sich darin zumindest eine Ähnlichkeit zu Tendenzen des Symbolismus (ein Ahnherr solchen Erzählens ist wieder Hölderlin mit seinem *Hyperion*).

Nachdem wir einige gemeinsame Züge und in Poe und Rossetti zwei Anreger des Symbolismus kennen gelernt haben, sei im Folgenden versucht, einige wesentliche Kennzeichen symbolistischer Dichtung, typische, bedeutsame Stilzüge also, herauszuheben. Wir wollen dabei drei Wege verfolgen und beginnen jeweils mit einem der großen französischen Symbolisten: Verlaine, Mallarmé, Baudelaire. «De la musique avant toute chose» – so lautet ein Satz aus dem *Art poétique* von Verlaine, und Klang und Rhythmus hat er in einem Maße zum Ausdrucksträger werden lassen, wie es in der französischen Dichtung noch nicht vorgekommen war. Dabei wirken seine Gedichte niemals forciert, er übertreibt kein sprachliches Mittel, ein wunderbarer Zusammenklang entsteht, und gerade das Unmerkliche, das Hauchzarte, das Intime, das Leise-

vor-sich-hin-singen ist das Besondere seines Tones. Das Lied,
bisher nur gering vertreten in der französischen Lyrik, gewinnt
mit ihm nun plötzlich Rang. Wenn er in Deutschland von allen
neuen Dichtern zunächst am schnellsten Eingang fand, so wirkte
der Reiz mit, den das Vertraute in fremdem Mund bekommt. Es
war wie eine Erneuerung, eine Verfeinerung des romantischen
Liedes.

Was hier als Bekanntes erschien, erschien in den romanischen
Ländern als Revolution. Und immer wieder wurde Verlaine da-
bei als Vorbild gefeiert. Wie es begreiflich ist, wurden die neuen
Mittel übertrieben. Schon in Frankreich selber folgten Dichter,
die die Leistungskraft der einzelnen Laute dogmatisch festlegen
wollten. Die «Audition colorée», das farbige Hören, wurde zum
Gegenstand von Untersuchungen, ja von Gedichten. Man hat,
und wohl mit Recht, gezweifelt, ob man den Anfang des Sonetts
Voyelles von Rimbaud ganz ernst nehmen dürfte. «A noir, E blanc,
I rouge, U vert, O bleu». Ernstgemeint war jedenfalls die «in-
strumentation verbale» von Rhené Ghill, der jedem Laut nicht
nur seinen Farbwert, sondern auch einen bestimmten seelischen
Ausdruckswert zuschrieb und ihn als Ton eines bestimmten In-
strumentes festlegte: o, oi und p, r gehörten zu dem damals gerade
aufgekommenen Saxophon und bedeuteten Ruhm, Wille, Herrschaft. Sehen wir von solchen Verirrungen in Rezepte des musikalischen Komponierens ab: ohne Frage hat der Symbolismus das
Ohr der Dichter und Leser verfeinert und auf den Sprachklang
aufmerksam gemacht. Wieder darf man dabei an Rossetti und Poe
erinnern: in der siebenzeiligen Strophe seines *Raven* gibt es zwei
dreifache und einen vierfachen Reim – und der vierfache immer
auf «nevermore»! Die Häufung der Reime finden wir überall,
besonders typisch sind sie für den jungen Rilke. Daneben erscheint
die Alliteration. In den germanischen Literaturen ist sie seit je
bekannt, – der Beginner des portugiesischen Symbolismus dagegen, Eugénio de Castro, konnte sich rühmen, der erste zu sein, der
sie in seiner Sprache bewußt als Kunstmittel verwendet hätte. Neben Verlaine wurde dabei übrigens auch R. Wagner als Vorbild
gerühmt. Für die Häufung des gleichen Vokals sei ein Beispiel
dem Werk des ersten der Symbolisten in spanischer Sprache, Ru-

bén Darío, entnommen. Da es nur auf den Klang ankommt, muß es im Original geschehen:

Sinfonía en gris mayor

El mar como un vasto cristal azogado
Refleja la lámina de un cielo de zinco,
Lejanas bandadas de pájaros manchan
El fondo bruñido de pálido gris...

Das Gedicht ist überschrieben *Sinfonía en gris mayor*, und solche Titel *Sinfonie, Sonate, Sonatine* finden sich mit Berufung auf Gautier, Mauclair und Verlaine häufig und in aller Welt; es darf an den Titel der Rilkeschen Erzählung erinnert werden: *Die Weise von Liebe und Tod.* Aber auch diese Technik der musikalischen Titel findet sich schon in der Romantik. Was ist an allem das Neue? Für die romanischen Literaturen ist gewiß dieses intensive Nutzen des Sprachleibs an sich etwas Neues. Und in den germanischen Literaturen? Man könnte sagen: das oft so schwelgerische Musizieren sei auch hier etwas Neues. Der Zauberklang, die raffinierte Sinnlichkeit von Strophen aus Swinburne's *Atalanta* scheint doch erst im späten 19. Jahrhundert möglich zu sein. Aber ganz gewiß haben wir damit noch nicht das Wesentliche an der symbolistischen Wortmusik erfaßt, und um das zu tun, müssen wir noch einmal zu dem Meister, zu Verlaine. Und da erkennen wir, daß das Wesentliche von Verlaines Kunst nicht die Tatsache ist, daß er mit Klängen und Rhythmen wirkt, auch nicht, daß die Musikalität seiner Gedichte unsere Sinne angenehm berührt, sondern wesentlich ist, was diese Mittel leisten. Wir müssen auf seine Verse hinhören und wählen eines seiner bekanntesten Gedichte:

Chanson d'Automne

Les sanglots longs	Tout suffocant
Des violons	Et blême, quand
De l'automne	Sonne l'heure,
Blessent mon cœur	Je me souviens
D'une langueur	Des jours anciens
Monotone.	Et je pleure;

> Et je m'en vais
> Au vent mauvais
> Qui m'emporte
> De-cà, de-là,
> Pareil à la
> Feuille morte.

Was in der dritten Strophe auffällt, sind nicht die ungewöhnlichen Klänge, vielmehr sind es gerade die unauffälligen Wörter im Reim. Wenn da der Artikel la im Reim erscheint, dann gehen an dieser Stelle von ihm – wir werden uns dessen gar nicht bewußt – besondere Wirkungen aus. Es ist, als ob die Kleinheit, Hilflosigkeit, Getriebenheit des sprechenden Ich in dem Vergleich mit «dem», mit diesem ganz leicht betonten toten Blatt erst ganz deutlich wird. Und die drei Gleichklänge «de cà, de là, Pareil à la» drücken die ganze Ohnmacht, Richtungslosigkeit des Ich aus, das Hin- und Hergeworfenwerden. Wir können den Klang nicht von den Bedeutungen und der Konstruktion lösen: sie steigern sich alle gegenseitig und machen mit ihrer Suggestion die Verlorenheit des Ich abgründig. Es löst sich auf, daß es nicht einmal mehr als Träger des Schmerzes übrig bleibt. Und dieses Aufgelöstwerden von dem, was von draußen als Hauch, als Klang, als Erinnerung heranschwebt, ist kennzeichnend für Verlaine, immer wieder entgleitet er sich im Verschmelzen mit einem Draußen, das nur als Hauch, als Duft, als Klang schwebt. Es ist ungewiß: kommen die Erinnerungen aus ihm, oder kommen sie wie Luft von draußen? Ein bestimmtes Weltgefühl, ein bestimmtes Ichgefühl prägen sich in der Verlaineschen Musikalität aus – und nun verstehen wir, warum er so wirkte.

Das war etwas anderes, als wenn die Romantiker sich der Natur, dem Göttlichen der Natur hingaben oder den Anruf göttlicher Kräfte spürten, indem sie die *Intellectual Beauty* oder den Westwind ansangen. Dieses Sich-Auflösen des Ich in ein ungewisses, schwebendes Draußen, dessen Dichter Verlaine war, beobachten wir bei vielen Dichtern der Zeit, und nur bei den größten liegt es implizit so wie bei Verlaine in den unbewußt wirkenden Mitteln der dichterischen Sprache, so daß es explizit nur angedeutet oder gar nicht gesagt zu werden braucht. «Nur von außen weht uns unser Ich an» sagt einmal der junge Hofmannsthal und drückt damit jenes Ich-Gefühl aus, das auch aus dem Vers des großen holländischen Symbolisten Leopold «Mijn hoofd hangt in een web van schemeringen» zu uns spricht und wohl auch in Rimbauds Satz liegt: «Je est un autre». Ebenso ist Verlaine Vorbild in diesem Erfassen des Draußen als eines Hauches, der uns auflöst, als Gestalter dieses Hauches um die Dinge, der mit dem Verstand gar nicht zu fassen ist. Wenn der Erzähler in Rilkes *Aufzeichnungen des Malte Laurids Brigge* durch die Straßen von Paris geht, das Paris von 1900, dann spürt er wie Nadelstiche die Schreie der im Mittelalter an dieser Stelle Gefolterten, dann ist das Vergangene in der Atmosphäre lebendig und dringt stumm auf den Menschen ein. Deshalb nehmen die Symbolisten auch die Dinge auf, die Verlaine als Träger der dichtesten Atmosphäre einer ungewissen, reichen Vergangenheit, eines entflohenen und doch noch spürbaren Lebens bedichtet hat: die Masken, die alten Parke, und wir müssen die alten Städte hinzunehmen: Gent, Brügge, Wien, Venedig, Byzanz: sie bergen für die Symbolisten den Reiz von abgelegten Masken, um die dennoch das Geheimnis früheren Lebens schwebt.

Wir kommen damit zum erstenmal in Versuchung, den Namen Symbolismus zu deuten, der sich eingebürgert hat, obwohl er uns nicht sehr treffend zu sein scheint. Wollen wir dennoch solche Gegenstände der symbolistischen Dichtung wie Masken, alte Parke, alte Städte als Symbole bezeichnen, so müssen wir uns freilich ihres besonderen Charakters und ihrer besonderen Verwendung bewußt sein. Sie haben nichts von der Geschlossenheit, dem Statischen und der eindeutigen Richtung auf den tieferen Gehalt, wie es den Symbolen klassischer, aber auch romantischer Kunst wesentlich ist. Von welcher Klarheit ist, um ein romantisches Gedicht auf eine Stadt zu nennen, die Symbolik in Wordsworth's Sonett auf London: *Composed upon Westminster Bridge*, mit seiner Schlußzeile:

And all that mighty heart is lying still!

Die Symbolisten wissen nicht, wohin sie ihre Gegenstände weisen, sie spüren nur das Ziehende, Lockende, Verschwebende, in das sie aufgelöst werden. Ein Sprachzug ist kennzeichnend: die Vorliebe bei Mallarmé, Rilke, Hofmannsthal und vielen anderen für das Unbestimmte: quelque, irgend, some, einschließlich der Komposita: einer, irgendwer, irgendwo, irgendwie. Damit erfassen wir einen Unterschied zur Romantik, spüren ein Mißverständnis, wenn die Symbolisten Novalis zitieren: «Je poetischer, desto wahrer». Die Romantiker wußten, wo das Wahre, das Wesentliche, das Eigentliche lag, zu dem die Poesie die einzige Brücke war. Die Symbolisten wissen es nicht, sie fühlen nur das Fortgezogenwerden: de çà, de là.

Gewiß, sie versuchen mitunter, eine Richtung festzulegen, ein letztes Übersinnliches, ein Absolutes in einem Mythos zu verdichten. Der junge Mallarmé hat es versucht, und wir kommen damit auf den zweiten Weg von den drei, die wir beschreiten wollten. Mallarmé wird angeregt von Baudelaire und Poe und von der englischen Romantik. Denn wir meinen einen Nachklang von Shelley und besonders Keats zu spüren, wenn er – wie auch Poe und Baudelaire – die absolute Schönheit zu seiner Göttin macht. Aber T. S. Eliot hat wohl völlig recht, wenn er sagt: «Poe und Mallarmé haben einen Drang zur metaphysischen Spekulation, aber es ist augenscheinlich, daß sie nicht an die Theorien glauben, für die sie sich interessieren oder die sie erfinden: so wie Dante und Lukrez die ihren bestätigen. Sie bedienen sich der Theorien, um ein beschränkteres und exklusiveres Ziel zu erreichen: um ihre Fähigkeit zur Reizbarkeit und Empfindung zu verfeinern und auszubilden». Mallarmé hat die Jugendmythologie später aufgegeben, er spricht wohl noch von idéal und idée (unter dem Einfluß der Ästhetik Schopenhauers), er bezeichnet als Aufgabe der Poesie: «die göttliche Umsetzung des Faktums ins Ideal», aber der Schwerpunkt liegt jetzt auf der Umsetzung durch die Sprache. Er plant ein Werk: Wissenschaft von der Sprache, – Symptom jenes Strebens der Symbolisten nach dem verwandelnden, magischen, schöpferischen Wort.

Die Lehre von der Verwandlung der Dinge als «drängender Auftrag» begegnet später bei Rilke in der 9. *Duineser Elegie*:

> Sind wir vielleicht hier, um zu sagen: Haus,
> Brücke, Brunnen, Tor, Krug, Obstbaum, Fenster,
> Höchstens: Säule, Turm... aber zu sagen, versteh's,
> oh zu sagen so, wie selber die Dinge niemals
> innig meinten zu sein.

Aber diese Verwandlung erfolgt als Auftrag der Erde an den Menschen und in Richtung auf den anderen Bezug, an dessen Grenze der Engel steht und von dem die Duineser Elegien Kunde geben wollen. So deutlich Rilke die Kunstmittel des Symbolismus nutzt: die verkündende Haltung, dieses priesterliche Wissen entfernt ihn von den Symbolisten, wie sich d'Annunzio mit dem mythologischen Preisen in seinen *Laudi* von seiner symbolistischen Jugend entfernt hatte. Oder wirkte bei Rilke die Macht einer eigenen Sprache als Verführung?

Mallarmé verkündet nicht, er vollzieht in jedem Gedicht die Verwandlung. Und dabei entwickelt er Kunstmittel, die von unabsehbarer Wirksamkeit geworden sind. Zu den Kunstmitteln gehört schon das Äußere; die Verteilung des Gedichts, die Drucktype, der weiße Raum der Seite, sie spielen schließlich eine bedeutsame Rolle. Dazu gehört weiter die eigene Interpunktion. Wenn weithin Komma, Semikolon einfach gestrichen werden, so zwingt das zu langsamem Lesen und steigert das Gewicht des Wortes. Und das ist Mallarmés Anliegen. Ihm dient die Streichung der unbedeutenden Sprachformen, er konzentriert bis zum Äußersten, er erlaubt sich syntaktische Umstellungen, die im Französischen unerhört sind:

> ...si plonge
> Exultatrice à côté
> Dans l'onde toi devenue
> Ta jubilation nue.
> (Petit Air)

Man spürt, wie durch die Verzögerung des Subjekts eine Spannung auftritt, wie es emotional aufgefüllt wird und nun das Gedicht wirkungsvoll abschließt. Aber wer springt? Nicht ein Mensch, sondern ein Jubel. Ein Abstraktum würden die Grammatiker sagen; aber bei Mallarmé gibt es keine Abstrakta, sie sind körperlich da und handeln. Die Welt ist verwandelt bei ihm, und was für uns Abstrakta sind oder unbelebte Dinge oder unselbständige Teile, das besitzt bei ihm ein eigenes Leben. Die Körperteile, die Hand, der Finger: sie sind eigene Wesen wie auch das Lächeln, der Blick. Das haben sie alle von ihm gelernt. Aber die Verwandlung seiner Welt reicht weiter: auch unsere zeitliche und räumliche Ordnung hat sich aufgelöst: ganz weit Entferntes, Abwesendes ragt plötzlich herein wie auch längst Vergangenes.

Was so entsteht, ist eine sehr exklusive Kunst voller Dunkelheit, an den exklusiven Manierismus des Barocks oder der Troubadoure erinnernd. Es gibt Stellen, die mehrere Deutungen zulassen, und Mallarmé hat diese Offenheit ausdrücklich bejaht und verteidigt. Diese Gedichte, besonders aus der späteren Zeit, reizen den Kenner zur Entschlüsselung – und man muß schon Mallarmékenner sein, um sich überhaupt heranwagen zu können. Mallarmé hat selber einmal von dieser absichtlichen Undeutlichkeit gesprochen, er hat sie als Mittel der Suggestion bezeichnet und dabei den Begriff des Symbols gebraucht: «Ein Objekt nennen, das heißt dreiviertel des Genusses an einem Gedicht unterdrücken, der aus dem Glück besteht, allmählich zu ahnen: es (das Objekt) suggerieren, das ist der Traum. Das ist der vollkommene Gebrauch jenes Geheimnisses, das in dem Symbol liegt.»

Symbol hat hier also gar keinen Zusammenhang mehr mit einem Symbolisierten, einem transzendenten Gehalt. Es meint einfach das Geheimnisvolle der Unbestimmtheit. Es klingt fast blasphemisch: so als sei von der göttlichen Umsetzung ins Ideal nur noch der Reiz der eingekleideten Rechenaufgabe übrig geblieben, der durch den Gebrauch jener besonderen Kunstmittel erreicht werde. Aber Mallarmés Worte erfassen zu wenig von seiner Dichtung. Er hat mit seiner Sprachmagie die Welt verwandelt oder besser: er hat mit seiner Kunst Wesentliches der Welt beschworen, für das unser alltägliches Sprechen und Denken blind sind.

Wir betreten den letzten Weg. An seinem Ausgangspunkt steht der Älteste der Symbolisten, Baudelaire. Die Wertung hat sich verschoben. Zunächst galt Verlaine als der größte Lyriker des

Symbolismus, dann war es eine Zeitlang Mallarmé – heute, bei wachsendem Abstand, erkennen wir wohl Baudelaire als den bedeutendsten an. Uns geht es hier nicht um das Werk einzelner Dichter. Und so begnügen wir uns, einen Zug an Baudelaire herauszuheben, der nun freilich, wie wir meinen, grundlegend für die Kunst des Symbolismus geworden ist. Es gibt ein Gedicht von Baudelaire, im Anfang seiner *Fleurs du Mal*, das die späteren Dichter als ihre Poetik anerkannt haben. Es heißt *Correspondances* und beginnt:

> La Nature est un temple où de vivants piliers
> Laissent parfois sortir de confuses paroles,
> L'homme y passe à travers des forêts de symboles
> Qui l'observent avec des regards familiers.
>
> Comme des longs échos qui de loin se confondent
> Dans une ténébreuse et profonde unité
> Vaste comme la nuit et comme la clarté,
> Les parfums, les couleurs et les sons se répondent.

Düfte, Farben und Klänge antworten einander, der Stilzug, den wir Synaesthesie nennen und der typisch ist für den Symbolismus, erfährt eine tiefere Begründung: er ist Ausdrucksmittel für die Gestaltung der Welt, wie sie das tiefer dringende Auge des Dichters wahrnimmt. Alles in der Natur hängt zusammen und weist aufeinander. Wir wollen nicht fragen, was diese Idee enthält und woher sie kommt – wir würden als unmittelbare Anreger für Baudelaire auf den deutschen Romantiker E. T. A. Hoffmann und den schwedischen Geisterseher Svedenborg, weiterhin aber in die Pansophie geführt werden, – für uns ist wichtig, daß die so jeweils über sich hinausweisenden, in heimlichem Bezug stehenden Dinge von Baudelaire deshalb als Symbole bezeichnet werden. Von «Wäldern von Symbolen» spricht er, und wenn wir schon bei Verlaine im Vergleich zur Geschlossenheit und klaren Intentionalität des Symbols bei Wordsworth von seiner Offenheit sprachen, von der Vielfalt der Richtungen, in die es uns zieht, so ist bei Baudelaire ein weiteres Kennzeichen des typischen Symbolismus erfaßt: das Sich-Verschlingen der Symbole, das In-einander-Übergehen, während bei Wordsworth das Gedicht sich in einem Symbol rundete. «Wälder von Symbolen» sagte Baudelaire; Hofmannsthal gebraucht ein anderes und doch entsprechendes Bild, wenn er von dem Dichter spricht:

> Der ... alle Stimmen in der Luft
> Verstand ...
> Und als den Preis des hingegebnen Lebens
> Das schwerlose Gebild aus Worten schuf,
> Unscheinbar wie ein Bündel feuchter Algen,
> Doch angefüllt mit allem Spiegelbild
> Des ungeheuren Daseins, und dahinter
> Ein Namenloses, das aus diesem Spiegel
> Hervor mit grenzenlosen Blicken schaut
> Wie eines Gottes Augen aus der Maske.

Es ist nicht mehr nötig, das Weltgefühl, das in solchen Gedichten liegt, ausdrücklich in Worte zu fassen. Nur eine Entsprechung, eine Verbindung, die sich nun zwischen unseren drei Wegen hergestellt hat, darf erwähnt werden. Jene Unfestigkeit des Ich, das Sich-Nicht-Bewahren-können, das Aufgelöstwerden in die Welt, das wir bei Verlaine fanden, wir finden es hier nun gleichsam als Teil eines umfassenden Weltbildes und Lebensgefühles, als Gesetz alles Seins. Wir übertragen ein kleines Gedicht von Sá-Carneiro, dem bedeutendsten portugiesischen Symbolisten, in deutsche Prosa; alles bisher Besprochene findet sich hier beisammen:

> Der Spiegelsaal des Schlosses liegt verlassen.
> Ich habe Furcht vor mir. Wer bin ich? Woher kam ich?
> Hier ist alles schon vergangen ... In dunklen Schatten
> Starb die Farbe – und selbst die Luft liegt in Trümmern.
> Aus anderer Zeit kommt das Licht, das mich erleuchtet.
> Ein undurchsichtiger Klang löst mich zum König auf.

Sá-Carneiro hat sich 1917 in Paris erschossen, als ihm der Glaube zerbrach, daß die Poesie ein Weg wäre, an dessen Ende ein Ziel stünde. Aber der Preis des hingegebenen Lebens sind einige schwerelose Gedichte, die zu den schönsten des europäischen Symbolismus gehören. Man könnte die Symbolisten daraufhin

untersuchen, wie sie die Bilder, die Symbole, die Spiegelbilder un-
geheuren Daseins ineinander fügen. Bei Hofmannsthal fänden
wir wohl das musikalische Ineinandergleiten, bei Baudelaire oft
eher einen tektonischen, klaren Bau. In *La Cloche fêlée* etwa
lagern sich drei korrespondierende Bildschichten übereinander.
Bei Rilke fänden wir Beispiele für das Ineinandergleiten wie für
den Bau in zwei und drei Bildschichten. Wir finden bei ihm und
anderen noch eine neue Art der Fügung, die typisch symbolistisch
ist und dabei so einfach, daß sie als Technik ablesbar ist. Wir wählen als Beispiel ein Gedicht des spanischen Symbolisten Juan
Ramón Jiménez.

> Alrededor de la copa
> del árbol alto,
> mis sueños están volando.
>
> Son polomas, coronadas
> de luces puras,
> que, al volar, derraman música.
>
> Cómo entran, cómo salen
> del árbol solo!
> Cómo me enredan en oro!
>
> Um den Wipfel
> des hohen Baumes
> schweben meine Träume!
>
> Tauben sind es, gekrönt
> mit reinen Lichtern,
> die im Fliegen Musik ausströmen.
>
> Welch hin und wieder
> um den einsamen Baum!
> Wie sie mich in Gold einhüllen!

Die Ausgangsebene ist das Ich mit seinen Träumen. Aber das
Gedicht beginnt gleich auf der Metaphernschicht mit Baum und
Tauben. Und auf dieser Schicht dichtet es sich weiter. Genau genommen steigt es noch auf eine dritte Metaphernschicht. Mit
«reinen Lichtern» hieß es schon in der fünften Zeile, der Schluß

endet auf dieser Ebene des Lichtes und des Goldes. Das Einsetzen auf der Metaphernschicht und Umspringen auf eine neue Metaphernschicht, auf der sich das Gedicht nun fortsetzt, kann leicht in eine äußere Technik entarten, die die Kleinen den Meistern abgucken.

Aber nicht mit einem Blick auf die Kleinen, sondern auf die Großen, die vielen großen Dichter des Symbolismus wollen wir schließen. In dem einseitigen, oft verzweifelten Glauben an die Gewalt der Poesie haben sie es unternommen, das dichterische Wort und die sprachliche Fügung zu befreien: nicht nur von der Beschreibung, das heißt der Bindung an das Hier und Jetzt der Wirklichkeit, sondern von der Bindung an diese Wirklichkeit überhaupt, und zu befreien nicht nur von Gefühl und Meinungen, das heißt der Bindung an das Hier und Jetzt des Sprechenden, sondern von der Bindung an einen persönlichen Sprecher überhaupt. Auf daß die heimliche Magie der Sprache sich rein entfalten konnte. Auf daß im Akt der Verwandlung das Knistern, Funkeln und Fluten der Sprachmagie wirksam werden konnte. Wohin die Verwandlung führte, das wurde immer fraglicher. Die Unmöglichkeit einer Antwort ist manchen Symbolisten zum Verhängnis geworden, andere verstummten, auf Jahre oder auf immer. Und sie war wohl ein Grund, daß der Symbolismus als Bewegung schließlich zerrann. Seit 1910 traten zwei andere Bewegungen in die Erscheinung, in Deutschland der Expressionismus, in Frankreich der Surrealismus, wie ihn Apollinaire, sein erster großer Vertreter, nannte, – man könnte auch von Fragmentarismus sprechen. Beide haben viel vom Symbolismus in sich aufgenommen, dessen Kenntnis damit zur Hilfe, fast zur Voraussetzung wird, wo das Verständnis der gegenwärtigen Lyrik erstrebt wird.

Nachweise

Wandlungen im Gebrauch der verbalen Präfixe in der deutschen Sprache des 18. Jahrhunderts. Gedruckt in der Festschrift für Francisco Adolfo Coelho: Miscelânea de Filologia, Literatura e História Cultural, Lissabon 1950.

Literarische Wertung und Interpretation. Als Vortrag gehalten auf der Tagung der Hochschulgermanisten in Heidelberg, 1951. Druck in der Zeitschrift «Deutschunterricht» 1952, Heft 2.

Vom Werten der Dichtung. Als Vortrag (in erweiterter Form) gehalten auf einer Tagung für Deutschlehrer in Düsseldorf, 1952. Druck in der Zeitschrift «Wirkendes Wort», Jg. 1952.

Der Stilbegriff der Literaturwissenschaft. Vortragsmanuskript, gesendet in der Reihe «Grundprobleme der Literaturforschung» (Studio des Senders Freies Berlin) am 29. 1. 1957.

Wer erzählt den Roman? Als Vortrag zuerst gehalten auf der Frühjahrstagung der Deutschen Akademie für Sprache und Dichtung, in Düsseldorf 1957. Druck in der «Neuen Rundschau», Jg. 1957.

Goethe und das Spiel. Göttinger Antrittsvorlesung, gehalten im Frühjahr 1951. Druck in der Zeitschrift «Die Sammlung», Jg. 1952.

Goethes Auffassung von der Bedeutung der Kunst. Festvortrag auf der Tagung der Goethegesellschaft in Weimar, 1954. Gedruckt in der Zeitschrift «Goethe», Bd. XVI, 1954.

Beobachtungen zur Verskunst des West-östlichen Divans. Vortrag vor der Goethe Society, London 1953. Gedruckt in den Publications of the English Goethe Society, Bd. XXIII, 1954.

Kleist als Erzähler. Als Vortrag gehalten vor den Deutschstudierenden der Universitäten Cambridge und Manchester, 1953. Druck in der Zeitschrift «German Life and Letters», Jg. 1954.

L. Uhland: Jagd von Winchester – C. F. Meyer: Jung Tirel. Druck in dem Sammelwerk «Die deutsche Lyrik», hg. von B. v. Wiese, Düsseldorf 1956.

Formtypen des deutschen Dramas um 1800. Vortrag auf dem Kongreß der Fédération des Langues et Littératures Modernes, Heidelberg 1957. Druck im Kongreßbericht, 1958.

Zur Dramaturgie des naturalistischen Dramas. Vortrag auf dem Kongreß der Modern Language Association, Chicago 1955. Druck in der Zeitschrift «Monatshefte», Madison, Bd. XLVIII, 1956.

Zur Struktur des «Standhaften Prinzen» von Calderón. Gedruckt in der Festschrift für Günther Müller: Gestaltprobleme der Dichtung, Bonn 1957.

Nachwort zu der Übersetzung des Romans «Die nachträglichen Memoiren des Bras Cubas» von Machado de Assis. Manesse-Bibliothek der Weltliteratur, 1950.

Die portugiesische Literatur der Gegenwart. Als Vortrag (in gekürzter Form) gehalten vor dem Deutschen Institut der Universität Coimbra. Gedruckt in der Zeitschrift «Neue Schweizer Rundschau», Jg. 1950.

Der europäische Symbolismus. Festvortrag bei der Eröffnung der Ortsgruppe Utrecht der Nederlands-Duitse Genootschap, 1953. Gedruckt in der Zeitschrift «Duitse Kroniek», Jg. 1953.